現場の事例で学ぶ!

IT企業のためのBtoBマーケティング

技術・製品・サービスの魅力を
確実に伝える方法

新村剛史
Shinmura Takeshi

はじめに

2007年3月、私は最初の転職をしました。そこで入社したのがマイクロソフト（現、日本マイクロソフト）で、ポジションは開発ツール製品のマーケティングマネージャーです。

それまでは日本企業の中堅SIerでシステムエンジニアやアーキテクトのポジションで仕事をしてきたので、外資系のマーケティングというポジションは、私にとって非常に大きな挑戦でした。それでも、大学では経営学を学んでいて、SIerでもマーケティングチームと共同で技術動向の調査などをやってきた経験もあったので、なんとかなると思って挑戦したのですが、やはり最初は非常に苦労をしました。

エンジニアというバックグラウンドを持ち、実際に開発の現場で実際に使用されているIT技術を知っていることは、開発ツール製品のマーケティングマネージャーというポジションで仕事をする上で、大きなアドバンテージでした。一方で、IT技術の知識があるが故に、それに頼ってしまい、なかなかその製品の価値をうまく伝えられないという状態がしばらく続きました。その結果、一生懸命に最新の製品の機能を説明しても、エンジニアは喜んでくれるものの、ビジネス上の判断で納得を得られず、採用までにいたらないというケースが少なくありませんでした。自分は、「きっと、自分はマーケティングがよくわかっていないからだろう」という結論に達しました。

そこで、マーケティングの研修を受けたり、マーケティングの書籍を読み漁ったりしてみました。おかげで、マーケティングの基礎力をつけることができたものの、やはり何かしっくりこないという違和感を持ち続けていました。そして、担当製品が変わったり、転職をしたりしていく中で、教科書に載っているマーケティングは、そのままITの世界に当てはめると、どうしてもどこかに論理の飛躍が発生してしまう。それが、その違和感の原因だと気づきました。

その論理の飛躍は「顧客が持つビジネスの課題」と「ITで解決する課題」の間に存在するギャップです。このギャップに橋を渡すのは、紛れもないITを利用するユーザーの方々で、製品やサービスの機能ではないということです。アメリカのソフトウェアエンジニアで、ソフトウェア開発方法論者のグラディ・ブーチ氏の言葉で"A fool with a tool is still a fool."という言葉があります。訳せば「道具を持っただけのバカは、バカのままだ」となります。ITの製品やサービスは所詮道具です。この道具を導入しただけではビジネスの課題は解決しません。そこに人が介在して道具を使いこなし、ITをつかって働き方や組織の文化を変えて、初めてITの製品やサービスがビジネスの課題を解決するのです。

今まで、私がIT企業のマーケターとして活動していく中で、私自身がそういったギャップに陥ったり、さまざまな企業がギャップに陥ったりしている様子をみてきました。せっかくよい製品なのに、単なる製品の機能説明しかしていない。ではなぜ、そういったギャップに陥ってしまうマーケティングを行っているのでしょうか。多くの場合は、マーケティング戦略がしっかりと立てられていな状況で、行き当たりばったりのマーケティングを行なってしまっているケースです。

私は現在、企業に属して新規事業の立ち上げなどを行なっている傍ら、自身で株式会社マイカスピリットという会社を起業し、そういったギャップを埋めるためのIT企業向けのマーケティング戦略の策定支援を行なっています。本書では、これまでのマーケティング活動での経験から、IT業界特有のギャップを乗り越えるためのノウハウをまとめています。つまり、本書はマーケティングの教科書ではなく、IT業界に合わせたマーケティングを行うための副読本の位置付けだと思ってください。みなさんがIT業界のマーケターとして、製品やサービスを通じて顧客に価値を届けるためのマーケティング戦略とマーケティングの実行をするためのヒントとして読んでいただければ幸いです。

CONTENTS

第 4 章 顧客が求めること、ソフトウェアが実現すること

第 5 章 同じソリューションを提供する競合を理解する

第6章 顧客へのソリューションの価値と情報の届け方

会員特典データのご案内

IT企業でマーケティングを担当するにあたり、
知っておきたいIT用語の一覧を特典として提供いたします。ぜひご活用ください。

**会員特典データは、以下のサイトから
ダウンロードして入手いただけます。**

https://www.shoeisha.co.jp/book/present/9784798177601

※会員特典データのファイルは圧縮されています。ダウンロードしたファイルをダブルクリックすると、ファイルが解凍され、利用いただけます。

注意

※会員特典データのダウンロードには、SHOEISHA iD（翔泳社が運営する無料の会員制度）への会員登録が必要です。詳しくは、Webサイトをご覧ください。
※会員特典データに関する権利は著者および株式会社翔泳社が所有しています。許可なく配布したり、Webサイトに転載することはできません。
※会員特典データの提供は予告なく終了することがあります。あらかじめご了承ください。

免責事項

※会員特典データの記載内容は、2022年9月現在の法令等に基づいています。
※会員特典データの提供にあたっては正確な記述につとめましたが、著者や出版社などのいずれも、その内容に対してなんらかの保証をするものではなく、内容やサンプルに基づくいかなる運用結果に関してもいっさいの責任を負いません。
※会員特典データに記載されている会社名、製品名はそれぞれ各社の商標および登録商標です。

第1章

ITとマーケティングの実は密な関係

1-1 マーケティングとエンジニアの距離は近くあるべき

◎ 製品に対するマーケターの役割とエンジニアの役割

本書を手に取っていただいたということは、あなたはIT業界でマーケティングを担当している方でしょうか、それともこれからIT業界でマーケティングに挑戦しようとしている方でしょうか。いずれにせよ、IT業界のマーケティングに興味がある方かと思います。

IT業界におけるマーケティングの役割とは、「製品やサービスの価値を顧客に届ける」ことです。いまだに誤解の多い部分ではありますが、マーケティングの役割は宣伝やイベントを行うことだけではありません。顧客に製品やサービスの価値を理解してもらい、それを届けて、実際に価値を感じてもらうところまでがマーケティングの役割です。

IT業界と一言でいっても、扱っている製品やサービスは様々です。しかし、どのような製品やサービスであったとしても、マーケティングはその製品やサービスの価値を顧客に届けることが役割であるという点に変わりはありません。本書では製品やサービスの価値をどのように定義、それをどのように顧客に届けるのか、IT業界の特徴を捉えつつ解説していきます。

また、IT業界のマーケティングを考えていく上で顧客以外に意識しなければいけない存在があります。それがエンジニアです。とりわけ、エンジニアの中でもアーキテクトと呼ばれる人たちの存在は、マーケティングとは切っても切り離せない存在です。

エンジニアの存在がなぜマーケティングにおいて重要なのか、それはエンジニアの役割にあります。エンジニアの役割は、単にIT技術を使って製品やサービスを開発することではありません。製品やサービスに顧客が求める価値を作り込むのがエンジニアの役割です。特に、アーキテクトは製品やサービスの全体のアーキテクチャ、日本語で「構造」を設計する役割を担い、顧客が求める価値を分析して製品やサービスに反映するための設計をしていく作業をします。この作業がなければ製品やサービスは価値を持たず、存在意義がなくなってしまいます。

本当に優秀なエンジニアは単に技術に詳しいだけでなく、顧客が求める価値をしっかりと捉え、どのように製品やサービスとして実装すべきかの設計ができます。その中でも、アーキテクトにとってこの設計をする能力は欠かすことのできない非常に重要な能力です。

つまり、製品やサービスに価値を作り込んでいくのがエンジニアの役割で、顧客にその価値を伝え、価値を手に入れる動機付けをし、実際に価値を顧客に届けるのがマーケティングの役割なのです。方向が違うだけで、顧客と製品やサービスの間の価値のやり取りを行っているのが、マーケターとエンジニアです（図1-1）。

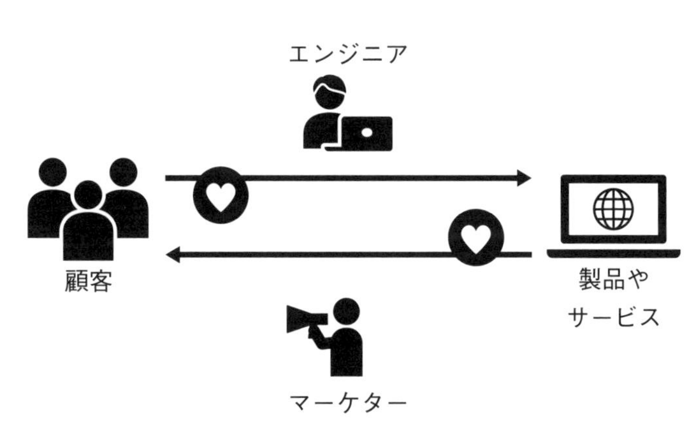

図1-1　マーケターとエンジニアの役割

近年では、ベンチャー企業を中心にマーケターとエンジニアが密接に連携して仕事をすることも増えてきました。マーケターが顧客の求める価値をどのように製品やサービスに組み込むかの議論に参加したり、逆にエンジニアがマーケティングやセールスに参加したりすることもあります。これはアメリカのマサチューセッツ工科大学で提唱されたリーンスタートアップという考え方が広がってきたことも一因といえます。リーンスタートアップではMVP（Minimum Value Product）と呼ばれる、顧客に価値を提供できる最小限の製品やプロダクトを提供し、顧客にそのアイデアを評価してもらいながら製品を成長させていく手法が用いられます。この手法を実現するためには、エンジニアとマーケター双方が関わらないと、効果的かつ効率的に製品を成長させることができません。

しかし、いまだにエンジニアは製品を作り、マーケターはそれを宣伝するといった役割分担をしている企業は少なくありません。その結果、スタートもゴールも同じ顧客が求める価値であるにもかかわらず、正しく価値を実現していない製品やサービスが開発されたり、製品やサービスが正しく価値を実現していたとしても、それが顧客に伝わらなかったり、間違った価値を伝えてしまったりといったことが発生してしまいます。

ただ、幸いにもIT、特にソフトウェアに関しては製品やサービスのバージョンアップのサイクルが速い分野です。そのため、一度作ってしまったら当面は変更できないという制約はありません。マーケターとして、製品やサービスの改善に参加して、エンジニアと一緒に顧客に価値を届けるための関係性をいつでも作り上げられます。

◎ なぜお互いに距離感を生んでしまうのか

先ほど「マーケターはエンジニアと一緒になって顧客に価値を届けるための関係性を作り上げていく」と述べました。関係性を作り上げていくにしても、現状、皆さんはどのような関係性をエンジニアと築いているでしょうか。エンジニアとの関係性といっても、友人として仲良くしている人もいれば、同じプロジェクトに参加していても顔も名前も知らない人もいるかと思います。まず、は仕事としてのエンジニアとの関係性についてお話をしたいと思います。

皆さんは頻繁にコミュニケーションをとって情報交換を十分に行ってい

るでしょうか。私の知人で、いわゆる「ひとたらし」といわれる特徴を持つ人がいるのですが、彼はエンジニアチームの人がいると、ふらっと声をかけて色々な情報を仕入れてきたり、新しい試みをけしかけてみたりと、非常によい関係性を築き上げていました。新機能の情報を仕入れてきては、マーケティング部でその情報を展開しながら、この機能はこういう顧客に刺さるのではないかという話をよくしていました。それも、やはりエンジニアから「なぜそういう機能を作ったのか」、興味をもって聞いてきていたからです。

ただ、こういった関係性を築けているマーケターはそれほど多くないと実感しています。製品のコンセプトや機能を、まとめられた資料からのみ情報を得ているケースが少なくありません。そのような状況では、エンジニアがどのような意図で製品やサービスの機能を作っているかを見落としてしまう可能性があります。

一方で、エンジニアもなかなかマーケターと積極的にコミュニケーションを取ろうとしないケースもあります。もちろん、プライベートで仲がよい場合もあるかもしれませんが、仕事面でマーケターとのコミュニケーションが取れていないエンジニアもまだまだ多いように感じます。

実際、私もエンジニアだった頃は、マーケティングチームは上司が話をつけてくる相手で、自分にとっては遠い存在だと感じていたこともありました。当時はマーケターの役割をなんとなくは知ってはいたものの、具体的に自分の仕事とどのように関係して、どのように役に立っているのかをあまり考えていませんでした。

そういった距離感が生まれている理由はいくつかありますが、一番大きな理由は仕事における関心事がお互いに異なっていると思い込んでいることです。外部から見ていると、マーケターの関心事は「売上」にあり、エンジニアの関心事は製品やサービスの「質」とそれを作るための「効率」にあるように感じます。表面的な視点からお互いの役割を見れば、お互い「関心のないことをやっている人たち」という認識を持ってしまうのは致し方ないことです。エンジニアにしてみればマーケターは製品技術の向上よりもお金のことしか考えていない人たちと映り、マーケターにしてみればエンジニアは売ることよりも難しい技術や方法論の話ばかりしている人たちと映るかもしれません。

しかし、この関心事について一歩踏み込んで考えれば、マーケターが考える「売上」は顧客に製品やサービスの価値を届けたことに対する対価であり、エンジニアの考える「質」は顧客が求める価値を製品やサービスとしてどれくらい実現できているかで、「効率」は価値を実現するためのコストを抑える努力です。つまり、別のものを見ているようで、お互い顧客にとっての価値に関心を持っているのです（図1-2）。

残念ながら、そこに気づかず誤解してしまい、お互い「興味ないことにしておく」という結果になってしまうのです。

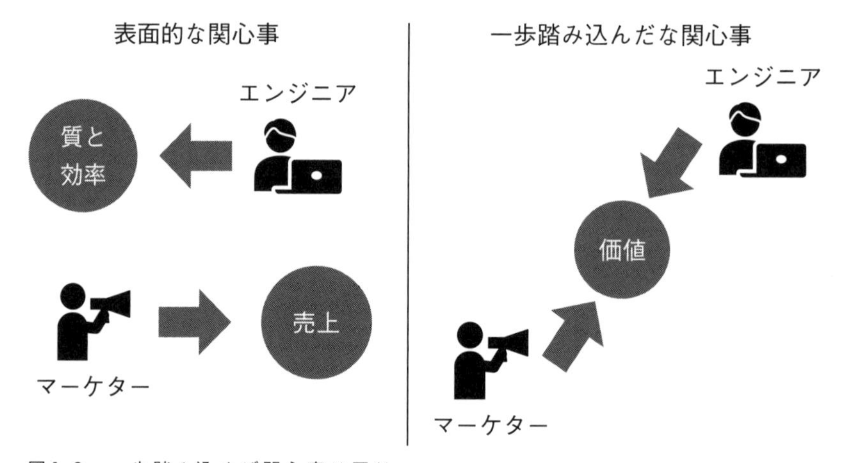

図1-2　一歩踏み込めば関心事は同じ

逆にいえば、お互いの役割を理解し興味を持つことができれば、マーケターとエンジニアの距離感は縮めることができます。本書ではマーケターがどのように考えればエンジニアの仕事に興味を持つようになるかという点を説明したいと思います。第1章ではエンジニアがどんなことを考えて設計をしているのか、どのような観点で顧客の価値を作り込んでいくかを解説し、第9章ではエンジニアの話を理解するために、マーケターが最低でも理解しておくべき技術の話について解説します。

一方、もしエンジニアにマーケターの仕事について興味を持って理解してもらいたいのであれば、本書に一通り目を通してもらうのもよいと思います。マーケターとエンジニアが「顧客が求める価値」という同じ関心事を持っていることを理解してもらえれば、相互理解も深まります。

もちろん、相手に対する興味関心以外にも、組織の壁や縦割り組織の弊害といった、距離感を生む要素がまだまだあります。しかし、先に述べた私の知人のように、相手の仕事に興味があれば、組織や慣習に関係なく、コミュニケーションをとり、情報交換の量を増やしていくことができます。そして、そういった行動をとる人が出始めれば、組織の文化自体も変えていくことができます。

この変化を作ることができれば、リーンスタートアップとは少し異なりますが、製品やサービスを改善していくためのよいサイクルを作ることが可能になるでしょう。

◎ 相乗効果を生むために協業しよう

顧客に価値を届けるため、マーケターとエンジニアで関係性を築き、距離を縮めて協業体制をつくると次の2つが実現できます。

①エンジニアの設計意図が理解できる
②市場分析の結果を製品やサービスに反映できる

この2つはマーケター側の視点の言葉なので、エンジニア視点に言い換えてみるとこうなります。

①開発した製品やサービスの価値を正確に伝えてもらえる

②どんな価値を製品やサービスに組み込めばよいか明確になる

先ほど述べたように、エンジニアとマーケターの仕事は顧客が求める価値と製品やサービスの間にある道路の上りと下りの関係です。この道路を行き交うのは顧客が求める価値に関する情報です。マーケターとエンジニアの双方で協業することで、行き交う情報の解像度を上げていくことができます。

結果、顧客が求める価値が明確になれば、よりよい製品やサービスを作ることが可能になります。また、製品やサービスがどのような形で顧客が求める価値を実装しようとしているか理解できれば、その価値をより正確に顧客に届けることができます。

実際に、今参加している新規事業開発の現場で、私が事業責任者兼マーケターとして行っていることを紹介します。

現在担当している事業はフルリモートで開発をしています。そのため、ふらっとエンジニアの皆さんに話しかけにいくことはないですが、エンジニアチームのSlackには常に参加しています。当然、技術的な内容が大半を占めているので理解できないことも多いですが、チームがどのようなことをしようとしているのかは確認するように心がけています。自分が理解できるような内容で、興味があれば会話にも入っていきます。

そして、マーケティングの企画や事業企画などが完成する前の段階でも、ある程度考えがまとまったらSlackで共有するようにしています。エンジニアの皆さんが理解できないものは顧客にも伝わらないので、何かあればフィードバックをもらうようにするわけです。もちろん、フィードバックは必ずもらえるわけではないですし、忙しくて見てもらえないこともありますが、共有をし続けることで、マーケターの動きや企画意図を理解してもらう機会をなるべく多くしています。

また、市場を知る上でのリサーチデータやニュース記事、セミナー資料なども共有するようにしています。これは特にマーケターからエンジニアへという一方通行だけではなく、お互い有用な情報があればどんどん共有していくという雰囲気ができているからです。幸い、現在の事業は私が参加したタイミングですでにこういった雰囲気ができていたのですが、なければそういう雰囲気をSlack上で作っていくことも必要でした。交流しやすい雰囲気を作るためには、何より自分から情報を共有していくことが不可欠です。自分が情報を出していない状況で、相手に情報を共有してくださいといくらいっても、なかなか共有してはもらえません。

加えて月に1、2回の社内勉強会という名の雑談会を開催するようにしています。勉強会といっても、誰か発表者がいてプレゼンテーションをするわけではなく、気になった技術的テーマで気軽に雑談をしています。現在は、エンジニアチームで書いている自社の技術Blogへの投稿内容の感想を言い合うことをスタートに、雑談会を行っています。Blogにはその時気になっている技術や、業務で行った検証の内容などを投稿しているため、今エンジニアがどのようなことに取り組んでいるかを詳しく知るにはちょうどよいイベントです。また、このタイミングで、自分が理解できていないような技術に関して質問をしてみたり、逆に時間をもらってマーケティング施策を説明したりしています。こちらも事前にSlackで共有していた内容を、改めて口頭で説明したりしています（図1-3）。

図1-3　エンジニアと定期的に交流する

このような取り組みをすることで、エンジニアチームが何をしているのかを理解しやすくなりますし、マーケターが何をしようとしているのかを知ってもらうこともできます。日常的に接点を持つことは組織の状況や文化に関係なく、非常に重要なポイントです。結局、エンジニアだからマーケターだからというのはあくまで会社の役割でしかありません。会社の同僚として関係を築いていく延長線なので、あまり深く考えずに関係性を作っていくとよいでしょう。

また、製品やサービスが完成したら見せよう、マーケティング施策が決定してから情報を共有しようというパターンをよく見かけますが、それでは方向修正が効きません。確かに、未確定な情報を渡すことによってあらぬ誤解を招く可能性もあります。しかし、その情報が確定情報なのか、未確定情報なのかをはっきりさせてコミュニケーションをとることを日常から徹底していれば、誤解が発生する可能性は低くなります。それよりも、情報が確定するまで相手に情報を開示しない方が、誤解を与える可能性よりもリスクの高い状態といえます。常日頃から緩くてもよいので情報交換をするように心がけておきましょう。

そうすることによって、お互いが顧客の求める価値についてどのように考えているのかを把握でき、お互いが手にする情報の解像度を上げていくことができます。そして、早い段階から徐々に方向修正をし、結果的に製品やサービスの質も、マーケティングの効果も上げていく相乗効果を発揮することができるようになります。

1-2 ソフトウェアのアーキテクチャ設計とマーケティング

◎ ソフトウェアのアーキテクチャ設計とは？

本節では、アーキテクチャ設計とは具体的にどのようなものなのか、アーキテクトがどのような観点でアーキテクチャ設計を行っているか、それをマーケティングがどう理解して活かしているのかを紹介します。

まず、ここまでにエンジニアとアーキテクトを製品やサービスを開発する側の職種として紹介しましたが、それぞれの違いを具体的に説明したいと思います。

エンジニアはITやソフトウェアに関する専門知識を持ち、製品やサービスを作り上げていく役割です。工程的にも顧客の要求を整理する段階から、機能レベルの設計、プログラミング、テスト、そしてサポートまで様々な工程を担当するエンジニアがいます。

一方のアーキテクトは、エンジニアと同列の役割ではなく、エンジニアの中の1つの役割です。アーキテクトと呼ばれる人はほぼ間違いなく、エンジニアとしての経験を十分に積んできた人といえます。アーキテクトはその製品やサービスに求められる要求を分析して、全体としてどのような形でそれを実現するのかを設計するのが役割です。

工程の面では詳細な設計に入っていく前に、顧客の要求をどのような構造で実現していくかを設計しなければならないので、開発の初期にその主な役割があります。

では、アーキテクトの役割である「顧客の要求を実現していく構造の設計」とは、どういうことでしょうか。先ほど、アーキテクチャとは日本語でいえば「構造」であると述べました。この構造には様々な側面があります。詳しくは次の項で説明しますが、顧客の要求に応じて、どのような技術を使用するのか、どのような機能を用意するのか、どのようなツールを組み合わせるのかといった決断をしていきます。これらの決断を統合して、製品やサービスの全体像を作り上げるのがアーキテクチャ設計です。

このアーキテクチャ設計は個々の機能を設計、実装していく上でのグランドルールとなり、その後の工程を担当するエンジニアはこのグランドルールに基づき個々の機能や仕組みの設計を行い、実装していきます（図1-4）。

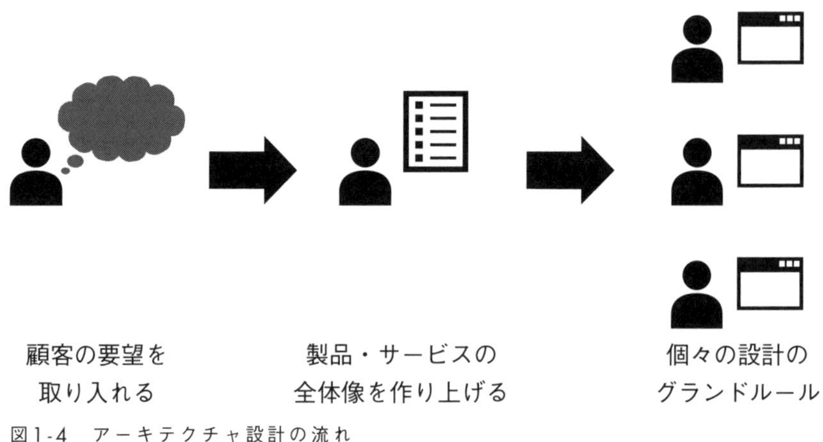

図1-4　アーキテクチャ設計の流れ

例として、アーキテクチャ設計でどのような決断をしているかを紹介したいと思います。例えば、営業管理システムを開発して提供しようとなった場合に、次のような要求があったとします。

“営業管理の立場からは、客先訪問後すぐに訪問の簡単なレポートを登録できるようにしたい。詳細な内容は帰社後でも構わないが、重要な決定事項は速報ですぐに登録でき、いち早く情報共有できるようにしたい”

これに対してアーキテクトは、次のような分析をします。

- **商談の速報情報を登録できるようにする**
- **モバイルからも登録できる環境が必要**
- **モバイルからの入力は簡単にできるようにする**
- **重要な機密情報を安全に送信できるようにする**
- **情報が登録されたらすぐに関係者に通知する仕組みが必要**

これらは非常に簡略化された例です。実際のアーキテクチャ設計では非常に多くの要素を総合的に判断して、このような分析を行います。その分析に基づいて、製品やサービス全体の構造を作り上げていきます。

◎ アーキテクトが設計時に気にしていること

それでは、アーキテクトがアーキテクチャ設計をする際にどんなことを気にしているのかマーケターにとってここだけを理解できればよい点に絞って紹介します。ここで理解してほしいのが、アーキテクトが行っている「関心の分離」という作業についてです。

前節でアーキテクトは顧客の要求を実現する構造を設計すると述べました。実際にアーキテクトが顧客の要求を分析し、設計に落とし込む際には下記の4つの概念をもって分析をします。

- **ステイクホルダー：製品やサービスに対する利害関係者**
- **コンサーン：ステイクホルダーの製品やサービスに対する関心事**
- **ビューポイント/パースペクティブ：関心事を分離・分類する視点**
- **ビュー：分離・分類された視点から見た関心事**

アーキテクトの作業はこれだけに限りませんが、これら4つの概念に関してはマーケティングの観点からも理解しておく必要があるので、1つひとつ説明していきたいと思います。

まず、ステイクホルダーは製品やサービスに利害関係を持つ人たちです。先ほどから何度も登場している顧客は、最も重要なステイクホルダーです。しかし、一言で顧客といっても色々な人が関わっています。製品やサービスを直接利用する人に限定しても、様々な立場があり、その利害は異なりますし、製品やサービスを直接利用しなくても、それによって発生する利害に関わる経営者のような人もいます。

さらには、顧客以外に、製品やサービスの開発者やサポートといったエンジニアもステイクホルダーに含まれます。

コンサーンはその製品やサービスに対して、こうあってほしい、ほしくないという要求のことです。先ほどの「関心の分離」において、分離される対象となる関心がコンサーンです。

ステイクホルダーを顧客に絞って考えると、「顧客が求める価値」がそれにあたります。コンサーンはステイクホルダーごとに異なりステイクホルダーの立場が違えば、コンサーンが相反することすらあります。そのような場合は、誰のコンサーンが優先されているのかを知っていると、マーケティングの観点で役立ちます。

そして、ビューポイントとパースペクティブはいずれも日本語でいうと「視点」となります。アーキテクトは問題を単純にするために、ステイクホルダーのコンサーンをそれぞれの視点で分離・分類していきます。

厳密には、ビューポイントとパースペクティブは異なりますが、ここではビューポイントやパースペクティブといった概念を使って、コンサーンが分離・分類されるということを理解していれば十分です。

コンサーンをビューポイントやパースペクティブを使って分離することで、複雑な問題を、機能の問題・セキュリティの問題・パフォーマンスの問題と、範囲を絞ったよりわかりやすい問題へと分離していくことができるのです。

最後はビューです。ビューはステイクホルダーのコンサーンをビューポイントやパースペクティブで分離・分類した結果、その視点で見える状態です。言い換えれば、製品やサービスが提供すべき価値を定義したのがビューにあたります。

この価値を製品やサービスが提供できるように、機能を開発したり、セキュリティやパフォーマンスの仕組みを作り込んだりしていくことになります。

ここで、前節の例での分析結果を振り返ってみたいと思います。先ほどの例では次のような「関心の分離」を行っていました。

要求は次のようようなものでした。これは文中にもありますが、「営業管理」という役割のステイクホルダーによるコンサーンです。

“営業管理の立場からは、客先訪問後すぐに訪問の簡単なレポートを登録できるようにしたい。詳細な内容は帰社後でも構わないが、重要な決定事項は速報ですぐに登録でき、いち早く情報共有できるようにしたい”

このコンサーンをビューポイントやパースペクティブで分離していくとこのような表になります（図1-5）。

ビューポイント・パースペクティブ	ビュー
機能	商談の速報情報を登録できるようにする
配置	モバイルからも登録できる環境が必要
操作性	モバイルからの入力は簡単にできるようにする
セキュリティ	重要な機密情報を安全に送信できるようにする
通知性	情報が登録されたらすぐに関係者に通知する仕組みが必要

図1-5　コンサーンを分離していく

このように「関心の分離」を行うことで、各ビューポイントやパースペクティブで製品やサービスが実現すべきことが明確になります。なお、「関心の分離」は複雑な問題を単純化し、解決へと導く方法として、アーキテクチャ設計以外でも活用できる手法です。ぜひ、概要だけでも覚えておいてください。

◎ マーケターはアーキテクチャ設計の意図を理解すべき

ここまで、アーキテクトがどのような視点で顧客の要求を分析しているのかを紹介してきました。アーキテクトはステイクホルダーのコンサーンをビューポイントやパースペクティブという視点で分類・分離し、ビューを洗い出すことで、顧客が求める価値を製品やサービスに作り込んでいきます。この流れをマーケターが理解するべき理由を説明していきます。

これまで述べてきたように、顧客が求める価値をエンジニアがどのように製品やサービスに作り込んでいるかを理解することは重要です。なぜなら、製品やサービスを開発していく過程で、「顧客が求める価値」を「製品やサービスが提供する価値」に変換するため、これらを製品やサービスの提供側が結びつけて伝えないと顧客に理解してもらうのが困難であるからです（図1-6）。

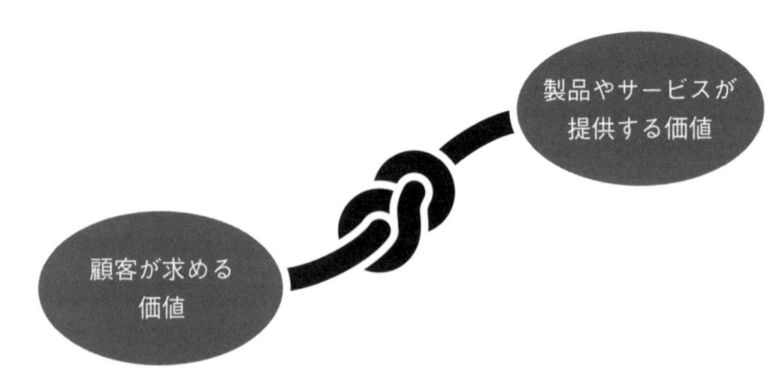

図1-6　エンジニアが理解すべき価値

この「顧客が求める価値」と「製品やサービスが提供する価値」という2つの価値の視点は、マーケティング戦略を立てていく上で常に意識していなければなりません。ITの製品やサービスに関しては、この2つの価値を結びつけるためのギャップが大きいのが特徴です。幸い、このギャップを正しく理解し、2つの価値を結びつけるための情報がアーキテクチャ設計に存在しています。だからこそ、アーキテクチャ設計でどのように「関心の分離」がなされているのか、意図を理解することが重要です。意図を理解するために2つの価値の視点をそれぞれ確認してみましょう。

まずは、顧客が求める価値の視点でのアーキテクチャ設計の意図に関して確認します。アーキテクチャ設計では、ステイクホルダーが持つコンサーンであっても、重要性が低かったり、または矛盾が存在したりするようなコンサーンは切り捨てることがあります。そのため、どんなステイクホルダーのどんなコンサーンを製品やサービスとして実装しているかがわかれば、その製品やサービスが誰にどんな価値を提供するのかがわかります。

次に、製品やサービスが提供する価値の視点でのアーキテクチャ設計の意図に関して確認します。製品やサービスが提供する価値はビューで表現されます。ビューを理解していれば完成した製品やサービスの機能や仕組みを見ても、それがどんな価値を提供しようとしているのかを理解するのが容易になります。

逆に、アーキテクチャ設計の意図を理解しないで、マーケティングの戦略を立てた場合、マーケターは製品やサービスの特徴から、どんな顧客が求めるどんな価値を提示するのかを逆算する二度手間が必要になってしまいます。マーケターがこのようなアーキテクトのアーキテクチャ設計を理解するようになれば、この非効率は一気に解消します。

1-3 マーケティング担当者が開発に関わるべき理由

◎ マーケティングからしか得られない情報が価値を生む

さて、ここまではアーキテクトからの情報をマーケターが活用するという内容でしたが、今度はマーケターがどのように開発に役立つ情報を提供できるか、という内容を述べていきたいと思います。

アーキテクトはステイクホルダーのコンサーンに対して分析を行うという話でしたが、「ステイクホルダーが持つコンサーンはどのように収集するのか？」という疑問を持った方もいるかと思います。

企業システムの受託開発などでは、要求分析や要件定義の工程で、エンジニアが中心となって顧客にヒアリングをし、要求を聞き出して分析を行っていきます。しかし、不特定多数が顧客となるようなマーケティングを必要とする製品やサービスの場合は、開発開始段階で顧客がまだ決まっていない場合も多いです。そのような場合は、エンジニアだけで顧客の要求を洗い出して、アーキテクチャの分析を行っていくことは容易ではありません。

そこで役立つのがマーケターです。マーケターを宣伝、プロモーション担当だと考えていると違和感があるかもしれませんが、本来のマーケティングにおいては、顧客の要求の理解は最も重要な仕事の1つです。ここまではエンジニア視点の話が中心だったので「顧客の要求」という言葉を使ってきましたが、これは言い換えれば「顧客のニーズ」です。そのように考えれば、マーケターにとって切っても切り離せないことがイメージできるかと思います。

エンジニアと協力して製品やサービスの企画や開発をしていくにあた

り、エンジニアが提供できなくて、マーケターが提供できる情報があります。市場の情報です。マーケティングの語源であるマーケットは、まさに市場です。市場を理解し、市場を創り、市場に価値を届けるのがマーケターの仕事なのです。この後、第3章から第5章にかけて、どのように市場を理解するのか説明をします。そこでは、客観的に市場を捉え、過去だけではなく、未来に向けてどのように変化していくかを予測することの重要性について説明していきます。

実は、エンジニアにもドメインスペシャリストといった、特定業界向けの製品やサービスを開発し続け、その業界に関する知識を豊富に持つエンジニアもいます。ドメインスペシャリストは過去の経験や、現在の業界動向に精通しているので、顧客の代弁者にもなりえる心強い存在です。

しかし、マーケターは過去や現在だけでなく、未来を見る必要があります。なぜなら、これから開発する製品やサービスの価値を届ける先は未来の顧客だからです。もちろん、マーケターは預言者ではないですから、様々なデータや状況から未来を推測します。このスキルはエンジニアにとっては必要とされるスキルではないため、マーケターがその情報をエンジニアに提供する必要があります（図1-7）。

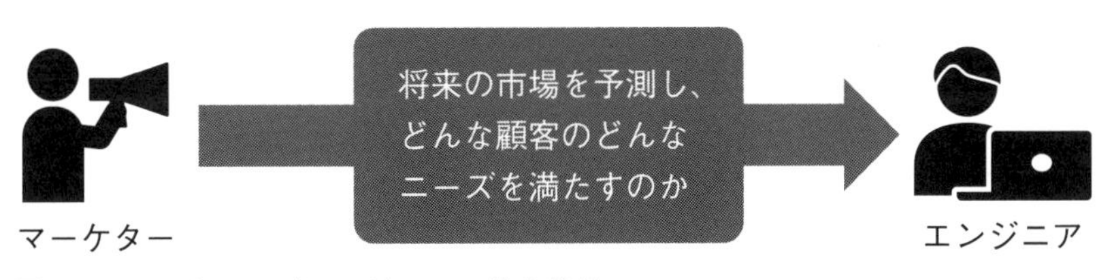

図1-7　マーケターがエンジニアに渡す情報

そして、もう1つマーケターが持っているものがターゲット顧客という概念です。エンジニアにとっては、その製品やサービスを使用する人の要求がその製品やサービスが実現すべき価値となります。それで間違いではないのですが、マーケターの視点としてはその製品やサービスを使用する人をあらかじめ市場全体の中から絞り込んでおくのが一般的です。

「万人ウケを狙った製品は、誰も買わない」という話があります。顧客のニーズといっても人それぞれ重要視する項目は異なっています。そのため、それぞれの顧客が重要視するニーズに特化した製品やサービスが多数あれば、万人ウケを狙った製品やサービスは特化した製品やサービスと比べて見劣りしてしまい、買ってもらえなくなります。
マーケターは買ってもらいたい顧客を市場全体の中から絞り込み、ターゲット顧客としてその顧客の集団が重要視しているニーズをより高度に実現するように考える必要があります。そうなると、製品やサービスの価値として作り込むべき顧客が求める価値、つまり顧客のニーズは絞り込まれていきます。

これら2つの観点から、マーケターは市場を分析・予測し、ターゲットを絞り、そのニーズを特定するスキルを用いて製品やサービスの開発に貢献することができます。それらのスキルを発揮するためには、市場調査や市場分析、マーケティングフレームワークといった手段を活用していく必要があります。

◎ 開発プロセスの終点と始点を結ぶ役割

ここまで、マーケターが製品やサービスの開発に関わる場合に、その企画時点から関わるべきという話をしてきましたが、製品やサービスができたら、あとは開発に関与する必要がないわけではありません。製品やサービスができ、顧客に価値を届けるようになってからが、本当の意味でマーケターの本領を発揮できる段階です。

マーケターは顧客に価値を届けるのが役割です。顧客に実際に製品を使ってもらい、その価値に納得してもらって初めて、マーケターとしての役割を達成したといえます。もちろん、実際に価値に納得してもらうまでの道のりは単純ではありません。全員に納得してもらえるというわけでもありません。なぜなら、最初に製品やサービスの企画を行ったり、マーケティング戦略を策定したりするにあたっての情報は予測であり、仮説だからです。この予測や仮説が間違っていれば、それを修正して、製品やサービス、そしてマーケティング戦略に反映していく必要があります。

この予測や仮説が正しいのか、間違っているのかの判断は、顧客の声として拾うこともできますが、それと併せてマーケターは様々なデータを駆使してその判断を客観的に行う必要があります。製品やサービスに対するフィードバックとして、カスタマーサポートに届く声は貴重なフィードバックであることは間違いありません。しかし、カスタマーサポートに届く声は、少なくとも製品やサービスを使用した顧客の声です。製品やサービスを使う前に離脱してしまった顧客の声は拾うことができず、マーケティング的アプローチで集めたデータからしか見えてきません。

もちろん、間違いの原因が製品やサービスにあるのか、マーケティング戦略にあるのかも、別途見極める必要があります。マーケティング戦略を調整するだけで済むこともあれば、製品やサービスの修正が必要な場合もあります。いずれの場合も、製品やサービスの価値が顧客に届いていない原因を探り、その理由を明確にする責任はマーケターにあります。日々のマーケティング活動の中から振り返りを行い、顧客の反応を客観的に分析し、その原因を解き明かしていきます（図1-8）。

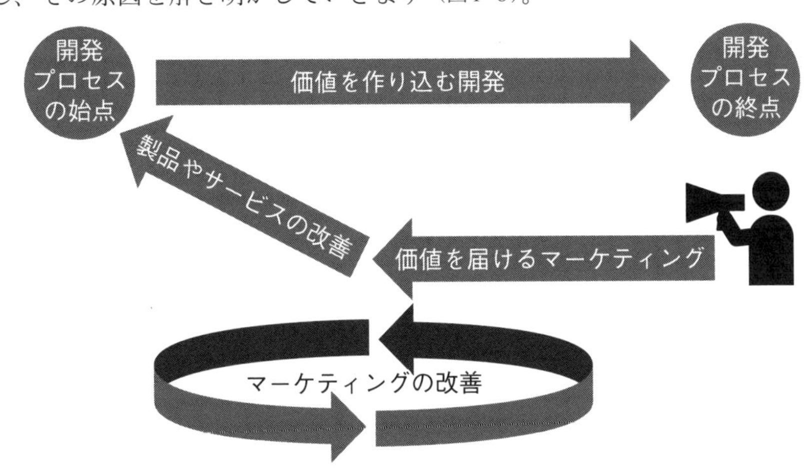

図1-8　マーケティングの動き

また、よくある例では、営業担当が顧客の声として、特定顧客のフィードバックを製品に反映するように要請することがあります。営業担当は、実際に顧客がその製品やサービスを利用し始める前の段階で顧客からのフィードバックを受けることができるため、なぜ顧客がその製品やサービスを利用しないのかを知ることができます。そして、実際に顧客の声の代弁者でもあるので、そのフィードバックには説得力がありますし、その顧客に製品やサービスの価値を届けたいという思いはマーケターと同じです。しかし、多くの場合、そのフィードバックを鵜呑みにはできません。そのフィードバックを反映するかどうかはマーケターが介入すべき案件です。

営業担当が伝える顧客のフィードバックは、あくまで営業担当が接した顧客のフィードバックです。それが、ターゲット顧客の大多数が持つフィードバックであるのか、その顧客固有のフィードバックであるのかの判断は必ず行う必要があります。その判断を行うために、マーケターが介入する必要があるのです。

このように製品やサービスが完成した後で、その価値を顧客に届けるフェーズこそ、マーケターがその力を発揮できる場です。そして、それは単にマーケティング戦略の改善の観点ではなく開発の終点から、次の開発の出発点への架け橋となり、製品やサービスを改善する場となることを理解しておく必要があります。

第 2 章

教科書的にはできない ITマーケティングの特徴

事例 1

売上につながらない単発施策の実施

ここは山手ソフトウェアという中堅のソフトウェアベンダーのオフィスです。先週からマーケティング部門に配属された新人の大崎くんが、OJTのトレーナー・品川先輩からマーケティングを学んでいこうとしています。大崎先輩は元々エンジニアで、その価値をちゃんと顧客に届ける仕組みを作りたいという思いをもとにマーケティングに転向した、冷静沈着で頼りになる先輩です。

本書ではIT業界のマーケティングの「あるある」な問題を題材に、大崎くんの疑問や悩みを紹介していきます。大崎くんの疑問や悩みに対する答えは、読者の皆さんで考えてみてください。

さて、早速大崎くんが、やる気を見せて品川先輩に話しかけています。

「かっこいいキャッチコピーを考えたので、広告を出してみましょうよ」

品川先輩はやる気のある新人に少し苦笑いしながらも、とりあえずその計画を聞いてみることにしました。

「それじゃあ、広告のプランを作成してみてくれない？　大崎くんの考える形のプランでいいから」

数日後、大崎くんが持ってきた広告のプランを見て、予想通りという顔でニヤリと笑って大崎くんに質問を投げかけました。

「Web広告に交通広告、新聞広告ってあるけど、誰に向けて、どんな価値を伝えたくてこのメッセージをここに掲載するのかな？」

正直、かっこいいキャッチコピーさえ考えれば、どこに掲載してもいいと思っていた大崎くん、かっこいいキャッチコピーだけではダメだと気づいたものの、誰に対して伝えるべきか、どんな価値を伝えるのかは全く考えていませんでした。

2-1

一般的なマーケティング

◎ マーケティングの定義を振り返る

IT業界のマーケティングの話をする前に、まずは一般的なマーケティングについて触れていきたいと思います。「マーケティング」という言葉はよく聞くと思いますが、その定義をしっかりと考えたことはあまりないのではないでしょうか。ここで、まずはマーケティングの定義を振り返っていきたいと思います。

アメリカ・マーケティング協会では、マーケティングをこのように定義しています。

“マーケティングとは、顧客、クライアント、パートナー、そして社会全体にとって価値のある提供物を創造し、伝達し、配達し、交換するための活動、一連の制度、およびプロセスのことです”

また、現代マーケティングの第一人者でノースウェスタン大学ケロッグ経営大学院の教授であるフィリップ・コトラーは次のように定義しています。

“マーケティングとは、個人や集団が製品や価値を創造し、他者と交換することによって、必要なものや欲しいものを手に入れるための社会的・経営的なプロセスです”

これらの定義からもわかるように、マーケティングは価値創造から、それを求める人に価値を提供するまでの一連のプロセスを指しています。企業の活動に当てはめて考えると、製品やサービスの企画から販売促進、流通、販売までをカバーし、ほぼ1つの事業のビジネスを実現していくためのプロセスの構築になります。

これはマーケティングを基礎から学んだことがある人であれば、誰でも聞いたことがある4P、もしくはマーケティングミックスと呼ばれる考え方に現れています。4PとはProduct（製品）、Price（価格）、Promotion（販売促進）、Place（流通）の4つのPを総称しているマーケティング用語で、マーケティングの中では価値を顧客に届けるにあたり、柱となる最も重要な4つのツールを表しています。マーケターはこれらのツールにおける戦術を立て、それを有効に組み合わせることで適切な顧客に適切な価値を届けるようにします。

実は第1章で説明したエンジニアとマーケターの関係性を作り、製品やサービスの開発プロセスに関与するべきだという話は、このProductの戦略の重要性に関係していました。製品やサービスに価値を作り込むための工程にマーケターが関わることは、マーケターに新しい仕事を増やすためではなく、もともとマーケターがすべき仕事なのです。

しかし、残念ながらIT業界に限らず、現在のマーケターの役割は販売促進の領域のみだと誤解されているのが現状です。本書を手にとってくださった方も、多くはそういった業務を中心に行っているかと思います。そのようなギャップが発生している原因の1つは、マーケティングの分業化です。

実際、現在のマーケティングの業務範囲は非常に広く、販売促進だけに限っても業務内容は多岐にわたっています。そのため、部分的な業務しか担当させてもらえないのも致し方ない面があり、本来の意味でのマーケティング業務となれば、1つの部門でこなすことは難しくなってきています。そのため、企業の中では、製品企画、マーケティング、広報、チャネル営業、アカウント営業といった様々な組織が分業して、本来のマーケティングの業務を行っている状況です。そのような状況において、マーケティング部門は主に認知獲得や見込み顧客を見つけるリード生成、顧客の製品やサービスに対する愛着度であるロイヤルティ獲得を役割としていることがほとんどです。その結果、Web広告の運用やイベント・展示会の運営、ユーザーコミュニティの運営といった販売促進の業務がマーケティングの仕事として誤解されてしまっているのです。

だからといって、この分業体制が悪いわけではありません。そもそも、これら全ての業務を一握りの人材で実行するのは困難ですし、全部を実行できる人材はなかなか見つかりません。その代わり、分業を前提として、マーケターが本来のマーケティングの守備範囲における戦略を立て、その戦略に基づいて事業全体を動かしていく体制を作る必要があります。

本書では、IT業界の特徴を捉えつつ、マーケティングの範囲全般を広く解説していくため、現状のマーケティングの業務範囲に比べて戦略立案の範囲が広くなっています。逆にいえば、本来のマーケティングの守備範囲における戦略を立てるための俯瞰的な視点を得ていただければと思います。

◎ どんな業界もマーケティングプロセスは変わらない

本来のマーケティングは、価値創造からそれを求める人に価値を提供するまでの一連のプロセスと説明しました。そのプロセスは、対象となる製品やサービスの種類、さらには企業によって異なっています。しかし、このプロセスを設計・実現に関しては、マーケティングプロセスとして一般的なプロセスが存在します。それが、先ほども紹介したフィリップ・コトラーが提供した「R-STP-MM-I-C」という基本的なプロセスです（図2-1）。

このプロセスを理解していると、マーケティングを遂行するにあたっての必要な活動を実行することができるようになります。そして、外部のマーケターと連携するような場合にも、標準的な認識を持つこともできるようになります。マーケティングにおける基本中の基本なので、ぜひ理解しておきましょう。

<table>
<tr><th>フェーズ</th><th colspan="2">プロセス</th><th>概要</th></tr>
<tr><td rowspan="2">戦略立案</td><td>R</td><td>Research</td><td>内部環境・外部環境の分析</td></tr>
<tr><td>STP</td><td>Segmentation/
Targeting/
Positioning</td><td>顧客の分類と誰にどんな価値を提供するかの決定</td></tr>
<tr><td rowspan="3">戦術実践</td><td>MM</td><td>Marketing Mix</td><td>価値を届けるための個別戦術の決定</td></tr>
<tr><td>I</td><td>Implementation</td><td>施策の計画と実行</td></tr>
<tr><td>C</td><td>Control</td><td>施策の評価と振り返り、改善</td></tr>
</table>

図2-1　マーケティングの基本プロセス「R-STP-MM-I-C」

このプロセスはフェーズとしては大きく2つに分けることができます。まず前半が戦略立案フェーズです。このフェーズにはRとSTPが含まれ、誰を顧客として、どのような価値を提供するのかを決定します。そのために必要な分析もここに含まれます。

そして、後半は戦術実践フェーズです。このフェーズにはMM、I、Cが含まれ、戦略立案フェーズで決定した戦略をいかに実現していくかの戦術を立て、実行していきます。もちろん、マーケティングもやりっぱなしというわけにはいかないので、施策の評価を行い、必要であれば改善を行っていきます。

それでは各ステップについて簡単に見ていきたいと思います。

まずは、戦略立案・RのResearchです。このステップでは、市場を取り巻く環境としての外部環境や、自社の状況である内部環境の分析を行います。

外部環境には、対象となる製品やサービスが参入しようとしている市場の分析や顧客のニーズ、その市場で競争相手となる競合の分析はもちろん、世の中の動きなどもその分析対象となります。未来を予測するためにはこの分析が必要で、この分析をしっかりと行わない限り確度の高い未来の予測を立てることができません。勘と経験に頼った分析ではなく、しっかりと事実を把握して未来予測の確度を上げるようにしましょう。

そして、当然ながら内部環境、つまり自社に対しても客観的に分析を行う必要があります。自社が持っている力や能力を過大評価や希望的推測に流されず分析して、外部環境の未来予測に照らし合わせながら、勝ち筋となる戦略を洗い出すための根拠を作るのが、このステップの目的です。

次にSTPです。STPはSegmentation、Targeting、Positioningの頭文字をとったものです。日本語ではSegmentationは顧客の分類、Targetingは対象顧客の選定、Positioningは自社の地位取りになります。

Segmentationでは、顧客を分類するための切り口を考えます。B2Bに限って考えれば、企業規模や業種、ビジネスを行っている地域などで分類することができます。もちろん、もっと定性的な分類方法でも構いません。重要なのは、誰をターゲットにしたいかを、より明確に切り分けられる分類方法を選ぶことです。

そしてTargetingは、Segmentationで分類された顧客の中から、どのグループに属する顧客を主な顧客とするかの選定です。そのターゲットを選定するにあたっては、本当に自社が提供する価値を求めているのか、競合の製品やサービスと比べて自社の価値は響くのか、そこにビジネスが成立するのに十分な顧客がいるのかなどを見極める必要があります。

そして、Positioningです。これは自社の製品やサービスが提供する価値が、どういった面で競合の製品やサービスと異なるのかを決めるステップです。一般的には自社の製品がターゲットとなる顧客にとって優位に見える要素を2つほど選んで、自社の価値を明確にします。

続いて戦術実践のフェーズに移ります。まず、MMはMarketing Mixで、これは前節でも紹介した4Pのことです。誰を顧客として、どのような価値を提供するかという戦略を、製品・価格・販売促進・販路の観点で実装していきます。

このMarketing Mixのステップは非常に重要であると同時に、各要素の戦術を決定するためのタイミングの幅が非常に大きいのも特徴です。製品は製品開発が始まる前に決定していなければならないですし、価格に関しては製品の開発コストや発売時点の競合の価格設定などがわからないと戦術を決定できません。その一方で、各要素の整合性が取れていないと、戦略の効果が薄れてしまうこともあります。そのため、Marketing Mixに関しては何度も振り返りをしながら、調整を繰り返していく必要があります。

そして、個別の戦術が決まったらそれを実行していくI、つまりImplementationのステップです。マーケティングでは、主に販売促進について実装することが多いですが、ステップとしてはMarketing Mixの4P全てに関して実装、実施をしていきます。

さらに、実行された各要素についてC、Controlをしていきます。当然ながら、それぞれの要素が計画通りに実装、実行されたとしても、それが市場に対しての正解とは限りません。そして、Researchの段階でどんなに綿密に分析しても、正しい未来が予測できるとは限りません。そうなった場合は、再度戦略を見直し、戦術を変更していく必要があります。

マーケティングではこのようなプロセスを経て、価値を創造し、それを求める顧客に届けるための仕組みを構築していきます。このプロセスは業種や業界が変わっても、変わることはありません。

◎ 知っておくべきマーケティングフレームワーク

ここまでマーケティングプロセスについて紹介してきましたが、何もない状態でそれぞれのステップを考えてくださいというわけではありません。戦略立案のフェーズ、特にResearchの部分に関しては一般的なフレームワークが存在し、それに沿って考えることで環境分析のための視点の漏れを減らすことができます。ここでは、Researchで使用する一般的なマーケティングフレームワークの概要について紹介します。

Researchのステップでは PEST、5Forces、3C、SWOTの4つのフレームワークが使用されます。もちろん、これ以外にも様々なフレームワークが存在していますが、この4つのフレームワークが最も一般的です。それではそれぞれ見ていきましょう。

まずはPESTです。PESTはマクロな視点で外部環境を分析するフレームワークで、世の中で起こっている事象を把握・整理し、関連性や時系列の変化を分析することで、外部での機会や脅威を発見していきます。

PESTは政治（Politics）、経済（Economy）、社会（Society）、技術（Technology）の頭文字を取ったもので、これらの項目ごとに自社のビジネスに関連がありそうな事象を洗い出していきます（図2-2）。洗い出す事象は事実でなければならず、思い込みや希望的観測を混ぜないように注意する必要があります。そのためには、洗い出した事象をデータで裏付けしていきます。

IT業界のマーケティングでは、つい技術の項目に目がいき、そこに集中してしまいがちですが、PESTの全ての項目に関してしっかりと分析する必要があります。

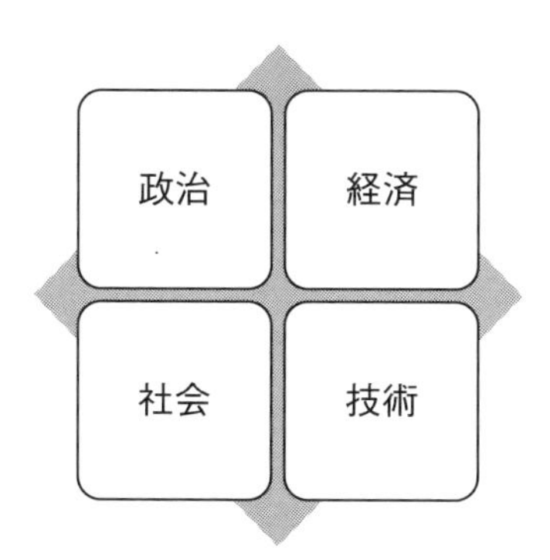

図2-2　PESTで外部環境を分析する

続いて、5 Forcesです。5 Forcesはマイケル・ポーターというマーケティング研究者が考案した、業界における脅威を分析するフレームワークです。PESTがマクロ（世の中）な外部環境の分析だったのに対して、5

Forcesはミクロな外部環境分析といえます。マクロにせよ、ミクロにせよ、外部環境の機会や脅威は自社の努力では簡単には変えることができません。だからこそ、しっかりと洗い出して、認識しておく必要があります。5 Forcesは文字通り5つの圧力=脅威を意味し、業界内の競争、新規参入の脅威、代替製品の脅威、売り手の価格交渉力、買い手の価格交渉力の5つの脅威を分析します（図2-3）。特に、業界内の競争、新規参入の脅威、代替品の脅威に関しては競合分析という意味で重要です。誰を競合と捉えるかという点においては、業界内の競合に限らず、他業界からその業界に参入してくる新規参入、業界の製品やサービスが解決する顧客のニーズを別の方法で解決する代替品まで広い視野を持つ必要があります。

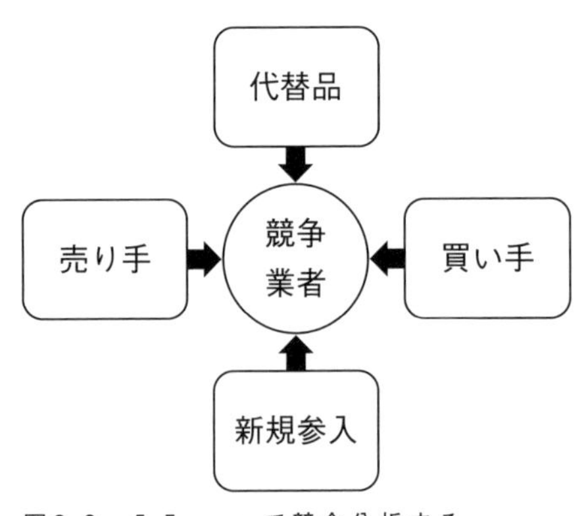

図2-3　5 Forcesで競合分析する

次が3Cです。3Cは大前研一氏が考案した自社を取り巻く環境を分析するフレームワークです。顧客を表すCustomerのC、競合を表すCompetitorのC、自社を表すCompanyのC、の3つのCで3Cです。PESTや5 Forcesが外部環境の分析であったのに対して、3Cは自社を中心に分析して、自社の強みと弱みを洗い出していきます。その過程として、自社との関わりの観点から顧客と競合をしっかりと理解する必要があります（図2-4）。

顧客のニーズに対して自社や他社がどのような価値を提供する能力を持っているのかという観点で、それぞれの特徴を洗い出して自社の強みと弱みを見つけ出していきます。

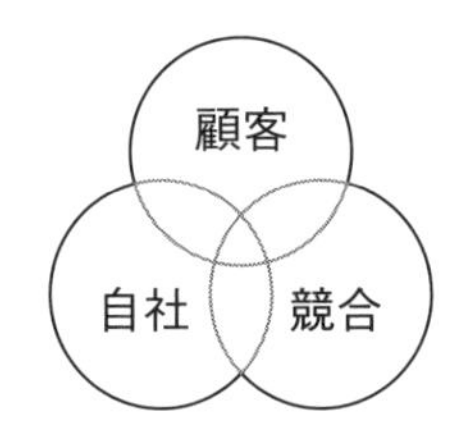

図2-4　3Cで自社の強みと弱みを洗い出す

最後がSWOTと、それをさらに分析するクロスSWOTです。SWOT分析は自社の強み、弱み、外部からの機会、脅威を分析するフレームワークです。強み（Strength）、弱み（Weakness）、機会（Opportunity）、脅威（Thread）の頭文字を取ってSWOTです。これまでPESTや5Forces、3Cでは事実を積み重ねてそれぞれの状況を把握してきましたが、SWOTではそれを解釈して、自社の強み、弱み、外部からの機会、脅威を洗い出していきます。

さらにこれらの状況を掛け合わせて、勝ち筋となる戦略方針を導き出すのがクロスSWOTです（図2-5）。

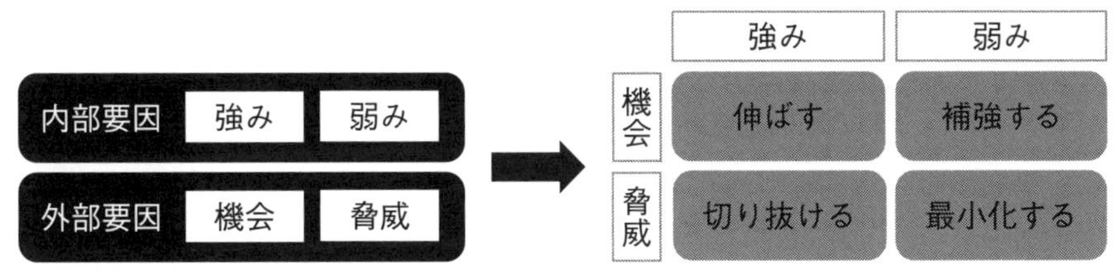

図2-5　SWOTとクロスSWOT

これらのフレームワークを使ってResearchのステップでの分析を行っていきます。マーケティングフレームワークとしては他のステップでも使用されるようなものもあります。それらは後の章で紹介していきたいと思います。まずはResearchのステップでこのようなマーケティングフレームワークが存在することを理解してもらえれば十分です。

事例 2

導入への動機付けができない技術セミナー

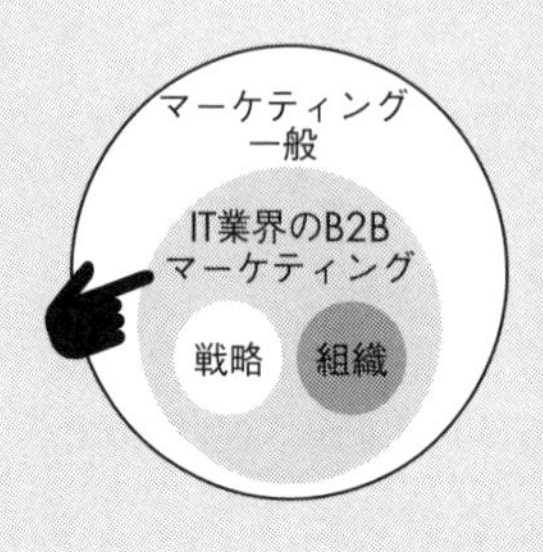

品川先輩にいわれてマーケティングの基礎を学んできた大崎くん。前回のリベンジということで、今回はセミナー企画を持ってきました。

「お客さんに製品の価値をわかってもらうために、技術セミナーをやるべきだと思います。うちのエンジニアの技術力をお客様にも理解してもらいたいので、技術セミナーでそれを伝えたいと思います」

大崎くんによると、高い技術力を持ったIT企業の製品にはそれだけで高い価値があるはずで、その技術力をわかってもらえればお客様も納得して買ってもらえるということでした。確かに、山手ソフトウェアのエンジニアの技術力には絶対の自信がありますが、技術の話だけでは顧客は製品やサービスを購入しないというのを品川先輩はよく知っています。品川先輩はぜひ大崎くんにはその点に気づいてもらいたいと思っています。そこで、こんな質問を大崎くんに投げかけてみました。

「大崎くんは超有名な大学の研究室で作られた薬もらってきたら飲む？とりあえず、安全は保証がされているんだけど、どんな効果があるのかわからない薬」

最初、大崎くんは品川先輩の質問の意図を測りかねていましたが、よく考えると、高い技術だけじゃ買う人はほとんどいないということは理解できました。しかし、どんな効果があるかというのは、薬の話であって、ITの製品やサービスでは機能が説明されるから、その価値は誰でもわかるんじゃないかと思っています。

2-2

IT企業における BtoBマーケティングの特徴

◎ ライセンスを通じて権利を販売するということ

ここまで一般的なマーケティングについて紹介してきました。一般的なマーケティングに関してはたくさん情報が出ているので、ぜひ深掘りしていってください。本書では、B2BにおけるIT業界のマーケティングに特化してその特徴を紹介していきます。

B2BにおいてITの製品やサービスを提供することは、ビジネスの課題解決という価値を提供することです。顧客のニーズを満たす製品やサービスを開発し、提供して、顧客のビジネスの課題を解決することで、顧客から対価を得ているといえます。しかし、実際に契約上売買している対象は何でしょうか？　IT業界でマーケティングや営業に関わっていても、それを知らない人に出会うことが時折あります。確かに、工業機械やサーバーなどのハードウェアのような有形資産でないソフトウェアやクラウドサービスは、価値の実態がわかりづらいものです。だからこそ、自分が売っているものの実態は何かを把握しておく必要があります。

ソフトウェアやクラウドサービスの場合、基本的にはライセンスという形式で、製品やサービスを使用する権利を販売しています。ソフトウェアをインストールするときの「同意する」というボタンを読まずにクリックしたり、クラウドサービスを利用開始する際の「同意する」というチェックボックスを無意識にチェックしたりしていないでしょうか？　実は、あの読み飛ばしているライセンス条項に定義された、製品やサービスを使用する権利こそがソフトウェアやクラウドサービスとして売買されているライセンスの実態です（図2-6）。

図2-6　ライセンス形態

売り手側ですら売買しているものの実態がわかりづらいのですから、顧客にとってはよりわかりづらいものになります。以前は、「インストールメディアを買ったのだから何人にコピーして使わせても構わない」「ソフトウェアを購入したから改造しても構わない」と思っていたという話を何度も聞いたことがありました。最近では少しずつライセンスに対する理解は広がってきていますが、まだまだ正しく理解してもらっているわけではありません。そのような顧客に対して、自分たちが契約上何を提供しているかをきちんと説明する必要があります。

もう1つ重要な点は、使用する権利は持っているだけでは価値を生まないということです。権利を行使し、製品やサービスを使用して、価値を生み出す活動をして、初めてライセンスが価値を発揮するのです。工業機械やサーバーといったハードウェアの有形の資産は所有しているだけでもある一定の価値を持っていますが、ソフトウェアやクラウドサービスは使用しない限り価値を発揮しません。そのため、顧客にとってはライセンスを購入したらそれで終わりではなく、製品やサービスを導入し、そして実際に運用し、組織として価値を生み出すための活動ができるようになる必要があります。このような流れを顧客に理解してもらうことが重要です。

実際、顧客にこの流れを理解してもらうためには、顧客が価値を生み出すための流れとは逆のアプローチの説明が必要になります。つまり、ゴールである顧客が手に入れる価値をまず先に提示して、それを実現する手法を説明していく形です。その際、単に製品やサービスがどのように機能するのかだけではなく、組織として価値を生むためにどのように変化をすべきか、という点も含めて説明していくことが必要です。製品やサービスそれ自体は課題を解決するための道具でしかありません。ましてや、ライセンスはそれを使用するための権利でしかありません。最終的に製品やサービスを活用し、組織として価値を発揮するために組織の活動が変化して初めてビジネスの課題を解決できます。

◎ ビジネスの視点と技術の視点が求められる

IT業界でのマーケティングにおいて、顧客に価値を届けるには製品やサービスを活用して組織の活動を変化させることが必要です。これらをビジネスと技術の2つの視点で考える必要があるのもIT業界におけるマーケティングの特徴です。

B2BにおけるITの製品やサービスは道具でしかありません。その道具をどのようにビジネスの中に組み込んで課題を解決していくかがビジネスの視点、道具をどのように使うのが適切で効率的なのかを考えるのが技術の視点です。実際に、企業でITの製品やサービスの導入を検討する際には、事業部門とIT部門がそれぞれビジネスの視点、技術の視点でステイクホルダーとして参加することが多くあります。

マーケティングにおいて価値を実現する方法を顧客に説明する場合は、これらの2つの視点を分離して考えなければなりません。2つの視点を混ぜてしまったり、間違ったステイクホルダーに説明してしまったりすると、せっかくのメッセージの効果が激減してしまいます。それを避けるためにも、マーケティングの戦略を立てる段階からこの2つの視点を意識しておきましょう。ここからそれぞれの視点について、一歩踏み込んで見ていきたいと思います。

まずはビジネスの視点です。ビジネスの視点はビジネスの課題をその製品やサービスを使ってどのように解決していくかの観点です。製品やサービスを導入したからといって、それだけでビジネスの課題が解決するわけではないことはすでに述べた通りです。

受託開発を行うようなシステムと違い、企業で使用するITの製品やサービスは、汎用的に開発されています。それを企業に導入するにあたっては、少なからず現状のビジネスのやり方と、導入後のビジネスのやり方に変化が発生します。その変化は積極的に起こす変化もあれば、受動的に起きる変化もあります。そのため、それらの変化が製品やサービスが提供する価値といかに結びついているかを顧客に理解してもらう必要があります。その上で、顧客が抱える問題を解決するために有効であるか、またそれを実現するためにかかる負担がどのようなものなのかを検討してもらうことが重要になってきます。

ビジネスの視点で考える顧客は、基本的には課題を解決することへの有効性に着目します。それは前節で説明した通り、最初に顧客が気になるのが、どんな価値を得られるのかが一番の関心事だからです。しかし、実際に顧客と話を進めていくにあたっては、変化を実現するための負担に関しても避けては通れない話です。特にITの製品やサービスはビジネスの進め方に変化をもたらすわけですから、それが大きければ大きいほど得られる価値が大きくなる可能性がある一方、変化を実現するための負担も大きくなります。単純に使う製品やサービスが変わるだけならよいのですが、ビジネスプロセスを大きく変えることも少なくありません。加えて、最近の製品やサービスの中にはチャットツールやドキュメント共有ツールのように企業文化の変化も求めるようなものもあります。その結果、企業の中での文化変革といったところまで踏み込んでいく必要が出てきます。

技術の視点は、道具をどう適切に使うか、どう効率的に使うかの視点です。ビジネスの視点ではビジネスの課題を解決するという効果の面が第一に来ましたが、技術の視点はビジネスの視点と違って、どれだけ負担が少ないかが重視されます。

技術の視点を持つステイクホルダーは多くの場合IT部門です。IT部門は事業部門がITの製品やサービスを使ってビジネスの課題を解決するために邪魔となるような事象が発生しないようにすること、そしてそれを実現するためのコストを抑えることが重要な仕事です。

まずは、ビジネスの課題を解決するために邪魔となるような事象で、真っ先に思い浮かぶのが障害です。障害が多発すればどんなに素晴らしい機能を持った製品やサービスであっても、IT部門は価値を感じません。障害が発生した場合、最悪のケースではビジネスが停止して損害を出してしまうこともありますし、そこまではいかないにしてもパフォーマンスが劣化して、ビジネスの生産性が低下することもあります。また、障害だけではなく、ビジネスにリスクを発生させるような事象もビジネスへの脅威となる点で邪魔となる事象と考えられるでしょう。これにはセキュリティリスクもありますし、操作性などの操作ミスへのリスクなども対象となります。

一方、課題解決のためのコストの観点では、金額的なコストに加え、時間的コストも含まれます。金額的コストの観点では、主にライセンス料が該当し、加えてサーバー費用やインフラ費用などのコストが必要でした。もちろん、それらを運用していくための人的コストもかかります。これらを最小化していくことがIT部門の関心となります（図2-7）。

図2-7　ビジネスの視点と技術の視点

このように、ビジネスの視点と技術の視点でそれぞれが持っている関心事が異なります。誰がどんな関心事を持っているのかという観点は非常に重要です。ビジネスの視点と技術の視点をしっかりと分けるようにしましょう。

最近ではDX（デジタルトランスフォーメーション）ということで、IT部門も攻めのITという形で価値創造に関わるようになってきていますが、多くのIT部門メンバーの関心事は技術の視点から見ていることに注意しましょう。

◎ 道具としてのITの活用方法で製品の価値が決まる

B2BにおけるITの製品やサービスが道具であるということは、すでに説明した通りです。つまり、製品やサービスを導入したからといって、すぐに成果が出るわけではありません。

例えば、モータースポーツで速い車に乗っても、その車にあった走り方を覚えないと速いタイムを出せないようなものです。実際に、トッププロのドライバーでも初めて乗った車では、いきなりサーキットで全開走行はできません。完熟走行といわれる車に慣れるための周回を重ねて、走り方を車に合わせることで、その車の真の価値を引き出すことができるようになります。

それと同じように、ITの製品やサービスを導入した場合も、その変化に合わせて活用方法を変えていく必要があります。実際、同じ業務を実行する際に使用するツールを変更した場合、ほとんどの場合でビジネスプロセスやビジネスルールの変更が発生します。これは第1章で説明したように、それぞれの製品やサービスを開発する際に、どのように顧客の要求を実現するかの解釈が異なり、その解釈がそれぞれの製品やサービスの特徴として表れるからです。異なる解釈が発生するのは、顧客の要求への対応の優先順位や顧客の要求を実現する際の解決へのアプローチが異なるからです。特に、従来使用していた製品やサービスを新しいものに乗り換えようとするような場合は、技術面も含めて顧客の要求を実現するためのアプローチが大きく変わっていることがほとんどです。

このように道具としての製品やサービスが変化すれば、それを活用する方法に変化が求められます。そして、その活用方法の変化の幅が大きいほど、そこから生まれる製品やサービスの価値が大きくなる可能性が高くなります。つまり、製品やサービスが変わり、それによって製品やサービスの活用方法を変え、ビジネスの進め方が変わり、その結果顧客が得る価値が大きくなるという一連の連鎖が存在するのです。

しかし、実際のマーケティングの現場ではこの活用方法の変化とビジネスの進め方の変化に関して触れられることはほとんどありません。「この製品を導入することによって、こういった効果が得られます」というメッセージが当たり前のように流れています。もちろん、顧客の目を引くメッセージとしてはそれでもよいかもしれません。ですが、実際に導入が決まるまでの間に、顧客にビジネスの進め方の変化を起こす、または変化を受け入れる必要があることを理解してもらわなければなりません。はじめにでも触れたグラディ・ブーチ氏の"A fool with a tool is still a fool."という言葉、訳せば「道具を持っただけのバカは、バカのままだ」の通り、顧客に道具だけを提供して、変化を促さなければ、顧客に価値を提供できません。製品やサービスの価値を顧客に提供するためには、顧客が道具を活用し、変化を起こせる状態になる方法も含めて、顧客に提供するという考えが必要です（図2-8）。

図2-8　ビジネスの進め方には変化が必要

実際、海外のITベンダーの中には、顧客のビジネスの進め方の変化を促すようなメッセージを強く打ち出している企業が増えてきています。私が以前所属していたアトラシアンでは、製品やサービスの説明はもちろん、それと合わせてチームとしてどのような文化を築いていくのか、より力を発揮できるチームになるためにはどうすべきかといったメッセージを強く打ち出していました。なぜなら、チームのマインドがオープンかつ健全になった際にアトラシアンの製品が最大の価値を発揮できるという考えがあったからです。そのため、製品やサービスの説明よりも、チームとしての変化を促すようなメッセージを強く押し出すことも少なくありませんでした。

とはいえ、顧客の側にも変化に対する拒否感が根強くあることも少なくありません。なぜなら、現場の担当者にとっては、企業が成し遂げたいことよりも、日々の慣れたビジネスの進め方でどんどん仕事をこなしていく方にメリットを感じてしまうこともあるからです。

そのような現場の担当者に変化を促す試みは、顧客の企業の経営者や管理職の役割だと思うかもしれません。しかし、経営者や管理職が現場の担当者に変化を促す方法を提示するのもマーケターの役割です。

繰り返しになりますが、マーケティングの役割は「顧客に価値を届ける」ことです。製品やサービスのライセンスを購入してもらったら、それだけで価値が届くわけではありません。実際に顧客に価値を感じてもらうためには、製品やサービスをいかに活用して、その価値を最大限に引き出してもらうための土台づくりが必要です。

特にITの分野では、製品やサービスの導入から価値を感じてもらうまでには大きなギャップがあります。それはITの製品やサービスは非常に複雑な道具であり、そしてその道具を活用するのは人であり、人が変化するためには相応の時間と負担がかかるからです。この「人」に対するアプローチがITの製品やサービスのマーケティングにおいては重要な鍵となります。

事例 3

価値が伝わらない「この製品で御社のDXもバッチリ！」

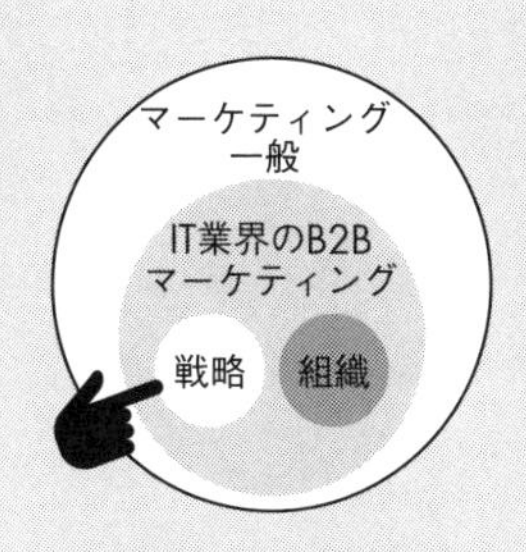

顧客に製品やサービスを活用してもらって、初めて価値を提供できることに気づいた大崎くん。顧客が持つビジネスの課題にどんなものがあるのか考えてみることにしました。色々な雑誌や書籍を読んで調べた結果、品川先輩にまた新しいプランを持ってきたようです。

資料を見ると、「この製品を使えば、御社のDXもバッチリ解決！」というキャッチコピーがありました。その意図を大崎くんに聞いてみると、「色々な調査結果から、多くの企業がDXの実現ができていないのが課題とわかったため、ビジネスの課題として設定した」とのことです。そして、施策としてはDXをテーマにしたオウンドメディア運営やWeb広告を出して、マーケティングオートメーションで刈り取ることになっています。

品川先輩は大崎くんにこんなフィードバックをしました。

「確かに、よく調査結果を調べてきたみたいだね。でも、単に流行り物を並べただけになってないかな？　これが本当に自社の製品を訴求する設計になっているかな？　大崎くんのいってるDXに対して、うちの製品はどんな解決策を持っているのかな？　そもそも、大崎くんの考えているDXってどんな定義？　それを実現する施策にみんながやっている施策が本当にいいの？　その辺をもう一度考えてみてよ」

フィードバックを受けた大崎くん、メッセージも施策も調査はしたけど、上位のものがよいものだと思っていたので不意をつかれてしまいました。IT業界では最先端のツールをどんどん使って最先端のメッセージをどんどん出していく印象だっただけに、実際にどのように施策を実行するのか、どんなメッセージを出していくのか興味が湧いてきました。

2-3 誤解しがちなIT業界のマーケティング

◎ 新しいマーケティング手法を手掛ける前にやるべきは

IT業界でマーケティングを担当していると、マーケティングの最先端事例に触れることがよくあります。現代のマーケティング手段の多くはソフトウェアやクラウドサービスなくしては成り立たない面が多く、ITを活用した新しいマーケティング手法の事例が多く生まれているからです。また、ソフトウェア開発とマーケティングは似ている部分が多く、アジャイルやコミュニティ、勉強会といったソフトウェア開発で作り上げられた文化が、マーケティングにも次々と展開されているということもあります。

このように、IT業界のマーケティングは話題の宝庫です。そのため、新しい物好きのマーケターや流行り物好きなマーケターは、それらの話題をいち早く掴んで実践しようとします。しかし、新しい物や話題の物を導入することが目的となってしまっては本末転倒です。

実際、マーケティングの手段が変わったとしても、基本的なマーケティングプロセスは変わりません。これは2-2で顧客が製品やサービスを導入しただけでは価値を得られないというのと全く同じで、新しいマーケティング手法を導入しただけでは何も起こらないですし、それどころかマイナスの要素にすらなってしまいます。

マーケティング手法はマーケティング戦略があってこそ、意味があります。新しいマーケティング手法は全てを改善する銀の弾丸ではなく、マーケティング戦略を実現する際によりよい選択肢として位置付けられるものです。しかし、残念ながらマーケティング手法の導入を目的としてしまっている例も少なくありません。

よく聞くのが、マーケティングオートメーションの導入で失敗した事例です。マーケティングオートメーションは、見込み客に様々な形でアプローチをし、その反応をスコアリングして購入確度が上がるまで追跡していくツールです。例えば、一斉メールを送信したり、顧客の検討度合いに合わせて個別メールを送ったり、セミナーなどへの参加状況を確認したり、営業がアプローチすべきタイミングを教えたりといったことができます。これらのツールはマーケティング戦略で顧客へのアプローチ方法が設計された上で活用すればマーケティングの自動化と効率化を実現することができます。

ところが、マーケティング戦略を立てず、マーケティングオートメーションツールを導入してしまったがために、マーケティングオートメーションツールが非常に高価なメールマガジン発行ツールになってしまっているという例は何度も聞いたことがあります。

新しいマーケティング手法は、適切に使えば高い効果を生む手法です。ただし、マーケティング戦略もなく、導入のみを目的としてしまった場合は効果を生まないばかりでなく、マイナスの状態になることもあることを認識しておく必要があります。

これは、ITの製品やサービスは道具にすぎないというのと全く同じで、マーケティング手法もまた道具でしかないということです。

◎ バズワードマーケティングに首を絞められる

バズワードという言葉は聞いたことがあると思います。バズワードはさも重要なように聞こえるけれど、定義が曖昧で、人によって都合よく解釈できてしまうようなキーワードを指します。最近では「AI」や「DX」、「SDGs」などがバズワードであるといわれます。

しかし、バズワードとして扱われる言葉には本来ちゃんとした定義があることがほとんどです。それを簡単に説明しようとして大きく意味を変えてしまったり、自分に都合よく解釈を捻じ曲げてしまったり、また人々の興味を引くために尾鰭をつけてしまったりした結果、定義が曖昧で不明瞭な言葉になってしまったのがバズワードであるともいえます。特にIT業界では用語の複雑さや理解の難しさから、バズワードが発生しやすい環境です。

そのような環境においては、結果的にバズワードマーケティングが横行しています。顧客が正しいキーワードの意味がわからないのをいいことに、自分に都合よく解釈を変えて、それらしく紹介しているようなケースも少なくありません。

それが端的に現れている例がDXでしょう。最近ではIT業界のありとあらゆる製品やサービスがDXツールとして自社の製品やサービスをアピールしています。DXはデジタルトランスフォーメーションの略語で、デジタルという言葉を都合よく解釈している例があとをたちません。

そもそもDXの定義はどういったものなのか、経済産業省によると次のようになっています。

“企業がビジネス環境の激しい変化に対応し、データとデジタル技術を活用して、顧客や社会のニーズを基に、製品やサービス、ビジネスモデルを変革するとともに、業務そのものや、組織、プロセス、企業文化・風土を変革し、競争上の優位性を確立すること。”

これを見ると、データやデジタル技術を活用するのは前提条件で、それによって変革、つまりトランスフォーメーションを起こして優位性を確立することが目的となっています。

ところが、バズワードマーケティングを行っている企業では「この製品やサービスを使用すれば、御社のDXが実現できます」といったメッセージを出しています。このような表現では何を実現できるのか、顧客は煙に巻かれてしまいます。

確かに、流行りのそれっぽいキーワードと自社の製品やサービスを組み合わせて訴求するのは、一見効果がありそうに見えます。そのため、つい手を出してしまいがちな手法ですが、この手法は残念ながら逆効果になることが多いです。

バズワードマーケティングが逆効果になりやすい理由が2つあります。1つが、訴求ターゲットとする市場が非常に広くなり、マーケティング効率が落ちてしまう点。そしてもう1つはマーケティング的競合が非常に多くなり、苛烈な競争状態になるレッドオーシャン化が起こってしまう点です。

まず、訴求ターゲットが広くなってしまう点に関して説明していきます。バズワードは先述の通り、定義が曖昧で不明瞭な言葉です。ということは、顧客がそのバズワードから思い浮かべるイメージも非常に幅広くなってしまいます。その結果、マーケターがそのバズワードを使って表現したかった製品やサービスが提供する価値と、顧客がイメージした顧客が得られる価値が一致しない可能性が高くなってしまいます。

例えば、「DXを実現するためのツール」というメッセージで製品やサービスを訴求した場合、DXという言葉で興味を持ってくれる顧客は多くいるでしょう。しかし、顧客はDXという言葉で人事のデジタル化を進めたいと考えている一方で、自社が提供している製品やサービスは書類のデジタル化を実現するようなツールである場合、話は全く噛み合いません。そういったお互い霧の中でマッチする相手を探すような活動を繰り返すことになります。これは非効率極まりない状態です。

そして、もう1つはマーケティング的な競合が非常に多くなることです。非常に曖昧な言葉をメインメッセージに据えて訴求した場合、異なる価値を提供する製品やサービスであっても、そのバズワード関連の製品やサービスということで、同じ市場で戦う羽目になってしまいます。当然、曖昧な定義で自分に都合よく解釈をしてそのバズワードを使用する企業は多いので、あっという間にレッドオーシャンが形成されます（図2-9）。

図2-9　企業も顧客もバズワードに引っ張られている

ではそのような状態を避けるためにはどうすればよいでしょうか。単純にバズワードをメッセージとして使うべきではないのかというと、そうではありません。やはりバズワードはバズワードで、それだけ認知があり、必要とされる要素を持っているということです。

この様な状況を避けるために、まずはバズワードの本来の定義をしっかり理解しましょう。そして、そのバズワードに対して顧客が何を求めているのかを分析し、自社の製品やサービスはバズワードの本来の定義の中で、具体的にどの部分においてどんな価値を提供できるのかを理解しましょう。

◎ 戦略・作戦・戦術を理解してマーケティングを組み立てよう

ここまでマーケティング戦略が重要という話をしてきましたが、この戦略が意味するところはなんでしょうか。

そもそも、戦略は軍事用語です。軍事用語の戦略は作戦、戦術という下位の概念が存在します。戦略を実現するための作戦、作戦中に敵と対峙した時にどう戦うかが戦術となります。

わかりやすくするために、太平洋戦争における日本軍の真珠湾攻撃を例に説明したいと思います。あくまで、知っている人が多い例として使用しますので、説明する以上の他意はありません。

まず、戦略としては「大東亜新秩序の建設」を目的として、大東亜共栄圏と呼ばれる地域から欧米を追い出し、日本による植民地支配を目指しました。そしてこれを実現するために、日本軍はいくつかの作戦を立案し、実行したうちの1つがハワイ空襲作戦です。この作戦では、奇襲攻撃を行うことで、アメリカの艦隊をハワイに足止めし、南方作戦の支援をするという目的がありました。そしてハワイのアメリカ艦隊を攻撃するのに、戦術としては機動艦隊の空母からの艦載機による空爆および魚雷攻撃、および特殊潜航艇による雷撃が行われました。

このように戦略レベルのことを実現するためには、作戦、戦術と細分化していきます。これにより、結果として末端の兵士の動きが国の利益に貢献できるようになります。もちろん、全てがうまくいくわけでないことは歴史が証明していますが、今回は一旦置いておきます。

話をマーケティングに戻して、マーケティング戦略とは何か、そしてマーケティングにおける作戦や戦術とは何かについて説明したいと思います。2-1でマーケティングプロセスについて解説しましたが、そこで戦略立案フェーズと戦術実践フェーズにプロセス全体を分けました。

戦略立案フェーズのゴールはSTP、つまりSegmentation、Targeting、Positioningを決めることとでした。STPを決めるということは、「誰にどんな価値を提供するのか」を決めることです。これは先ほどから何度も出てきていますが、何をやるにしてもこの戦略が明確になっている必要があります。これがないと、全て小手先の戦術になってしまい、ビジネスとしての目的を遂行できなくなってしまいます。

一方、戦術実践フェーズでは、作戦と戦術を決めて実行します。といっても、マーケティングで作戦と戦術を明確に分ける定義は存在しません。そのため、ここでは私の解釈の定義を紹介します。

作戦は顧客に対するアプローチの仕方です。戦略として決めた「誰にどんな価値を提供するのか」の「誰に」の部分はある程度絞られているとはいえ、その顧客に響くメッセージや手段は様々です。例えば、同じ価値を求めている顧客でも、現場レベルの担当者からアプローチした方がよい顧客とトップダウンでのアプローチが効く顧客がいたりします。このような場合、2つの作戦を用意して、優先度の高いものから実行していくこともできます。

そして、その作戦を実行するためには、Web広告やメディア記事、セミナーなど様々な施策を組み合わせて作戦を成功に導く必要があります。この施策の実装が戦術になります（図2-10）。例えば、同じセミナーをやるにしても、現場レベルの担当者をターゲットにした場合の集客方法やコンテンツはトップの決定権者をターゲットにした場合のそれとは異なるものを実装する必要があります。

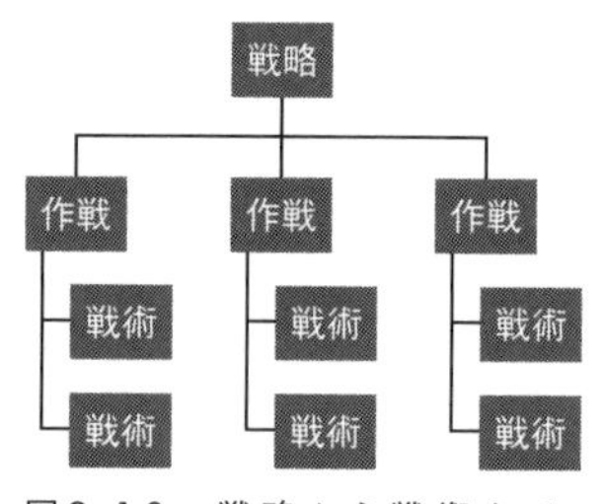

図2-10　戦略から戦術まで

この、戦略・作戦・戦術の流れは業界に関係なく、一般的なマーケティングプロセスを踏むことによって実現することができます。ただ、この節で説明した通り、IT業界においてはどうしても戦術レベルに目がいってしまう落とし穴が多いのも事実です。そのため、この戦略・作戦・戦術をしっかりと理解して間違ったマーケティングに走らないよう注意をする必要があります。

事例 4

デジタルマーケティングの強化が戦略を狭めた

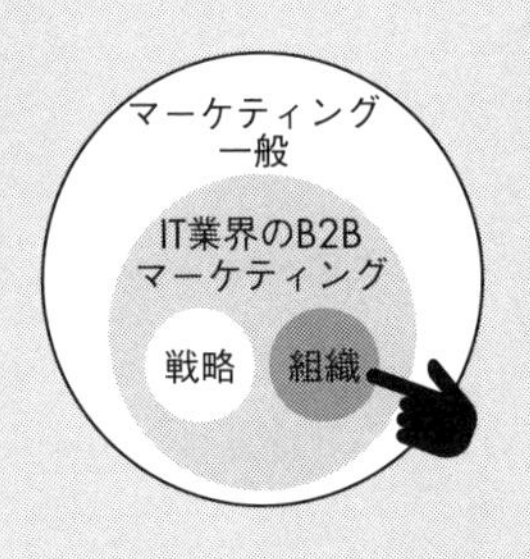

大崎くんと品川先輩は遅めのランチをしに山手ソフトウェアの向かいのカフェにやってきました。すると、すぐそばの席からマーケティングの転職相談の話が聞こえてきます。どうやらベンチャー企業がマーケティング組織の立ち上げをするために、デジタルマーケティングの得意な人材を引き抜こうとしているようです。

ついつい聞き耳を立ててしまった大崎くんと品川先輩。大崎くんが考えるマーケティングにおけるキャリアパスについて、どんなマーケターになりたいかと品川先輩が質問しました。それに対して、大崎くんは「そうですねぇ、デジタルマーケティングを極めて、さっきの人みたいにマーケティング組織の立ち上げとかやってみたいです」とノリノリで答えています。

それを聞いた品川先輩はマーケティング組織について説明を始めました。

「確かに、デジタルマーケティングが得意な人は求められているよ。でも、その人しかいないとどうなるかなぁ。『ハンマーを持つ人には全てが釘に見える』という言葉もあるように、解決策をデジタルにしか求めなくなっちゃうと困るんじゃない?」

確かにそうだなと思った大崎くんですが、じゃあ、どのような役割の人が必要なのか、何をする人が必要なのかなど疑問が増えてきました。自分が将来、IT業界でマーケティングを続けていくとすれば、どんなマーケターになるべきか真剣に考えてみようと思った大崎くんでした。

2-4 IT企業のマーケティング組織の作り方

◎ 最初に強化すべきはマーケティングマネージャー

マーケティング組織を立ち上げるときにどんな人を雇うべきか、何度か相談を受けたことがあります。

そのような相談をする人は「できればデジタルマーケティングが得意な人を雇いたいんだけど、全然採用できなくて」と言います。実際、企業の求人でもデジタルマーケティングができる人に対する求人がマーケティング職の中でダントツで多くなっています。

IT業界に限らず、今のマーケティングの主戦場はWebの世界に移り、デジタルに関するノウハウの必要性は非常に高くなっているのは事実です。特にWeb広告やSEO、SNSといった分野では、今までは大手しか手を出せなかった広告の世界に、中小の企業どころか個人まで参戦できるようになってきました。それゆえに、そこで勝ち上がるためのデジタルマーケティングのノウハウは喉から手が出るほど欲しいというのは理解できます。実際にそのような人がいれば、強力な推進力を得ることができるでしょう。

しかし、マーケティング組織を立ち上げるでは、デジタルマーケティングに特化した人を最初に採用するのは、決してよい選択だとは思いません。

現在のマーケティングは、とりうる施策の種類が非常に多岐にわたっています。そのため、マーケターと呼ばれる職業の中でも役割が細分化され、分業化が起こっています。デジタルマーケティング、イベントマーケティング、コンテンツマーケティング、コミュニティマーケティングなど、オペレーションレベルで特化したマーケティングロールが生まれているのです。その中の1つであるデジタルマーケティングだけに特化して、最初の一人として採用し、マーケティング組織を作ろうとしたら施策に偏りが出てしまう可能性があります。「ハンマーを持つと全てが釘に見える」という言葉が示す通り、専門性の高いスキルを持てば持つほど、自分の得意な分野でのみ勝負しようとするのが人間の習性です。そのため、ある分野に特化したスキルを持つマーケターを採用してきても、なかなか機能しない可能性が高いのです。

そこで、私が提案する企業の最初のマーケターとして採用すべき人材は「マーケティングマネージャー」と呼ばれる役割の人です。マーケティングマネージャーは、マーケティングに関して広い知識を持ち、最適なマーケティング施策を選び、設計し、実行できる人材です。

どんなマーケティング施策を実行すべきかは、その時々の状況によって異なります。状況を見極め、自社の製品やサービスが提供する価値と相性のよいマーケティング施策、ターゲットとなる顧客と相性のよいマーケティング施策を選び、連携させて実行し、ビジネスの結果まで導くことがマーケティングマネージャーの役割です。そして、予算や施策を実施するための社内外の人材をやりくりするのもマーケティングマネージャーの仕事です。社内のマーケティング人材が自分しかいなければ、リソース的、知識的に自分でできることは自分でやり、できないことは外部のベンダーに依頼するなどのやりくりも行います。予算が足りなければ、代替手段を探してそれを実行したりもします。そうやってマーケティングを徐々に軌道に乗せていくこともマーケティングマネージャーの役割です（図2-11）。

このマーケティングマネージャーはあまり日本の企業で聞いたことがありません。おそらくは、マネージャーという言葉が勘違いを生んでいるのだと思います。私もこのマーケティングマネージャーという肩書きの時に、管理職であるとよく勘違いをされました。実際には管理するのは人ではなく、マーケティングそのものです。

日本においてマーケティングマネージャーに対する理解が乏しいのも

マーケティングマネージャーを最初の一人として採用しようとしない原因の1つなのかもしれません。

図2-11　マーケティングマネージャーの役割

マーケティングマネージャーは企業のマーケティング全体を見ることもありますし、製品ごとに担当を持ったり、ターゲット顧客の種類ごとに担当を持ったりすることもあります。いずれの場合でも、実行する施策の種類にはとらわれず、適切な施策を選んで実行します。そのために必要となる戦略や作戦を立てる能力も欠かすことができません。つまり、ここまで述べてきたマーケティングプロセスを実行するのがマーケティングマネージャーの役割です。戦略立案から戦術の実行、そしてその評価までのマーケティングプロセス全体を管理します。

もちろん、先ほど出てきたデジタルマーケティングが得意なマーケターの中には、マーケティングマネージャーとしてのスキルを持った人も多いと思います。デジタルマーケティングが得意な人を、最初の一人として採用してはいけないわけではありません。しかし、採用する際に重視するスキルとしてはデジタルマーケティングのスキルよりも、マーケティングマネージャーとしてのスキルであるべきです。

もし、すでにマーケターがいるようであれば、少なくとも一人はマーケティングマネージャーとしてのスキルを持ち、そのような役割を果たせるように育成をしていくべきです。そして、読者のみなさまにもマーケティングマネージャーを目指してほしいと思います。

◎ IT企業特有の技術系マーケターという存在

マーケティングの業務は多岐にわたり、分業化が進んでいるため、一言でマーケターといっても様々な役割があります。先ほどのマーケティングマネージャーだったり、デジタルマーケティングだったり、コンテンツマーケティングだったりというような役割です。ただでさえ多様なマーケティングの役割ですが、IT業界にはIT業界特有のマーケティングの役割が存在します。

IT業界におけるマーケティングの特徴として、ビジネスの視点と技術の視点でマーケティングを考える必要があると説明しました。その中で技術の視点を主に担当するのが技術系マーケターです。技術系マーケターは技術的な面での不安や問題、課題をいかに排除していくかが重要な役割です。それに加えて、技術的革新によって生まれた新しい可能性を示すことも求められます。

技術系マーケターはエンジニアとマーケターの中間的な存在で、マーケターとはいってもエンジニアに限りなく近い役割から、マーケティングに近い役割まで様々です。いずれにしても、マーケティングの知識と技術の知識の両方を持っている必要があるのが特徴です。

この技術系マーケティングは企業によってその職種の名前や、そもそもどんな体制でいるのかは全く異なります。今回は次の3つの職種について紹介したいと思います。

- **エバンジェリスト**
- **ソリューションエンジニア**
- **デベロッパーリレーション**

それでは、まずエバンジェリストから紹介していきたいと思います。エバンジェリストは主に外資系のIT企業で使われるようになった肩書きです。私もマイクロソフト時代にエバンジェリストの肩書きで活動していたこともありました。エバンジェリストのもともとの意味はキリスト教の伝道者で、キリスト教の素晴らしさを説いて信徒を増やす役割でした。それがIT業界で使われるようになり、製品やサービスの技術的啓蒙を行う役割を示すようになったのです。

エバンジェリストはかなりエンジニアの要素が強い役割で、当人たちもあまりマーケターという意識は持っていないかもしれません。実際、エバンジェリストは高い技術力を持って、わかりやすくその製品やサービスを説明する能力が求められます。

エバンジェリストはセミナーでの講演や、技術的コンテンツの作成など情報発信が主な活動内容です。そのため、誰にどんな技術を理解してもらうべきかを考え、その製品やサービスを導入してもらえるようにするのかといった、マーケティング的アプローチも必要になります。

次にソリューションエンジニアについて紹介します。エンジニアという名前がついていますが、何かを開発するというよりは説明することが主なミッションです。ソリューションエンジニアは先ほどのビジネスの視点と技術の視点の間の架け橋となるような存在です。ソリューションという言葉が指す通り、ビジネスの問題の解決のために製品やサービスを技術的な面も含めてどの様に活用するのかを説明するのが役割です。

ソリューションエンジニアはエバンジェリストのようにセミナーでの講演やコンテンツの作成もしますが、エバンジェリストが技術を軸として発信するのに対して、ソリューションエンジニアは顧客のビジネスの課題を軸にして発信します。そのため、顧客のニーズに対しては常に敏感である必要がありますし、製品やサービスをどのように活用すれば顧客が求める価値を実現できるのかを常に考える必要があります。この点においてはマーケティング的アプローチの要素が非常に大きい、エンジニアと名がつく役割です。

最後に紹介するのがデベロッパーリレーションです。デベロッパーリレーションという役割はあまり聞いたことがないかもしれません。デベロッパーリレーションはここ数年よく聞くようになった役割で、DevRel（デブレル）とも呼ばれています。

このデベロッパーリレーションは文字通り、開発者との関係性を作り、維持していく役割です。ITの製品やサービスの中には、カスタマイズが必要だったり、そもそも開発の中で使用することが前提だったりするものもあります。そのような製品やサービスにおいては、開発者の認知や信頼度が採用に当たって重要になるケースが少なくありません。そのため、デベロッパーリレーションは技術の視点を持って、開発者にアプローチします。

この点だけ見るとエバンジェリストに近いように感じますが、デベロッパーリレーションはどちらかといえば施策の計画と運営に重きを置いています。実際、コミュニティの立ち上げや運営に責任を持ったりしますが、そこで講演をするのは外部の開発者だったり、エバンジェリストだったりします。

ここでは3つの役割を紹介しましたが、それぞれの役割で明確な線引きがあるわけでもなく、名称も一般的に知られている名称を使用したので、実際に皆さんの会社においては役割の名前が違うかもしれませんし、そのような役割の人がいない可能性もあります。場合によっては、普段はエンジニアとして活動しているような人が、時々どれか役割を果たすということもあります。

しかし、IT業界の特徴として、ビジネスの視点だけではなく、技術の視点でマーケティングを行っていく必要があります。そのような役割のメンバーは非常に心強い仲間です。マーケティングという観点でビジネスの視点ばかりにならないよう、技術の視点を持ったマーケティングができる組織づくりが求められます。

◎ 自社の役割と外注の役割を理解しよう

先ほど、マーケティング組織を立ち上げるには、まずはマーケティングマネージャーを仲間に入れるべきと述べました。その理由としては、マーケティング戦略を立て、適切な施策を実行していけるようにするためです。一方で、マーケティングの業務が細分化され、全てのマーケティング業務を一人で行うのはもちろん、よほど豊富な人員がいないと社内で全て遂行するのは難しくなってきています。

その結果、足りない人材を補完するためにも、外部のマーケティングベンダーやパートナーに助けてもらうことになります。つまり、マーケティングの戦略図の中で、自社のリソースだけでは埋められないピースを、外部の専門家に埋めてもらうという考え方です。

時々、大きな組織で「マーケティングの一番の仕事はベンダーマネージメントだ」と言っている人を見かけます。これは非常にまずい状態です。先ほどのマーケティングマネージャーという役割で考えれば、管理すべきはマーケティングそのものであり、ベンダーではありません。

では、自社のリソースでどのような役割をはたし、どのような役割を外部のベンダーにお願いするのか、その境界線について考えてみましょう。

まず、絶対に自社で行わなければいけないのがマーケティング戦略の立案です。マーケティング戦略を立てるためには、外部環境と内部環境を分析する必要があります。もちろん、外部のコンサルタントなどがマーケティング戦略の立案を支援することもありますが、内部環境や自社の製品やサービスのことを、社員以上に外部のコンサルタントが知っているわけではありません。そのため、マーケティング戦略の立案をコンサルタントに丸投げしても、外部からの当たり障りのない戦略しか導き出せずに終わってしまいます。コンサルタントにお願いするにしても、少なくとも社員が同じ視点で一緒に考え、コンサルタントには伴走してもらうような形がよいでしょう。

そしてもう1つ自社でやった方がよいのが、先ほど紹介した技術系マーケティングです。自社でやった方がよいというよりは、外部に発注してやってもらうのが困難であるといった方が正確かもしれません。自社の製品やサービスの技術情報を誰よりも早く入手できるのは社内だけで、外部の人は開発した企業から発信されなければ知りようがないからです。

一部、世の中に普及しているような技術に関しては、ユーザーコミュニティが、それに近いような役割を果たしている側面もありますが、あくまでユーザー目線でのメッセージなので、必ずしもマーケティング戦略に結びついたものではない点には注意が必要です。

唯一、技術系マーケティングで外部に頼れるのはパートナーです。パートナーは製品やサービスが普及することに対する利害が一致しています。そのため、発注ではなく協業という形で、技術系のマーケティングを手伝ってもらうことができます。とはいえ、別の企業ではあるので、必ずしもその製品やサービスの技術に対する熱量が高いわけではない点には注意しましょう。

一方、外部にお願いした方がよいマーケティングもあります。そのマーケティングの特徴としては、個々の施策の実装で、どの業界やどの企業でも同じような運用を行うような施策の支援です。

例えば、イベントの運営などに関しては外部のベンダーにお願いする方がよいでしょう。会場の確保や機材の準備、パネルなど装飾品の手配など、常に同じような運営を行っているベンダーは膨大なノウハウとコネクションを持っています。年に数回イベントを行う程度では自社で準備するより、かなり効率的に高品質なものを準備してくれます。もちろん、イベントで伝えるメッセージや集客方針などは自社で検討する必要がありますが、それさえ決まればあとは提案をもらいながら進めていく方がよいイベントになります。

もう1つ、外部のベンダーに任せた方がよいのがWeb広告の運用です。

Web広告の運用には、ランディングページの作成や広告のクリエイティブも含まれます。このような作業には専門のスキルが必要となりますし、ベストプラクティスも常に進化しています。広告のキャッチコピーづくりやランディングページに掲載するコンテンツなどは、自社である程度考える必要がありますが、メッセージや訴求内容が決まってからのWeb広告の制作や運用は外部のベンダーに協力してもらう方が有効です。専門のベンダーで多彩な分野でのWeb広告の運用の経験を持つことで、より多様な運用のノウハウを持つのに役立ちます。そういったスキルを持った人材が専門のベンダーにはたくさんいます。

、Web広告の運用は企業にとって最もよく使う施策の1つですが、必ずしも、自社のマーケターとしてそこに特化した人材を採用する必要はありません。自社から情報をインプットしながら、うまく外部のベンダーの力を借りて運用していくのが効果的です（図2-12）。

図2-12　自社と外部で役割を分ける

さて、どんなマーケティング業務を社内で行うのか、外部のベンダーに依頼するのかの基準のイメージがついたかと思います。端的にいえば、自社のマーケティング戦略や作戦といった方針の部分、もしくは自社しか情報を持っていないような部分に関しては、積極的に自社のリソースで実施できるように人材を確保しておいた方がよいでしょう。

一方、マーケティングの中で業務量の占める割合が多いとしても、多様なノウハウが必要となるような業務では、運用を中心に外部に委託した方がよいでしょう。丸投げをするでもなく、なんでも自前主義でやるでもなく、バランスをとりながら組織を作っていく必要があります。

第 3 章

技術トレンドだけではなく世の中の変化も読む

事例 1 早すぎる製品の投入は顧客を選んでしまう

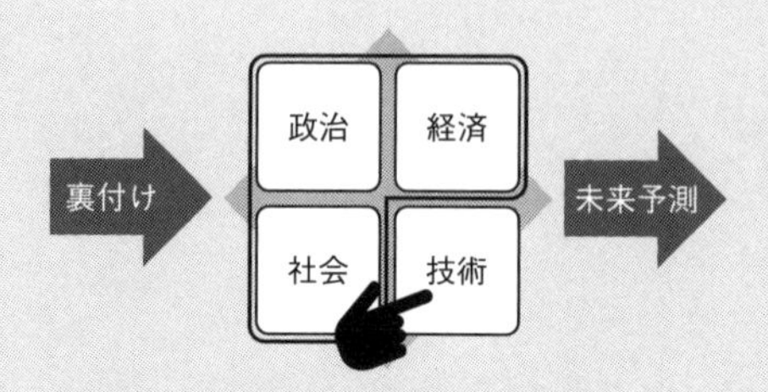

品川先輩から技術トレンドの調査を頼まれた大崎くん。世の中に、新しい技術がどんどん生まれてきていることに感銘を受けたようです。まだどの会社も採用していない新しい技術を使って、新製品を出せば新しい価値を顧客に提供できるのではないかと思い、面白そうな技術をいくつかピックアップして品川先輩に何かできないか相談してみることにしました。

「先輩から頼まれた技術トレンドの調査進めていますが、いくつかめぼしい最新技術があったので、ピックアップしてみました。こういう技術を使って新製品を開発したらいいんじゃないでしょうか？」

いつも通り前のめりに提案を始めています。それを聞いた品川先輩は、大崎くんをたしなめながら技術トレンドを調査する目的を説明しています。

「最新の技術もいいけど、それよりもこれからどんな技術が主流になってくるかや、どんな技術が普及するか、今の技術にとって変わるような技術は何かを調べてくれると助かるな」

それを聞いた大崎くんは新しい技術に投資しないと、競合に負けちゃうのではないかと心配になってしまいました。品川先輩はそれに対して「確かに新しい技術への投資は大事だけど、どのタイミングで投資するかが問題なんだよ。だからこそ、技術トレンドを調査する必要があるんだよ」と言っています。誰よりも早く投資すれば競合に対して優位に立てるのに、なぜ投資しないのか、山手ソフトウェアは技術力があるけど、本当は保守的なんじゃないのかと悩んでしまいました。

3-1 技術トレンドから イノベーションの可能性を探る

◎ 様々な技術が登場した理由とは？

マーケターとして技術トレンドを調査することに違和感を持たれるかもしれません。技術の動向を調べて技術の研究と習得をするのはエンジニアの仕事だというのが一般的な考え方かと思います。

しかし、マーケターも技術のトレンドを把握し、それに即した戦略を立てる必要があります。実際、外部環境を分析するマーケティングフレームワークとして紹介したPESTでも技術（Technology）のTとして含まれています。IT業界においては技術のトレンドを知らなければ、顧客に対して説得力のあるメッセージを出せないだけでなく、あらゆる側面で間違った戦略・戦術をとってしまうことになります。

では、「技術トレンドの分析」するとはどういうことでしょうか。エンジニア目線で技術トレンドを見ると、どんな技術が流行ろうとしているのか、その中でどんな技術が生き残っていきそうなのかという判断が中心となります。それはエンジニアとして、どの技術に目をつけておけば乗り遅れないのか、どの技術のスキルを獲得するのに時間を費やせば無駄にならないか、という課題が前提としてあるからです。

一方、マーケティング目線で技術トレンドを見る時はどういった判断基準を持つべきでしょうか。もちろん、エンジニア目線と同じようにどの技術が主流になるのか、どの技術が生き残るのかという判断は必要です。それに加えて、「なぜその技術が登場してきたのか」「その結果どういったことが起こるのか」を分析することが重要です。この分析を行うための技術に関する知識は必要となりますが、その学習については第9章で紹介します。ここでは、分析の背景を理解できれば問題ありません。

ITの技術に突然発生してくるようなものはまずあり得ません。既存の技術の課題を解決するような技術だったり、既存の技術を応用するような技術だったりします。それが正統進化や、時として破壊的イノベーションとなったりするのです。この進化は一見、技術主導で起こっているように見えますが、実はそうとは限りません。

実際、私がマイクロソフトに在籍していた当時（2010年前後）でも、数多くのプロジェクトがアルファ版やベータ版として社外の人も使用できるような形で公開されました。しかし、その中で有償、無償を問わず正式版としてリリースされた製品はそれほど多くはありません。これは公開されてからの市場の反応や他の技術の動向を見極めて、製品クオリティに育て上げるため投資を行うかどうか判断を行うからです。場合によっては、アルファ版ですら公開されないような技術が研究部門であるマイクロソフトリサーチで数多く研究されていました。このように、たくさんの試行錯誤の中から、次なる技術トレンドの候補となる技術が生まれてくるのです（図3-1）。つまり、技術的には素晴らしい技術でも、市場で必要とされないような技術はトレンドとして登場してきません。もちろん、マイクロソフトのような巨大企業だけではなく、世の中の大小様々なプロジェクトで生まれた技術も同じです。

試行錯誤を生き残って、晴れて技術トレンドの競争の中に参加した技術には、生き残っただけの理由があります。そこから、マーケターはその技術が普及するのか、普及した時に何が起こるか、を予測しなければなりません。

例として、すでにある程度結果が出ている技術のSaaSで考えてみましょう。従来の企業向けのソフトウェアは、オンプレミスのサーバーにインストールして、社内からアクセスするという形式を取っていました。クラウドが普及すると、オンプレミスのサーバーの管理が必要なくなり、ソフトウェアだけ管理していればよくなります。そこに登場してきたSaaSはソフトウェアの管理すら必要なくなるというメリットを持って登場しました。

これはシステムの管理にコストがかかるというユーザーの課題を解決したのが理由です。一方で、ソフトウェアのセキュリティやデータの管理をクラウドベンダーに任せても大丈夫かという不安が導入へのブレーキとなりました。しかし、クラウドの利用が増え、不安という心理的ブロックが取り除かれると、一気にSaaSの利用が活発化し、SaaSに対応していない製品やサービスは不利な状況に陥ってしまう可能性が高くなりました。

これはすでに起こったことなのでなんとでも書けるわけですが、実際多くのツールベンダーがこのような分析を行っていたため、SaaSでのサービス提供を早い段階から始めていたわけです。

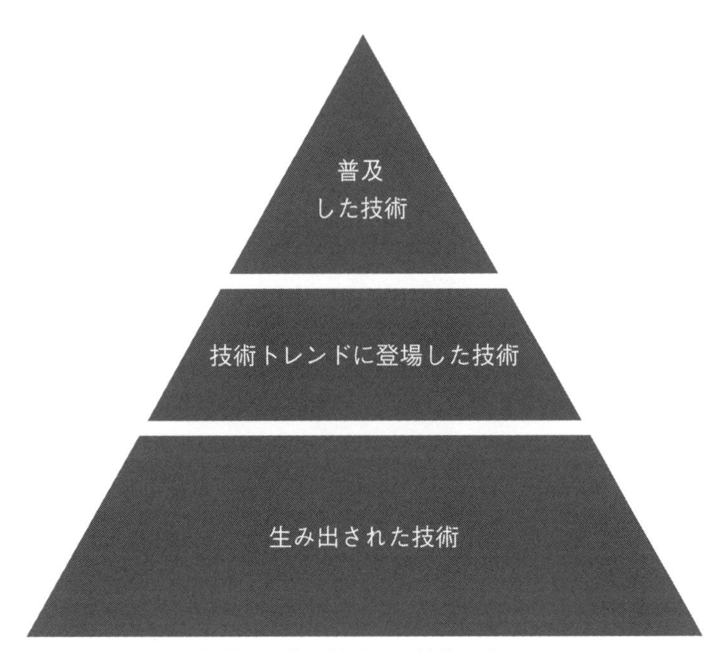

図3-1　多くの試行錯誤の末、普及する技術が生まれる

このように、なぜその技術がトレンドに登場してきたのか、それによって市場にどのような変化が起きるのかを予測するのはマーケターの仕事で

す。もちろん、マーケターだけでこの分析ができるわけではないので、エンジニアとの協力体制を築いて分析していく必要があります。

◎ 技術の相関関係がわかればトレンドを読み取れる

技術のトレンドを分析する際にはその技術が登場してきた理由を分析するわけですが、その技術だけに注目してもあまり意味がありません。基本的にITの技術は単体で使用されることがないため、他の技術の動向がその技術の動向に影響を与えることはよくあります。むしろ、他の技術の影響を受けないことの方が珍しいといえます。

IoTで考えてみましょう。IoTはInternet of Thingsという言葉の略で、あらゆる物をインターネットに接続して、情報の収集、蓄積、分析、活用を行う技術です。昨今ではIoTの一例として家庭内の家電をスマートスピーカーとつなげて、どこからでも操作できるようになったり、工場などで機械に取り付けたセンサーをインターネットにつないでラインの監視や操作などを行ったりといったこともできるようになってきました。ここでは法人向けのIoTについて、その関連技術の動向と合わせて見ていきたいと思います。

IoTを考える上で主に関連する技術が2つあります。1つが物としてのデバイスをインターネットに接続するネットワーク技術、もう1つが大量のセンサーデバイスから収集したデータを分析するビッグデータ分析の技術です。

まずはネットワーク技術から見ていきましょう。IoTのデバイスをインターネットにつなげる時、当初は有線LANやWi-Fiを使用していましたが、この場合は接続できる範囲や台数に対する制限があり、大規模に展開するには難しい状況でした。そこで、最近注目されているのが5G回線です。5G回線はモバイル通信会社が提供するモバイル回線で、5Gの電波が届く範囲であれば多くのデバイスからデータを収集することができるようになります。加えて、最近認可されたローカル5Gという技術もあります。ローカル5Gはモバイル通信会社の基地局ではなく、独自に5Gの基地局をたて、そのIoTサービス専用で使うことができる5Gネットワークです。新しい通信技術の登場により、IoTを活用する際のネットワーク的な課題は解決され、IoTを利用しやすい環境になってきているといえます。

もう1つはビッグデータ分析の技術です。現在ビッグデータの活用はクラウドでのデータベースを活用して、大量のデータ処理を行うのが一般的です。しかし、IoTの観点では、デバイスから発生した大量のデータをそのまま全てインターネット回線を通じてクラウドに送信するのは非効率です。その課題を解決するため、現在普及し始めているのがエッジコンピューティングという技術です。エッジコンピューティングはデバイスから収集したデータを、インターネット回線に出す前に処理を行うオンプレミスのサーバーのような環境です（図3-2）。

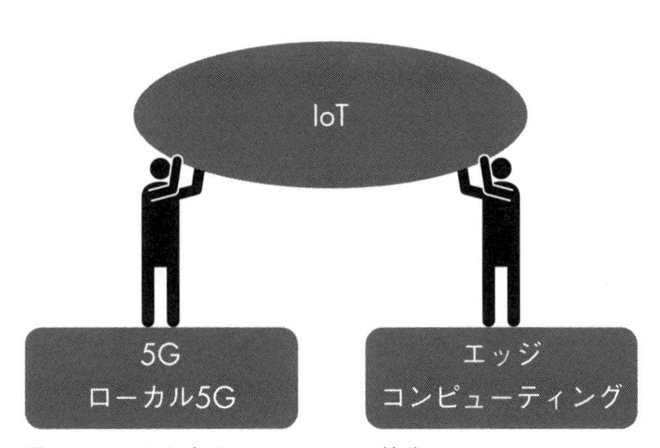

図3-2　IoTを支えている2つの技術

IoTというキーワードでのみ考えた場合は、単に今の普及率がどれくらいで、どのような業界で使われているといった分析にとどまってしまいますが、関連する技術との関係性も併せて分析することで見えてくる状況がグンと広がります。

◎ 技術の市場への浸透度合いと速さを知る

技術が登場した背景や他の技術との関係を知り、今後どのような展開になるかが予測できたとして、それがどのくらいのスピードで浸透するのかの予測は簡単ではありません。先ほどのIoTの例ではネットワーク技術はすでに制度として整備されたり、サービスが始まったりしているため、比較的読みやすい状況になっています。一方、エッジコンピューティング環境でのビッグデータ解析に関しては今の状況から予測するのは容易ではありません。

そのような場合、市場で受け入れられるタイミングを予測するには、ガートナーという調査会社が発表している技術トレンドの浸透度とそのスピードを予測するためのレポートをチェックしましょう。ガートナーでは技術とトレンドとして、これから普及していくであろう技術に関して、ハイプサイクルというチャートで分析結果を発表しています（図3-3）。

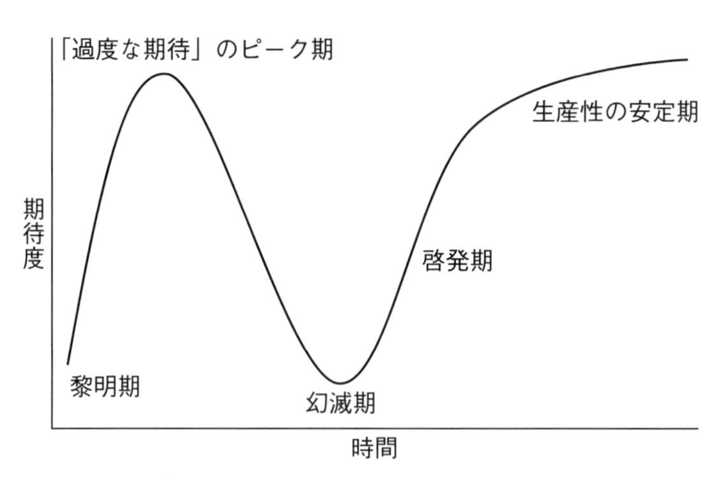

図3-3　ハイプサイクル

このハイプサイクルは、新しい技術の浸透度を時間軸と期待度を用いて表すチャートです。ハイプサイクルでは技術の浸透度を5つのフェーズに分け、それぞれ「黎明期」「『過度な期待』のピーク期」「幻滅期」「啓発期」「生産性の安定期」と呼んでいます。それぞれのフェーズについて簡単に紹介していきたいと思います。

まずは「黎明期」です。黎明期は技術が登場したばかりの状態で、その技術のコンセプトや将来展望が共有され、その技術に対する期待値が高まり始める段階です。この段階では実用段階の製品やサービスはほぼ存在せず、プレビュー版や試作品といった段階の製品やサービスが提供されています。当然、ほとんどの企業はその技術に対して半信半疑で、その技術の採用には消極的な状態です。

その後に来るのが「『過度な期待』のピーク期」で、未熟ながら製品やサービスとしてその技術が提供され始め、実際にそれらの製品やサービスを使用した事例が紹介される段階です。そのため、それらの技術の実用化が近いと感じ、その技術に対する期待感が上がっていきます。しかし、まだその技術に対する情報の流通量は少なく、期待だけが上がっていく状態であるため、なかなかその技術を採用する企業は多くありません。中には、その技術に対して積極的に取り組む企業も出てきますが、技術の成熟度も高くなく、採用における障壁は非常に高いため、失敗に終わる確率も高い状態です。

その結果、「幻滅期」がやってきます。幻滅期は過度な期待のピーク期で、採用しようと取り組んだ結果、導入に失敗したり、採算が合わなかったりと様々な理由で成果が出なかったことにより、「あの技術は使えない」といった情報が広がり、市場の期待が一気に下がってしまう段階です。ここで多くの企業がその技術に対して期待値を下げ、離れていってしまいます。その結果、その技術の開発を行っている企業や団体は、その技術に対する投資を継続できるかどうかの瀬戸際となります。これはいわゆる「キャズム」と呼ばれる技術が広がるかどうかの分岐点といわれています。幻滅期を迎えてなお投資を継続し、企業の期待に応えられるレベルに成熟した技術が「啓発期」へと進んでいくことができます。

「啓発期」に生き残った技術は徐々にその技術に関する情報や事例が増え始め、企業の理解も増え始めていきます。その技術自体も改善を重ね、安定して採用できる状況になり、採用することによって得られる価値も明確になっていく段階です。それによって、技術の提供者からの情報のみでなく、利用者側からの情報も増え、効果の実績を伴う事例も増えていくので、期待値は再度上がり始めます。とはいえ、まだ採用しているのは先進的な企業で、保守的な企業の採用には至っていないので、市場における浸透度上昇傾向にあるものの、まだまだ十分浸透しているとはいえない状態です。

そして、技術が十分成熟し、リスクが十分に少なくなると多くの企業が採用を始めます。それが「生産性の安定期」です。この段階になると、その技術は当たり前のように使用され、保守的な企業でも採用されるようになります。この段階に来ると、市場に広く浸透している状態といえます。

この5つのフェーズにおける浸透度合いを考えた場合、黎明期、「過度な期待」のピーク期、幻滅期においては、ほとんど技術は浸透していない状態です。啓発期に入って徐々に浸透が始まり、生産の安定期に入って十分浸透したといえる状態になります。

この5つのフェーズはどのくらいのスピードで推移していくのかは、技術によって全く異なります。加えて、一定のペースで推移していくわけではありません。そのため、ガートナーが提供するハイプサイクルのレポートには、それぞれの技術がどのフェーズにあるのかという分析のほか、主流の採用までに要する年数、つまり生産性の安定期に入るまでの年数が予測値として示されています。この年数を見ることで、どのタイミングで世の中に浸透するのかを把握することができます。

このハイプサイクルは様々な技術グループに分けて作成され、年にいくつかのハイプサイクルのレポートが発表されます。正式なレポートは有償ですが、ハイプサイクルのチャートだけであればニュースリリースとして発表されているため、閲覧することが可能です。

事例 2

世間のニーズに応えられない最新技術の採用

技術トレンドを読んで製品投入の戦略を考える必要を学習した大崎くん。ハイプサイクルの啓発期の技術に注目して、自社の製品のメジャーバージョンアップを市場投入してはどうかという提案をしてみることにしました。啓発期の技術であれば、技術も安定するし、市場が広がりそうな気がしています。何より、そのタイミングであれば競合に対しても優位性を持てるのではないかと思っています。ただ、いきなりエンジニアチームに相談するには気が引けたので、まずは、品川先輩に口頭で相談してみることにしました。

大崎くんの話を聞いた品川先輩は「いい視点だね」と褒めてくれましたが、エンジニアチームに相談に行くにはまだちょっと根拠が薄いのでは、という判断でした。なにせ、エンジニアチームのリーダーである高田さんは論理的なことで有名です。悩んでいる大崎くんに品川先輩はこんなアドバイスをくれました。

「メジャーバージョンアップをするからには、技術の導入だけでは顧客に買ってもらう理由に乏しいよね。バージョンアップとなるとバージョンアップライセンスを買ってもらわなきゃいけないわけだから。それをもう一押しする新機能があれば、納得してもらいやすいかもね。技術以外の世の中のトレンドを分析して、新しい機能も一緒に考えてみたらどうかな？」

これを聞いた大崎くんは、なぜ世の中のトレンドを分析すると新しい機能も考えられるのか、そもそも世の中のトレンドを分析するとはどういうことなのだろうかと悩んでいます。せっかく、いい提案ができそうなのに、また振り出しに戻った気分の大崎くんでした。

3-2 世の中のトレンドから技術トレンドの背景を読む

◎ 技術のトレンドだけでは市場は掴めない

IT業界で外部環境のトレンドを読む場合、どうしても技術トレンドに目が行きがちですが、技術トレンドだけを読んでいても、市場がどのように変化していくかを予測することは困難です。というのも、実際に顧客が求める要求は技術以外に起因することがほとんどで、技術はそれを実現する手段でしかないからです。

第2章で外部環境を分析するフレームワークとしてPESTを紹介しました。PESTは政治（Politics）、経済（Economy）、社会（Society）、技術（Technology）の4つの項目を分析するものです。技術のトレンドはその中の1つの要素でしかありません。つまり、技術トレンド以外にも政治のトレンド、経済のトレンド、社会のトレンドを分析する必要があります（図3-4）。

PESTは外部環境として世の中を分析するために必要な視点を定めたものです。PESTを使えば誰でも外部環境の分析ができるわけではなく、外部環境の分析を行う際に見落としを減らす役割で使用します。ここで、PESTの技術以外の3つの項目について見ていきたいと思います。

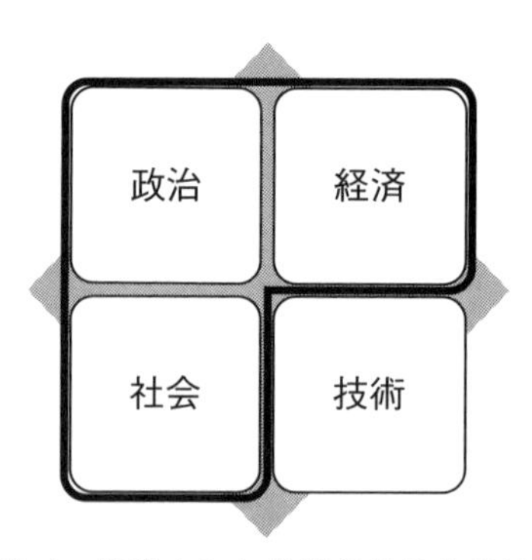

図3-4　技術トレンド以外に目を向ける

まずは政治（Politics）です。政治に関しては政策、法改正、制度改正、税制などの中から、製品やサービスが対象とする業界やIT業界のビジネスに関連する事象を広くリストアップします。

製品やサービスが対象とする業界の制度改正や新しい法律などができた場合、製品やサービスがそれに対応していないと、顧客に製品やサービスを導入してもらえません。それどころか、既存の顧客が新しい制度や法律に対応できないといった事態にも発展します。制度や法律に関してはユーザーのニーズの中で極めて優先度の高い事項です。そのため、いつどのような変更があるのかを、しっかりと把握しておく必要があります。

それと同時に、IT業界に関する法律や制度に関しても目を配らなくてはなりません。特にクラウドサービスでは、個人情報の取り扱いに関する法律には日本だけではなく全世界の動きに注意する必要があります。最近だと欧州の一般データ保護規則、いわゆるGDPRはIT業界においては大きな影響がありました。また、各国の税制などにも目を配らなければなりません。このような法律や制度の変更に関しては、知らなかったでは済まされない側面もあるので、注意しましょう。

また、政策などは実施や変更のタイミングがかなり先の場合もあります。その政策がいつ実施されるのか、変更されるのか、または恒久的なものなのか、一時的なものなのかなども確認しておく必要があります。

続いて経済（Economy）です。経済に関しては景気動向や経済成長、株価、金利などの状況をリストアップしていきます。まずは、自社のビジネスとは関係なく、景気動向や株価、金利といった経済全般の動向は必ずリストアップしておきましょう。場合によっては国内全体の経済ではなく、国際経済や地域経済など範囲を決めて分析する場合もあります。また、経済全体を確認するのに加えて、自社のビジネスに関連する各種指標や業界の景気動向などもチェックしておきましょう。

また、国内だけではなく海外と取引をしていたり、海外の製品やサービスを販売したりするようなビジネスの場合は、特に為替に注意を払う必要があります。外資系のベンダーの日本法人などの場合は、売上だけではなく、マーケティング予算などにも影響を受ける可能性があるので、注意深く為替の動向を追う必要があります。

最後が社会（Society）です。社会に関しては人口動態や流行、世論、教育など様々な事象をリストアップします。社会は範囲がかなり広いので、自社のビジネスに関連度が特に強いものを中心にリストアップするようにしましょう。B2Bの場合は、あまり社会の動きが関係ないと思うかもしれません。しかし、実際は顧客がB2Cのビジネスをしていれば社会の動向から影響を受けることも多分にありますし、従業員も1人ひとりは個人なので、社会の影響を受ける形になります。

また、社会における事象には定性的なものが多く、事実なのか、誰かの評価なのかという点には常に注意が必要です。その事象は誰かの思い込みではないか、その意見は多数派の意見なのか、局所的な事象ではないかなど、注意深く確認しましょう。加えて、自分自身の主義主張や希望的観測に流されないように注意しなければなりません。

このように、技術以外に政治、経済、社会といった項目に関しても、動向を把握する必要があります。そして、技術でもそうだったように、それぞれの項目の要素が互いに影響し合い、市場に動きをもたらすこともあります。例えば、社会的事象として新型コロナウイルスが流行した結果、政治的事象として世界的に外出禁止や集団での活動禁止が発出され、経済的事象として企業活動が滞ったことにより、半導体の品不足が発生したといった連鎖が発生しました。このような連鎖から未来を予測したり、競争優位性を見つけたりするために、技術トレンド以外にも目を配り、世の中の動きを把握しましょう。

◎ 世の中のトレンドが技術のトレンドに与える影響とは？

政治、経済、社会の要素が互いに影響し合うということは、当然技術にも影響することがあります。技術トレンドに登場した技術が普及するまでには、市場のニーズにマッチしていることが必要なので、当然といえば当然です。

そのような例を1つ見てみましょう。先ほども出てきた新型コロナウイルスの影響で、一気にハイプサイクルの「生産性の安定期」まで突き進んだ技術があります。ビデオ会議システムです。ビデオ会議システム自体はかなり以前からありましたが、IT業界やグローバル企業で使われていた程度で、啓発期には入っていたものの、普及しているとは言い難い状態でした。

ところが、新型コロナウイルスの影響で、リモートワークが推奨され、在宅勤務をすることが珍しくなくなりました。そのため、一般企業でもビデオ会議システムが活用されるようになり、一気に「生産性の安定期」に到達しました。おそらく、新型コロナウイルスがなかったとしても、ビデオ会議システムは徐々に浸透していったでしょうが、爆発的な普及という意味では、新型コロナウイルスが大きく影響しました。

また、既存の技術の浸透が早まっただけではなく、新しい技術もビデオ会議システムの中で生まれてきました。例えば、バーチャル背景は在宅勤務で自宅の部屋の様子を見られたくないというニーズから生まれたものです。他にも、自分の代わりにバーチャルキャラクターが映し出されて自分と同じ動きをしてくれたり、ノーメイクでもメイクしているように見えたりする機能が、あっという間に実装されました。

これらの例は、新型コロナウイルスという事象からドミノ倒し的に一気に起きた事象なので、予測をするのは難しかったとは思います。しかし、このようなわかりやすい例を見ると、世の中のトレンドが技術のトレンドに影響を与えるというのがはっきりとわかるかと思います。

もう1つ、今度は少し昔の話になりますが、予測が比較的容易だった例を紹介したいと思います。

2012年に著作権法が改正されました。この改正では、従来から禁止されていた著作物の技術的保護手段としてのコピーガードの解除だけではなく、アクセスガードの解除も禁止されることになりました。ここでいうコピーガードは技術的に著作権保護されたDVDなどメディアを複製してDVDを作成できないようにする仕組みを意味しています。それに対して、アクセスガードは著作権保護されたDVDなどのメディアからデータを読み出せないようにする仕組みを意味しています。

このアクセスガードの解除が違法になったことで、著作権保護されたDVDからデータを読み出しPCなどに保管する、リッピングという行為が違法になりました。それに加え、リッピング機能を持つソフトウェアの提供も違法化されました。元々、著作権保護機能を回避するような技術はあまり誉められた技術ではありませんが、それでも合法であった技術であることは確かです。

この著作権法改正は2012年10月に施行されましたが、可決されたのが6月で、それ以前から長期にわたって議論されていました。もし、そういった政治のトレンドをチェックせずにリッピング技術をベースとした製品の販売を開始してしまったら大変なことになります。売れないどころか、犯罪者になってしまいます。

この例では、そもそも合法とはいえ倫理的に問題がある技術ですが、法的にも倫理的にも問題のない技術が法律の改正で違法になってしまうこともあります。法律の場合はしっかりとチェックしていれば施行前に必ず情報を得ることができます。逆に、知らなかったでは済まされないようなこともあります。

この2つの例にある通り、よい方向に作用することも悪い方向に作用することもありますが、技術以外の事象が技術のトレンドに影響を与えることは少なくありません。そのためにも、技術だけではなく、政治、経済、社会といった様々なトレンドに目を向け、それがどのように技術のトレンドに影響するかを見極めましょう（図3-5）。

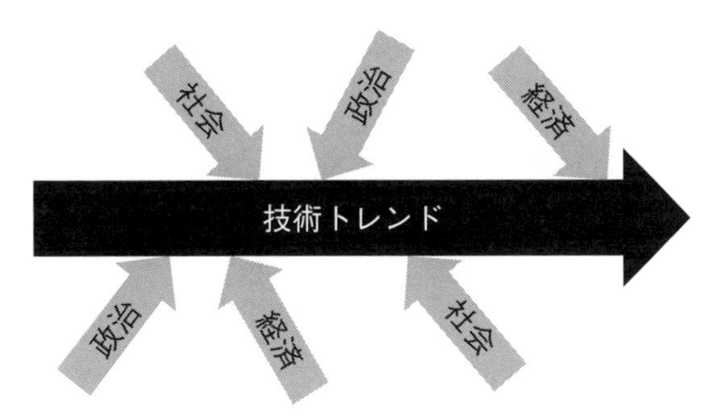

図3-5　技術トレンドには様々なトレンドが影響する

◎ 顧客が気にしているのは世の中のトレンド

政治、経済、社会のトレンドを分析する理由は技術トレンドに影響を与えるためだけではありません。そもそも、顧客が気にしているのは世の中の動きに対して、自社のビジネスをどうよい方向に進めていけるのかという点です。そのため、顧客は技術よりもまずは政治、経済、社会といった世の中の動きに注目します。もちろん、技術がきっかけとなることもありますが、世の中の顧客はIT業界の人が思っているほど技術のトレンドを重視していないことを心得ておきましょう。

この点で間違わないようにするためには、第2章で紹介したビジネスの視点と技術の視点で考えるとよいです。ビジネスの視点では、ビジネスの課題を解決することを最重要視しています。これからどのような課題が発生するのかを予測するためには、技術のトレンドよりも政治、経済、社会のトレンドから読み取れることの方が圧倒的に多いといえます。

DXで考えてみましょう。デジタルとあるといかにも技術のトレンドとしての「DXを実現する」というビジネス課題のように見えます。しかし、DXは技術ではありません。第2章で紹介した経済産業省の定義を読み返してみると、「データとデジタル技術を活用」するのが手段であって、DXそのものが技術という定義はされていません。「企業がビジネス環境の激しい変化に対応」することが前提となり、その上で、「顧客や社会のニーズを基に、製品やサービス、ビジネスモデルを変革するとともに、業務そのものや、組織、プロセス、企業文化・風土を変革し、競争上の優位性を確立する」ことが求められています。

ここに出てくるビジネス環境や顧客や社会のニーズを読み解くために、政治・経済・社会の要素を分析し、ビジネスモデルを含めた企業のあり方を変えていくことがDXです。その際に活用するのがITの製品やサービスであり、それを実現する要素が技術トレンドなのです。

しかし、多くのIT企業のマーケティングでは技術を導入することでDXを実現するという誤解を誘うようなメッセージを出しています。DXを実現するためには、顧客がどのような変化に対応しようとしているのか、どのような顧客や社会のニーズを把握したいと思っているのか、といったことを政治・経済・社会の観点で分析すべきです。その上で、それらの情報を把握するために、ITのどんな技術を活用できるのかを、技術トレンドとして分析するのがよいでしょう。

DXに限った話ではなく、顧客にとっての課題はどんなITの製品やサービスを導入するかではなく、ビジネスとして世の中の変化にどのように対応していくかです。IT企業のマーケターが顧客の課題は顧客にしかわからないと考えて、ヒアリングやマーケットリサーチにだけ頼ってしまうと変化のスピードについていけなくなってしまいます。顧客の視点で、市場を読み、その変化を読み、二手三手先を読みながらマーケティングを行い、第1章で述べたように、製品に対して積極的にフィードバックを行って競争上の優位性を確立していかなければなりません。

事例

3 「あんなの使い物にならない」という思い込み

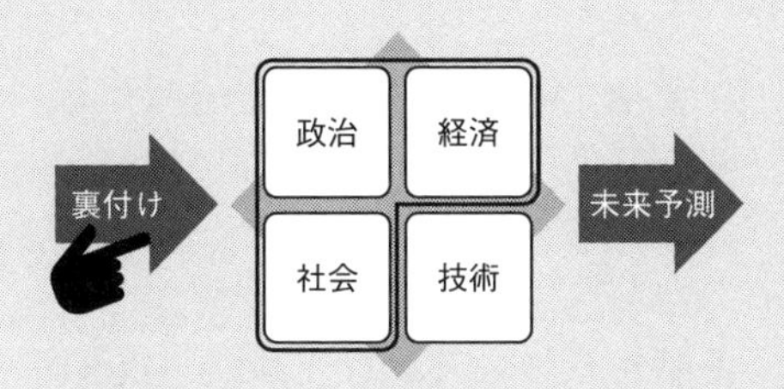

技術トレンドの分析から視野を広げてPEST分析を行った大崎くん。山手ソフトウェアの某会議室で、新しい技術の採用と新機能をエンジニアチームに提案を行っています。ところが、一部のエンジニアから新しい技術の採用に関して「大崎くんの提案の技術は使い物にならないよ。今までの技術で十分だよ」と、反対意見が出てしまい、最終的な合意を得られませんでした。残念な気持ちになって会議室を出て自分の部署に向かってトボトボ歩いていると、エンジニアチームのリーダーの高田さんが声をかけてきました。

「大崎くん、さっきの提案は新人にしてはよくできていたと思うし、提案の方向性も悪くなかったと思うよ」

論理的で有名な高田さんに褒められて少し気分を持ち直し、せっかくなので高田さんに助言をもらってみることにしました。

「さっきの提案は他の人を説得するには根拠に乏しいよね。ハイプサイクルの予測だけでは十分じゃないんだよ。つまり、どうしてその技術が今後広がっていくのか、もっと事実に基づいた根拠があれば、建設的な議論ができたんじゃないかな」

確かに、ハイプサイクル以外の根拠がないまま提案していることに気づいた大崎くんでしたが、では何を根拠とすればよいのか、エンジニアの人たちを説得できる根拠とは何かをまだ理解できていません。とりあえず、部署に戻ったらまた品川先輩に相談してみることにしました。

3-3

裏付けがあるトレンドと肌感覚としてのトレンド

◎ 市場調査の裏付けがマーケティングの精度を上げる

ここまでに、PESTで様々なトレンドを分析することが重要だと説明してきました。政治・経済・社会・技術の視点で、起こっている事象をリストアップしてその関連性を読み解き、予測をしていくわけですが、PEST分析では事実を分析する必要があります。思い込みや希望的観測が紛れ込んではいけません。

とはいえ、PEST分析を行う際には、まず顧客のビジネスや自社のビジネスに関係ありそうな事象をブレーンストーミング的にできるだけ多くリストアップしていくべきです。それを分類したり、関係の強そうなものだけを残したりしながら精度を上げていきます。そのため、最初期の段階ではあまりその事象の裏付けを取る必要はありません。そもそも、初期段階の全ての事象の裏付けをとっていこうとすると、あまりにも数が多いですし、あまり重要ではない事象の調査ほど無駄なことはありません。

しかし、PEST分析で外部環境の分析が進み、実際に機会や脅威といったレベルに落とし込む際には、その事象が本当に正しいのか、具体的にどのような変化が発生しているのかの裏付けを取る必要があります。この段階で思い込みや希望的観測が紛れ込んでしまうと、全く無意味なマーケティング戦略が出来上がってしまう可能性もあります。

では、裏付けを取るためにはどのような調査をすればよいかというと、まずやるべきは世の中に公開されている調査レポートの検索です。調査レポートは政府や地方自治体が統計データとして公開しているものもあれば、大学などの研究機関が論文として公開しているものもあります。また、民間の調査会社で販売している調査レポートもあります。これらのデータを使って、事象の正しさを裏付けるのが最も有効です。

しかし、自分が求めるデータそのものが存在しないことも多いですし、調査データはあったとしても民間の調査会社の調査レポートに掲載されているものは高価格だったりします。そのような場合は、ある程度有効性のあるレベルでの推論を行うか、自社で調査をすることになります。

推論を行う際には、ある程度関係のあるデータを用いて、裏付けを行います。その際、100%の裏付けを行うことはできませんが、関連度によって、その裏付けの精度を確認することができます。

以前、実際に私が裏付けを行った例で、日本のモバイルアプリの開発者数の推移を調査した事がありました。その際には、モバイル開発者のデータが見つからなかったので、世界全体とアジアのモバイル開発者数の推移を示したデータと、日本のスマートフォンの普及率など複数のデータを用いて、推測を立てました。直接的な因果関係を示せるようなデータがなかったので、確度としてはそれほど高くないという但し書きをつけて、予測値を提示しました。

また、自社で独自の調査を実施する場合は、基本的には調査会社に依頼することになります。自社が既存の顧客に対してやSNSを通じて直接アンケートを依頼することもありますが、質問内容が恣意的になったり、自社との関係が強い母集団しか確保できなかったりと、調査としては不適切になることもあるので、可能な限り調査会社に依頼した方がよいでしょう。

調査会社に依頼する際には、調査会社の得意とする母集団に注意を払う必要があります。調査方法によってリーチ可能な母集団が異なるため、依頼する調査会社によって調査結果が異なることも少なくありません。メディア企業であれば、そのメディアの読者中心に母集団が形成されますし、インターネットアンケート会社では幅広いですが、回答者の母集団の質が信頼性に欠ける場合があります。

さて、このようなデータを使って裏付けを行う場合、注意すべき点がいくつかあります。データを集めることに一生懸命になってこれらのチェックを怠ると、裏付けがないのと変わらない状態になってしまいます。

まず、一番間違いやすく、一番影響が多いのが先ほどの調査会社の話でも出てきた調査の母集団についてです。一般的には何かの調査を行う場合には母集団の属性情報があり、回答者の年齢、居住地域、職業などが集計された状態で提示されます。この母集団の属性が、想定する事象の対象と一致しているかが非常に重要です。世間一般の事象の裏付けをしたいのに、IT系の雑誌の読者アンケートの結果では正しく裏付けできません。

もう1つ、間違えやすいのが調査の実施された時期です。市場の現状を知りたいのに、10年前のデータを持ってきても全く裏付けにはなりません。先述したガートナーのハイプサイクルは1年違うだけでも全く違う評価となってしまうことがあります。とはいえ、統計データは必ず1年以内である必要はありません。2〜3年前のもので、データの推移が見られるようなものであれば、そこから推測をすることは可能です。(図3-6)。

図3-6　データは母集団の属性と収集時期に注意する

そして、裏付けをとった際には、データの出典元を明記することを心がけましょう。このような分析に限らず、出典元のないデータは、信頼性のないデータとして見做されます。

◎ 技術に関しては時には肌感覚も重要

ここまで、PESTにおける事象に関してはデータの裏付けが必要といってきました。しかし、技術に関してはその限りではないというのが私の意見です。なぜ、技術に関しては裏付けが必ずしも必要ではないのかというと、技術の変化のスピードが速すぎて、裏付けが出てくる前に次の変化が始まってしまうことがあるからです。

もちろん、技術のトレンドに関して全ての事象の裏付けが必要ないかといえば、そうではありません。クラウド、SaaS、IoTといったあるカテゴリーを表すような技術に関しては、それ自体の変化はそれほど速くないため、裏付けを取るだけの時間的猶予がありますし、実際にその調査レポートなどもある一定頻度で出てきています。

一方、パブリッククラウドベンダーがクラウドプラットフォームの機能の一部として提供している技術などを分析した場合は、裏付けを取っている間に類似の機能が他のベンダーから出てきたり、その技術を代替するような技術が出てきたりと、かなりの速度で変化が発生しています。そのような場合は、潔くデータによる裏付けは諦め、肌感覚に頼る形になります。とはいえ、技術の話をマーケターの肌感覚で予測をしても、全くの頓珍漢な予測になってしまいます。そのため、エンジニアの肌感覚に任せるしかありません。

ここで注意すべきは、いかに中立的にその評価をしてもらうかです。エンジニアにも好き嫌いはあります。特に1つの技術を深く学んでいると、その技術に愛着を持っていたりします。そのため、自分が愛着を持っている技術の競合技術に対して批判的な意見や、恣意的に不利な判断をすることがあります。そのために、質問の仕方には注意しましょう。もちろん、エンジニアの中でも公平な評価をしてくれる人も少なくありません。そういった意味で、常日頃からエンジニアの人たちと関係性を作り、どの人がどんな意見を持っているのかを理解しておく必要があります。

例えば「プログラミング言語のAとBは、それぞれどの市場で活用されそうなのか？」のような内容は肌感覚でしか予測できません。実際にどこまで信用性があるのかに関しては、データによる裏付けと比較するとどうしても、確度は劣ってしまいます。しかし、マーケターが予想するよりも、エンジニアが今までの経験から判断する方がよほど確度は高いです。

また、もう1つエンジニアの肌感覚に頼らざるを得ない情報があります。それが、各種ベンダーの発表内容の重要性の判断です。例えば、ベンダー主催の大規模イベントなどで複数の新規発表があったとします。その中では、特に注目する必要のない発表から、場合によってはマーケティング戦略を立て直したり、製品を調整したりする必要があるものもあります。

このようなケースだと社内のエンジニアに意見を求める場合もありますが、発表された情報に対するSNSでの反応などを見ることもできます。SNSの反応は基本的には定性的な情報であるため、その内容を理解して分析する必要があります。その際には、社内のエンジニアに意見を求めるのもよいでしょう（図3-7）。

図3-7　新しい発表があったらエンジニアに意見を聞いたりSNSの反応を見たりする

このように、技術のトレンドに関しては非常に変化が激しいため、データによる裏付けが取れないものも数多くあります。そういった情報に関しては、ある程度割り切って、エンジニアの意見という形で定性的情報の分析を行うようにしましょう。

◎ 幅広く根拠を探して、トレンドを理解しよう

話を戻して、事象の裏付けを取る作業についてもう少し見ていきましょう。事象の裏付けを取る作業をしていると、思わぬ発見をすることがあり

ます。今まで関係ないと思ってPEST分析の対象から外していた事象や、全く知らなかった事象が自社のビジネスに関係していることに気づくことです。裏付けを取る作業は、もちろん事象が本当に正しいかを見極め、予測の精度を上げるという意味もありますが、その事象に関して知見を広げるという意味もあります（図3-8）。この知見を広げることのメリットは大きく2つあります。

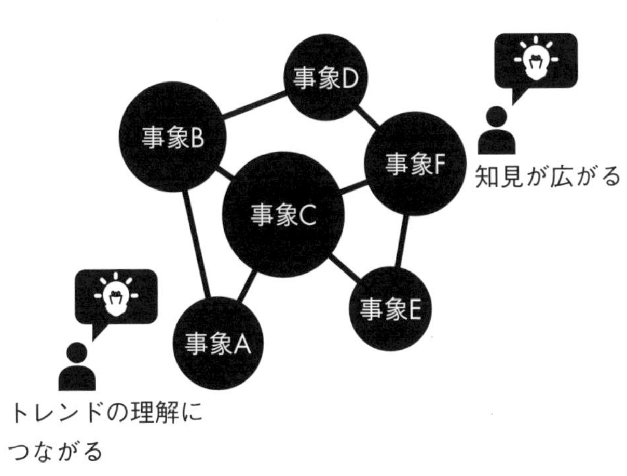

図3-8　裏付けには知見を広げる意味もある

1つ目が、自社のビジネスの機会や脅威をさらに広い範囲で分析できる点です。PEST分析でリストアップされた事象は、基本的に自社にとって機会や脅威として分析され、そのリストアップされる事象が増えれば、それだけ機会や脅威を見つけられるようになります。新しい機会を発見できると、製品やサービスが提供する価値自体は変わらなくても、今まで想定していなかった顧客が求める価値を満たせるようになる可能性があります。また、新たな脅威を見つけることで、その対策をマーケティング戦略や製品に反映できます。加えて、関連する事象が多ければ、予測に対するブレ幅を少なくし、より正確な予測を立てられるようになります。

先ほどのIoTの例で考えてみましょう。IoTに関して調べていくと、その市場が徐々に広がっていることが見えてきます。そして、ローカル5Gといった技術が認可されたり、エッジコンピューティングという技術が登場し始めていることに気づくかと思います。それらの技術が浸透して来れば、さらに市場が伸びるという予測を立てることができます。逆に、これらの技術が浸透しなければ、IoT自体の市場の成長が遅れる可能性もあります。このように、マーケティング戦略全体をひっくり返すほどじゃなくても、再考に値するような事象が導かれることがあります。

そして2つ目が新しいビジネスの可能性の発見ができる点です。新たな事象に自社の製品やサービスが対応していない場合は、自社の製品やサービスに機能を加えたり、場合によっては新しい製品やサービスを開発したりすることもできます。それが難しければそこを補うパートナーと協業することができるようになります。

いずれの手段をとるにせよ、新しいビジネスの可能性となり、ビジネスの幅を広げることが可能になります。これは技術のトレンドだけを追いかけていると、なかなか気づけないポイントです。実際に、マーケティング力や事業戦略に長けた企業では、このような観点で新しい市場を探し、新規事業として自社の強みを活かしながら事業を展開しています。有名な例では、Amazonの事業展開が挙げられます。今ではKindleのような電子書籍や音楽、映像コンテンツの提供、そしてAWSをしてクラウドプラットフォームの提供と幅広くオンラインサービスを提供していますが、当初はオンライン通信販売、最初期においてはオンライン書籍通販の会社でした。Amazonはインターネットサービス基盤という強みを活かした事業展開ですが、「地球上で最も顧客中心の企業」という企業コンセプトにも現れている通り、世の中のトレンドを分析し、顧客が望むものを常に提供できるように変化を遂げています。

イノベーションは既存のビジネスの転用から生まれるケースが多いですが、単に技術を転用するだけではビジネスとして成立しません。顧客が何を求めているのか、どこにビジネスの機会があるのかをしっかりとPESTで分析して、新規市場に参入していく必要があります。

事例 4

過去のデータだけで判断できない将来への投資

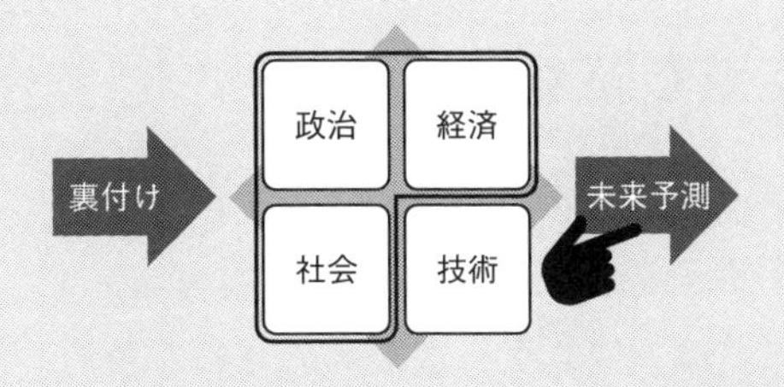

なんとかデータを用意して、新しい技術が市場で広がること、その技術を使えば新しい市場のニーズを満たすことができることを説明し、大崎くんはエンジニアチームの合意を取り付けることができました。しかし、エンジニアチームのリーダーの高田さんから「マーケティングチームリーダーの上野さんを通じて、役員会の開発投資が得られるなら」という条件がつきました。

品川先輩と相談して、上野さんに役員会で開発投資の必要性をプレゼンしてもらうための資料を作成することにしました。採算計算の部分は品川先輩がしてくれることになったので、その土台になるためのデータを大崎くんが担当することになりました。大崎くんは様々な調査資料を机の上に並べて、腕組みをしながら資料を眺めています。そして、いきなり資料を持って品川先輩の元に駆け寄っていきました。

「先輩、見てくださいよ。このデータで見ると、過去4年で毎年20%も成長していますよ。まさに、この数字が提案した新機能のニーズにマッチしている企業の数なので、新機能がリリースされれば、うちの会社も安泰ですね！」

資料を見て呆れ顔の品川先輩。

「今、やっているのは未来を予測する作業なんだよ。過去のデータをそのまま持ってきても意味ないんだよ。未来は過去と同じことが起きないんだから」

それを聞いた大崎くんは、ちゃんとデータに基づいて考えているのに、なんでダメ出しされるんだろうとちょっと不貞腐れてしまいました。

3-4 今を知るだけではなく、未来を予測する

◎ 市場調査は過去のデータでしかない

事象はデータで裏付けをとることが重要だと説明しましたが、市場を把握するためのデータは基本的に収集された時点で過去のものとなります。特に市場調査の結果をまとめたレポートは、アンケートが実施された時点での情報となるため、公開された時点でもすでに数ヶ月前のデータです。

例えば、急成長しているような市場で数ヶ月前に導入率が3%だったとして、現在も3%であるとは到底思えません。また、シェアのレポートで、データの収集時から分析実施の間にセキュリティの問題が発覚したり、大きな出来事が発生したりすれば、現時点の結果は全く異なったものになっていることも少なくありません。

さらには、目に見える大きな出来事がなくても、市場のトレンドが変わることもよくあります。このようなケースでは、昨日まで売れていたものが急に売れなくなるような突然の変化ではなく、徐々に伸びが減速していき、さらには減少傾向に入っていくという変化が起きます。これは、データを見れば気づくのではないかと思うかもしれませんが、データをどのタイミングでとっているか、どの頻度でとっているかによって気づくことができるかどうかが変わってきます。半年ごとにデータを取っている場合はデータの取得間隔で6ヶ月、さらに集計作業の時間まで含めるとそれ以上の期間で最新のデータがわからないという状態が続きます。この6ヶ月の間に市場において減速が発生したとして、次の調査では予想よりも少し小さいデータが出てくると、それが正確な数字なのか、たまたまサンプリングの問題でエラー値が出たのか判断ができず、さらに半年後の調査を待って初めて減速しているという状態に気づくことになります。

結果、実際に市場での減速が起こってから、対応策を出すまでに1年以

上かかってしまうケースも少なくありません（図3-9）。この問題を避けるために調査頻度を上げればよいかといえば、コスト面で折り合いがつかない場合もありますし、調査頻度を上げたところで対応するのが1年後から8ヶ月後になっただけで大した効果を産まないこともあります。

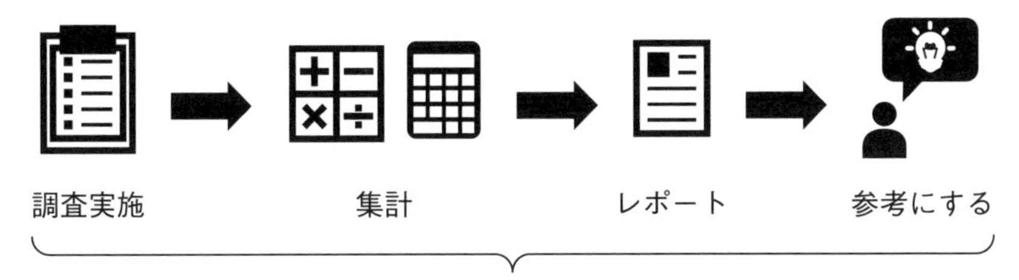

図3-9　データを取る頻度とタイミング

では、どのように現在の状態を知ればよいのかというと、まずは現在を予測することです。市場調査で得られたデータは入手した時点で過去のデータであるのであれば、それをもとに現在を予測するしかありません。幸い、市場調査では過去のデータしか得られないですが、世の中で起こっている出来事はニュースとして少ないタイムラグで知ることができます。また、自社の売上データやビジネスデータはほぼリアルタイムで入手できる仕組みもすでに存在しています。それらの補足情報をもとに現在を予測していくことは不可能ではありません。PESTの事象同士の関係性から予測を立てるというのが、これと全く同じです。事象を対局的に見るか、局所的に見るかという違いしかありません。

そして、次の市場調査の結果が出たタイミングで答え合わせをしてみれば、予測の精度を徐々に上げていくことができます。もちろん、必ず正解を得られるわけではないですが、少なくともビジネスにおける知見が広がっていけば、予測に影響を与える情報の範囲を広げていくことが可能です。

◎ 過去から未来へのトレンドの方向性を読み解こう

データの裏付けという意味で現在を予測すると説明しましたが、外部環境を分析することの究極の目的は未来のトレンドを予測することです。以前にも紹介した通り、価値を顧客に届けるタイミングの市場の状況を予測してそれに合ったマーケティング戦略を立てるのが最も重要です。

しかし、未来を予測するのはそれほど簡単ではありません。特に昨今ではVUCAといわれる変化の激しい社会だといわれています。VUCAとは、下記の4つの言葉の頭文字をとったものです。

- **Volatility：変動性**
- **Uncertainty：不確実性**
- **Complexity：複雑性**
- **Ambiguity：曖昧性**

変動的で不確実で複雑で曖昧な世界をどう予測すればいいのか、これだけで頭を抱えてしまいそうです。しかし、変化の激しい世の中だからこそ、未来の予測が勝負の鍵となるのです。

ただ、ここであまり難しく考えてしまうと、かえって「あれもこれも起こり得る」と収集がつかなくなってしまいます。そこは一歩下がって、トレンドの方向性を掴むというスタンスで予測をしていくことをおすすめします。特にここまで分析してきた外部環境における機会や脅威は、戦略レベルではどんな機会があるのか、どういった脅威があるのかを把握するだけで十分です。

そもそも、VUCAという言葉が出てきた背景には、変化が激しいことを強調するよりも、変化が起こった時に柔軟に対応できる仕組みが必要だという文脈があります。予測が難しいからこそ、予測の幅をある程度広くとって、戦略の目標を達成するための柔軟に作戦、戦術を変えられる自由度を高めておくことが重要になります。

未来の予測の幅を広くとることは、精密な未来予測をしないというだけで、適当に予測してよいわけではありません。最近、よくいわれる変化の種類に「連続的な変化」と「非連続的な変化」があります。とりわけ、イノベーションの文脈で非連続的な変化という言葉が使われますが、多くのイノベーションはその連続性に気づいていない人が多いだけで、連続的な変化であることがほとんどです。イノベーションがイノベーションとなり得るのは、前提としては顧客のニーズが満たされた上で、今までにない技術やアプローチが採用されている点です。

とはいえ、イノベーションが起こってからそれを分析すればその連続性に気づきますが、そのイノベーションを予測することはほぼ不可能です。

例えば、iPhoneやAndroidといったスマートフォンの登場はまさにイノベーションでした。しかし、後から紐解けば、モバイルコンピューターの小型化、モバイル通信速度の改善、バッテリーの進化、タッチセンサーの精度向上、携帯電話の普及率の高さといった要素はある程度わかっていました。加えて、iPhone、Android以前にもBlackBerryやWindows Mobileといった携帯電話と情報端末が一体化した製品は存在していました。このようなことを知っていれば、具体的イノベーションは予測できなかったとしても、進化の方向性としては予想の範囲に収まると感じるでしょう。

トレンドの方向性だけを予測して戦略を立てようとすると、もっとちゃんと予測を立てるように指示を出す上司がいるかもしれません。先ほど述べたように、より細かく未来を予測しようとするとあまりにも複雑で精度の低い予測しかできないですし、それを一生懸命予測したとしても、正しいとは限りません。それ以上に時間をかけた結果、予測が終わる頃には予測が合っているのか間違っているのかわかってしまうような事態になりかねません。もちろん、トレンドのレベルではなく、売上予測や顧客獲得数の予測などもっと具体的なビジネスのレベルであれば、比較的正確に予測することは可能です。しかし、トレンドのような抽象レベルの高いものに関しては、正確に予測することに時間をかけるよりも、曖昧さを包含した上で、素早く柔軟に動き出せることの方が重要です。

これは、ソフトウェア開発におけるウォーターフォールとアジャイルの関係によく似ています。未来の予測はウォーターフォール的に予測を始めたら予測が完了するまで真っ直ぐに進み、一度予測し終わったらそれで終わり、というイメージではありません。むしろ、予測を常にしながら、その予測をアップデートしていくイメージです。だからといって、予測がいつまで経っても完了しないという意味ではなく、常に予想が完了しているイメージです。何か変化があれば躊躇せずに未来の予測を変更して、その時々の完成した未来予測を出していく必要があります。

マーケティングプロセスの話では、外部環境分析をスタートとして様々な分析、戦略策定、戦術実施といった流れがあります。今回は外部環境分析を中心に説明しましたが、基本的には全ての段階において常に見直し可能にしておく必要があります。近年では、マーケティングの中でもアジャイルの考えを取り込んで考えることが多くなりました。つまり、マーケティングもそれだけ激しい変化に対応することが求められるようになったということです。その一番の源泉となる外部環境の変化には注意しておく必要があります。緻密に予測を立てるよりも、大きなトレンドの方向性で、変化に素早く気づき、対応できるようにしておくことが重要です。

◎ 様々な要素からこれから起こる未来を予測する

さて、それでは未来へのトレンドの方向性を読むためにはどうしたらよいでしょうか。すでにその答えはお気づきかと思いますが、様々な事象に目を向けて、その関係性を理解することです。ただ、注意すべきは何でもかんでも事象を引っ張ってくればよいというわけではありません。ただでさえ、情報が多く変化が激しい世の中では、広く情報に触れつつも、処理する情報をどれだけ絞り込むかが重要になってきます。すでに説明した通り、自社が対象とするビジネスに関する事象をまず深く調べ、裏付けをとりながら、それに関連する情報を見つけていくのが一番有効です。そのためには様々なWeb上の情報に触れるのはもちろん、書籍もチェックするようにしましょう。そして、技術のトレンドに関しては、可能な限り英語でのWeb記事にも目を通すようにしましょう。

技術のトレンドの方向性を知るという意味では、残念ながら日本語での情報はワンテンポ遅れていることがほとんどです。海外、特にIT業界であればアメリカ発の情報をチェックしましょう。最近のIT業界のトレンドはアメリカ以外で開発された技術から起こっていることも多いですが、トレンドの情報自体は一旦アメリカに集約されて発信されています。そのため、アメリカ発のCNETやInfoQ、TechCrunchといったメディアの英語版の記事やAWSやMicrosoft、Googleといった企業のブログに目を通すことはIT業界のトレンドをチェックする上では役に立ちます。最近では、Google翻訳やDeepLといった翻訳サービスの質も上がっているので、翻訳してでも目を通した方がよいでしょう。

トレンドの方向性を予測するためには、何を差し置いてもその業界の知見を持っていることが重要です。そして、その広さと深さと客観性が予測の精度を上げることにつながります。

そういった意味では、自身の知見を広げることも重要ですが、その分野の専門家の意見に頼るのも1つの手です。ガートナーやIDCといった調査会社はもちろん市場調査を行うのも仕事ですが、一番の価値は専門的な知見を持って立てた予測です。調査会社のレポートは確かに高価ですが、その分野の知見を過去のデータと第三者の客観的視点を持って立てられた予測には十分価値があります。

彼らは、この章で説明してきたような専門家としてひたすらトレンドの分析を行っています。もちろん、マーケター自身がその分野の知見を持つ必要がありますが、ずっとそればかりやっているわけにもいかないので、必要に応じてそのあたりのアドバイスを調査会社に依頼するのもよいでしょう。

また、Webや書籍などだけでは得られない情報として、エンジニアの熱量があります。技術のトレンドを見るとき、肌感覚も重要だと説明しましたが、それと似た意味で、エンジニアの熱量を測るために技術イベントに参加してみるのもよいと思います。IT関係の技術では、コミュニティやベンダーが開催しているイベントが大小様々あります。もちろん、多くは技術情報を発表する場ではありますが、そこに集まってくるエンジニアの雰囲気や活発さから、エンジニアたちがその技術にかける熱量を測ることができます。これは数値化できない要素ですが、実際に肌で感じることで理解できることはたくさんあります。実際、マーケターという立場で、多くの技術イベントに参加したことがありますが、Webや書籍では感じ取れない業界のトレンド、特にこれから起こるかもしれないトレンドの種を見つけるのに非常に役立ちました。

マーケティングにおける分析というと、どうしても数字と睨めっこをするイメージが強いかもしれません。もちろん、勘と経験と度胸だけで未来を予測するのは問題がありますが、数字だけを頼りに未来を予測することも同様に問題があります。自社のビジネスが関係する市場に関しては、様々な角度から知見を得て、データも参考にし、時には肌感覚も頼りとしながら、技術トレンドだけにとらわれず、広くトレンドの方向性を読み解いて、未来を予測するようにしましょう。

第 4 章

顧客が求めること、
ソフトウェアが実現すること

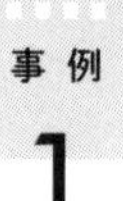

事例 1

「この製品を導入すれば課題は即解決します！」のズレ

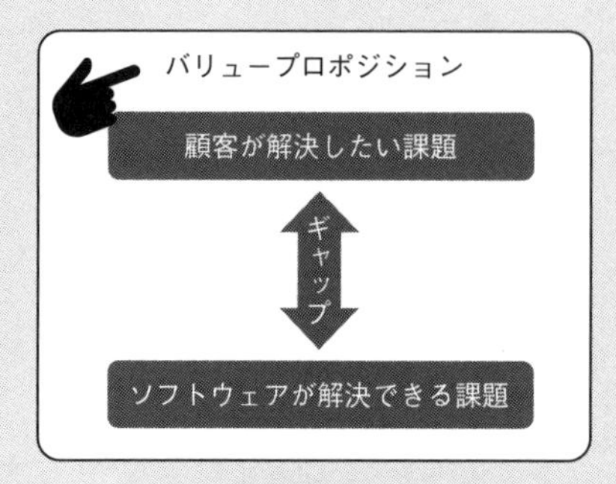

マーケティングセミナーに参加してきた大崎くんがオフィスに帰ってきました。参加したセミナーの中で紹介された製品に感銘を受けたらしく、品川先輩にツールの紹介をしています。大崎くんが品川先輩に見せたカタログには「このWebサイト解析ツールを使えば、御社のサイトの課題を即解決します」とありました。どうやら先週のマーケティング会議で品川先輩が「Webサイトへのアクセス数の改善が課題だ」と言っていたのを思い出して、この製品ならすぐに改善できるのではと思いカタログをもらってきたそうです。大崎くんによれば、「こういうツールを入れて手っ取り早く解決した方が、時間がかからなくていいですよ」とのことです。

いつも通り、勢いよく進もうとする大崎くんに対して、品川先輩が「確かにこういうツールを入れるのは、問題解決の役に立つかもしれないな。でも、このツールはWebサイトの解析ツールだよね。このツールが想定している課題と、うちの会社が本当に解決したい課題は一致しているのかな？」と疑問を投げかけました。

さらに、品川先輩は会社が解決したい課題は何か、このツールが解決できる課題は何か整理してみると、マーケティングの勉強にもなるよとアドバイスもくれました。

大崎くんは、Webサイトのアクセス数の課題はWebサイトの課題だし、このツールが解決するのもWebサイトの課題だから、同じなんじゃないだろうか、と品川先輩の言葉の意図に戸惑ってしまいました。

4-1 顧客が持つビジネスの課題とITが解決する課題

◎ ソフトウェアの導入だけで課題は解決しない

第2章で紹介した通り、ITの製品やサービスは導入しただけでは価値を顧客に届けることはできません。ITの製品やサービスを導入し、それを使う人が製品やサービスに合わせて変化し、その結果ビジネスが変革することで、やっとビジネスの課題が解決されます。

しかし、Webサイトやカタログでは、「このツールを使えばビジネスの課題が解決します」というメッセージばかりが目立ちます。これは決して製品やサービスの提供者が顧客を騙そうとしているわけではありません。このようなメッセージを出す理由は、顧客の関心事に刺さらなければならないためです。

基本的に顧客は技術のトレンドに興味がないように、ITの製品やサービスそのものには興味がありません。顧客が興味を持っているのは、自社のビジネスの課題をどう解決するかという点です。マーケティングとしてはその興味に沿う形でメッセージを出すのは当たり前です。

問題は、顧客がそのメッセージを鵜呑みにしてITの製品やサービスを導入しただけでは、簡単には彼らのビジネスの課題は解決できない点です。この問題を解決するためには、顧客の興味に直接刺さるようなメッセージに加えて、顧客のビジネスの課題を分析し、実際にどのような形でその製品やサービスが顧客のビジネスの課題を解決するのかまでの道筋を示す必要があります。

これはあくまで製品やサービスを導入したことで起こる、製品やサービスありきの道筋で、顧客にビジネスの課題の解決に向けた道筋を説明するためには顧客の視点でのアプローチが必要となります。顧客のビジネスの課題はどういったものなのか、それを解決するためにはどのような要素があるのか、どの要素を変えることでビジネスに変革を起こすのか、それに対して製品やサービスはどのように貢献できるのか、といったアプローチでの分析です。もちろん、ビジネスの課題は企業によって異なるため、汎用的なストーリーを作るのがマーケティングの役割です。その汎用的なストーリーをベースに、顧客も自社のビジネスの課題を解決するためのストーリーを考え、どのようにビジネスの変革を起こすかを検討して、フィット&ギャップを検討できれば、ツールを導入したけどビジネスの課題が解決しないというリスクの発生率を下げることができます。

ここで、少し具体的に考えてみましょう。「優秀なエンジニアを採用できる中途採用マッチングサービス」というメッセージを出しているサービスを例にとって、問題と解決策を考えていきます。

まず、ビジネスの課題として「優秀なエンジニアを採用したい」が設定されているのがわかります。現在はエンジニアの人材不足が叫ばれているので、どのIT企業も優秀なエンジニアは喉から手が出るほど欲しがっています。そのため、IT企業にとっては汎用的なビジネス課題です。

ここで、問題はこのサービスがどのような解決策でこのビジネス課題を解決しようとしているかという点です。実はこのサービスは待遇面だけではなく、会社の雰囲気や隠れた魅力を伝え、知名度がない企業でも優秀なエンジニアを採用しやすくなるようなサービスを提供しているとします。そして、次のような企業がこのサービスの導入を考えている仮定しましょう。

- **今までエンジニアの派遣を行っている企業で、特にブラックというわけでもないが、取り立てて特徴のない企業**

もし、この企業が何も考えずこのサービスを導入しても、間違いなく他の特徴的な企業の陰に隠れてしまって、エンジニアに気づいてもらうことなく採用に至ることはまずないでしょう。

一方で、こういったストーリーをサービス側で提供していたらどう考えるでしょうか。

このサービスではエンジニアの反応が御社の魅力のバロメーターになります。単に求職者を待つだけではなく、御社も求職者にとって魅力的な企業へと変わっていく指標としてもご利用いただけます。魅力的な企業へと変わることで、御社にピッタリの求職者に出会えるだけではなく、所属社員の離職率の低下にもお役立ていただけます。そのためのデータを我々は提供いたします

このようなシナリオがあるだけで、企業は「優秀なエンジニアを採用したい」というビジネスの課題の解決に向けた筋道を自分で考え始めます。もちろん、手間をかけずに優秀なエンジニアを採用したいと夢見る企業は導入しないでしょう。しかし、顧客が何も考えずに導入して悪い評価を得るよりは、試行錯誤しながらでもツールを活用してビジネスの課題を解決することで、継続した利用や他社への紹介など顧客のロイヤルティの向上に貢献してくれた方が、ビジネスとしては有利に働きます。

このサービス自体は、会社の魅力を伝えるためのページを求職者向けに提供し、それに伴うアクセスデータの分析結果を提供するだけのサービスです。しかし、それを活用して、企業のあり方を変革して、ビジネスの課題を解決するという道筋を提供することで、価値を顧客に届けることができるようになっています。

このように、単にITの製品やサービスを導入するだけではビジネスの課題を根本的に解決できません。それでも、いまだに導入すればなんとかなると思っている顧客が多いのは、顧客側にも「考えるのがめんどくさい」、「手軽に解決したい」という思いがあるからです。しかし、簡単に全てを解決できる都合のよい製品やサービスなどそもそも存在しないのです。どんなツールであっても、それを使う側が工夫と努力をしなければ、課題の解決には至りません。製品やサービスの導入を促すだけでなく、顧客がその製品やサービスを活用するための工夫や努力を促すのもIT業界のマーケティングの重要な役割です。

◎ ITの製品やサービスが提供する物と顧客が望むこと

ビジネスの課題の解決に向けて、製品やサービスをどう活用していくかという観点でシナリオを作成する必要があることはご理解いただけたかと思いますが、このシナリオをどう作るかが問題です。

実はこのシナリオを作るのに便利なフレームワークがあります。それがバリュープロポジションキャンバスです（図4-1）。

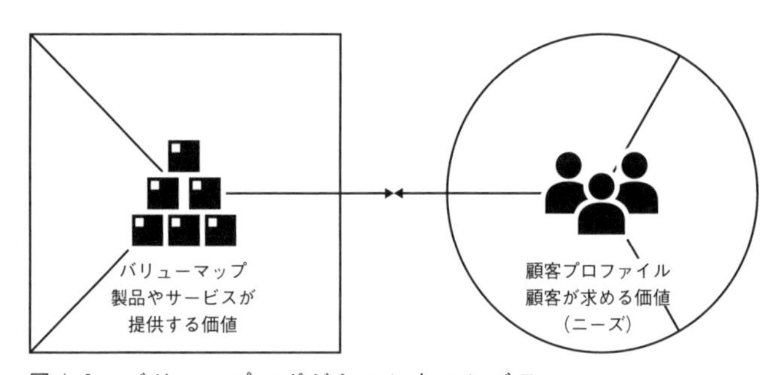

図4-1　バリュープロポジションキャンバス

バリュープロポジションキャンバスは、顧客視点と提供者視点でどんなニーズが存在するのか、それに対してどのように製品やサービスが価値を提供できるかの紐付けを導き出すフレームワークです。右側の円が顧客視点の顧客プロフィールで、左側の四角形が提供側視点のバリューマップと呼ばれるものです。

ビジネスの課題に対して製品やサービスを活用することで解決するためのストーリーと、このバリュープロポジションキャンバスにについて、もう少し詳しく見ていきたいと思います。

ビジネスの課題は、それを成し遂げたいと考えるビジネスのゴールだったり、またはゴールを達成するために取り除くべき障害だったりします。通常、これらのビジネスの課題は直接解決することが難しく、課題を要素分解し、どの要素を解決するかを取捨選択して個別に解決していくことで、ビジネスの課題を解決したり、解決に近づけたりしていきます。それぞれの要素の中にはITで解決できるもの、人や組織が変わることで解決できること、その両方で解決するものが存在しており、これらの組み合わせが顧客にとってのシナリオとなります。

一方で、自社の製品やサービスがどのような機能や特徴を持っていて、それらの機能や特徴を使って顧客のビジネス課題の要素をどのように解決していくかを示していかなければなりません。顧客のビジネスの課題の要素に対して、その製品やサービスが解決できるもの、できないものを明確化して、解決できる要素に対してどのように解決するかを示していきます。それがその製品やサービスが提供する価値となります。

当然、要素によって製品やサービスが提供する解決度合いは異なり、人や組織の大きな変革が必要となるような要素も出てきます。これを明確にするためにバリュープロポジションキャンバスを活用します。バリュープロポジションキャンバスについては後ほど詳しく説明しますが、顧客が求める価値と製品やサービスが提供する価値のギャップをわかりやすく示し、それに対してどのようにギャップを埋めていくのか、または埋めないのかといったことを書き出していくことで、顧客に製品やサービスを提供し、活用してもらい、ビジネスの課題の解決に至るまでのストーリーを明確にすることができます。

先ほどの中途採用の例ではストーリーを1つの文で表現しましたが、必ずしも1つの文で表現する必要はありません。ビジネスの課題を要素分解するわけですから、要素1つひとつをどのように解決して、ビジネスの課題の解決にどう辿り着けるかがストーリーとして説明すべき重要な内容となります。

よくカタログやWebサイトに掲載されている文章は、基本的にはこの構造になっているはずです。最初に書いた顧客の課題に対する興味を引くメッセージがビジネスの課題の設定となっており、それに続く説明書きが個々の要素に対する解決策となっているはずです。もちろん、Webサイトやカタログの情報は詳細を説明するよりは顧客の興味を引くことを重視しているので、それほど具体的な解決策を記載してはいません。しかし、購買プロセスが進むに従って、徐々に詳細で具体的な説明が求められます。

顧客が購買プロセスを進んで、製品が提供する価値と顧客が求める価値のギャップをどう埋めるかを、自社の状況に照らし合わせながら具体的な解決策を明確にしていきます。そのための判断材料として、マーケティングで想定した解決策のストーリーを提供するのです。このストーリーをベースに営業担当やプリセールスエンジニアと呼ばれる人たちが顧客にアドバイスをしながら一緒にその企業に合った解決策を見つけていくのが一般的です。

また、マーケティング観点で用意しているビジネスの課題やストーリー、具体的解決策はあくまで自社の製品やサービスを前提とした汎用的な例として考えられています。汎用的な分析と解決策を提示するわけですから、フィットする顧客とフィットしない顧客がいるのは当然です。万人ウケを狙った製品やサービスが売れないのは、ビジネスの課題の抽象度が高すぎて、解決策が曖昧だったり、不十分だったりするケースです。マーケティングの戦略立案で設定したターゲティングでは、解決したいビジネスの課題を持っていて、かつ、製品やサービスがビジネスの課題を解決するためのシナリオがピッタリとマッチするような顧客が設定されるべきです。

これをしっかりと設定するためには、顧客が求める価値としてのビジネス課題の解決と、製品やサービスが提供する価値としての機能や性能の間にギャップがあることを理解し、そこをどう埋めていくかを顧客に理解してもらうことが重要となってきます。

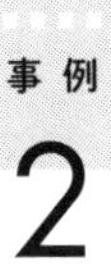

事例2 コストダウンできる製品が売れるわけじゃない

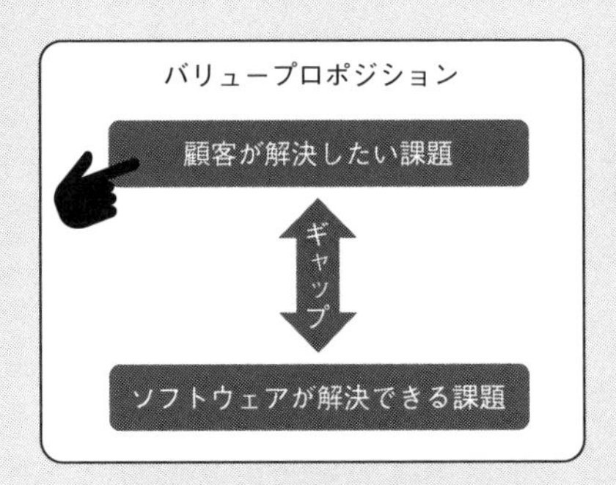

品川先輩からの宿題で、顧客からのアンケートの整理をしていた大崎くん。顧客が自社の製品を導入する理由の第1位が「コスト削減」となっていることに気づきました。ただ、自社の製品は確かに便利な機能はたくさんあるものの、なぜそれがコスト削減につながるのかいまいちピンと来ていません。しかも、自社の製品はそれほど安いわけじゃないのに、それを買ってまでコスト削減したいのはなぜか気になってきました。そこで、品川先輩に聞いてみることにしました。

品川先輩は「いいポイントに気がついたね」と少し嬉しそうに言いながら、なぜ顧客はコストを下げたいのか、自社の顧客の事業にはどんなコストがかかるのか、ちょっと調べてみることを勧めてくれました。

アンケートの整理を済ませた大崎くんは、会議室のホワイトボードに色々と走り書きをしながら、さっき品川先輩から出された問いを一生懸命考えています。

「コストを削減したいのは、利益を大きくしたいからだよなぁ。となるとコストだけじゃなく売上も関係する。となると、売上を下げずにコストを削減する方法を考えなきゃいけないのか」

我ながらよい論理構成だと満足げな大崎くんでしたが、次の問いには四苦八苦しています。

「顧客の事業のコストなんてわからないよなぁ」

とりあえず、どんなコストがかかるのか思いつくだけ書き出してみましたが、釈然としません。なんとなく、売上を下げないで削れるコストを探すということはわかったのですが……。

4-2 顧客が持つビジネスの課題こそが顧客のニーズ

◎ 経営の課題を起点にビジネスの課題を考えよう

顧客のニーズといってもそのレベル感や解釈はそれぞれですが、新規事業を開拓するようなケースでない限り、ある程度前提となるビジネスの課題は絞られています。例えば、MicrosoftのPowerPointであれば、「効果的なプレゼンテーションを実現する」であったり、Slackであれば「チームのコミュニケーションを円滑にする」であったりします。しかし、まだ製品やサービスを使ったことのない顧客に、なぜこの製品を導入すべきかを納得してもらうためには、このメッセージだけでは足りません。

既存のユーザーではない顧客に、製品やサービスがビジネスの課題を解決することに役立つと納得してもらうためには、解決への道筋を理解してもらう必要があります。ビジネスの課題を要素分解して、それぞれの要素に対して製品やサービスがどのように対応し、結果的にビジネスの課題の解決につながることを示していきましょう。ビジネスの課題を要素分解していく際には、大きく2つのステップを踏むことをお勧めしています。

まずは、ビジネスの課題を経営の視点で論理的に要素分解することです。このステップでは解決すべき課題を洗い出します。そして、次のステップでは世の中のトレンドや企業の状況を考慮しながら、分解した課題の要素から主要な要素を抜き出し、さらに制約条件や避けるべきことなどを加味していきます。この2つのステップを通じて、製品やサービスが解決しようとしている顧客のニーズを明確にしていきます。

それでは、まずどのように経営の視点でビジネスの課題を要素分解していくかを紹介します。ビジネスの課題を要素分解していくためには、イシューツリーというフレームワークを使用します（図4-2）。

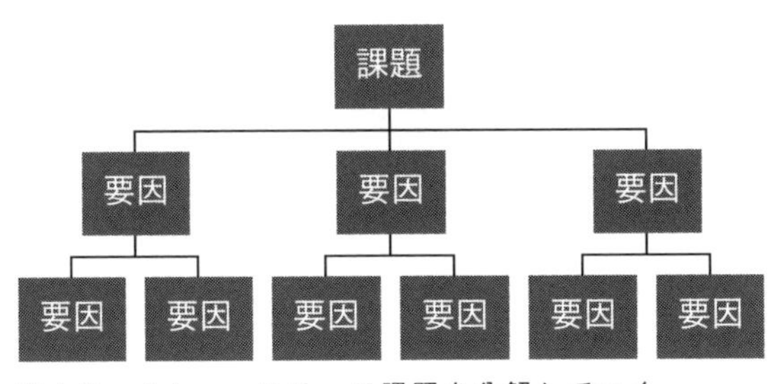

図4-2　イシューツリーで課題を分解していく

イシューツリーは別名ロジックツリーとも呼ばれ、コンサルティングの現場などでもよく使われる問題分析のフレームワークです。課題をいくつかの要素に分解し問題の範囲を狭めることで、解決への糸口を作りやすくするために使用します。このフレームワークの使い方としては、トップの課題から徐々に要素分解を行っていきます。分解の仕方は課題を構成する要素を、掛け算や割り算、足し算、引き算といった四則演算、またはプロセスといった形で抽出、分解していきます（図4-3）。

例えば、売上は顧客数×顧客単価のような形で分解することもできますし、製品ごとの売上で分解するという足し算で考えることもできます。

このように、同じ課題であってもその分解の仕方は様々で、この切り口を何にするのかが非常に難しいポイントとなります。

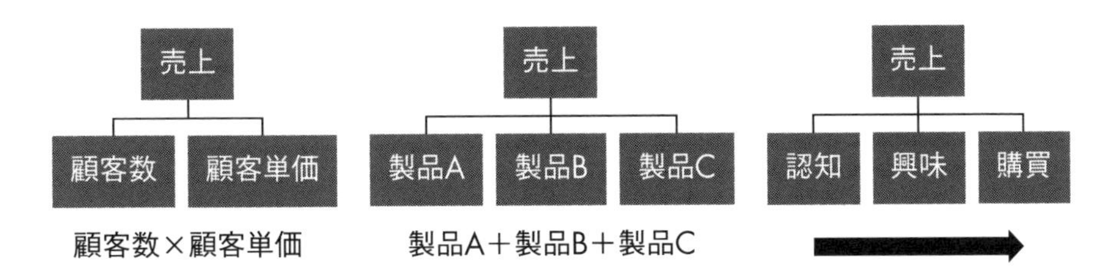

図4-3　具体的な分解の仕方

課題を複数の要素に分解する際に必ず守らなければならないルールがあ

ります。まず、分解した要因が課題の領域の全てをカバーしていなければなりません。また、分解した要素がそれぞれ重複する部分がないようにしなければなりません。これをMECE（Mutually Exclusive, Collectively Exhaustive：もれなく、だぶりなく）といいます。読み方としてはミーシーが一般的です。常に、分解した要素がMECEになっているかを確認する必要があります。

MECEであることを確認するためには、先述の四則演算やプロセスの考え方が役に立ちます。先ほどの売上の例で考えてみましょう。顧客数×顧客単価で考えると、この数式の通り売上の全てをカバーしています。そして、顧客数と顧客単価は独立した要素でそれぞれが影響を与えることはありません。製品ごとの売上であれば、それぞれの製品の売上を足し上げれば、売上全体をカバーしています。そして、製品ごとに、それぞれ独立した売上があるので、影響はないものと考えられます。

このように、課題を分解する際にはMECEであることを考えなければなりません。もし、漏れがあれば不十分な課題の洗い出しになってしまい、ダブりがあれば解決策が非効率なものとなってしまう恐れがあります。

1つの課題を複数の要素に分解したら、今度は1つひとつの要素を課題としてまた複数の要素に分解していきます。これを繰り返して、個々の要素に対して具体的な解決策を示せるようになるレベルまで分解していきます。

この分解にあたっては、あくまで論理的に分解するように心がけましょう。ビジネスの課題解決だけではなく、様々な問題を細分化して、解決策を単純化するのに役立ちますので、日頃から練習するようにしておくとよいでしょう。

◎ 市場のトレンドと企業の状況から見える課題の洗い出し

ビジネスの課題をイシューツリーでMECEに要素分解していくと、確かに問題は単純化することができます。しかし、それをそのまま解決しようとすると、「1日のチームの処理量が少ないなら、残業させればよい」といったような極端な解決策になってしまうこともあります。ここでやるべき理由はコンサルティングとしての問題解決ではなく、マーケティングの視点で製品やサービスがどのように顧客のビジネス課題を解決するかのストーリー作りのためです。顧客の課題を分解した要素を顧客のニーズに変換していかなければなりません。そこで利用するのが、バリュープロポジションキャンバスの右側、顧客プロフィールです。ここから顧客プロフィールでの顧客ニーズの洗い出しについて説明します。

顧客プロフィールは一般的に円を3分割にし、右側を顧客の仕事、左上がゲイン、左下がペインとなります（図4-4）。

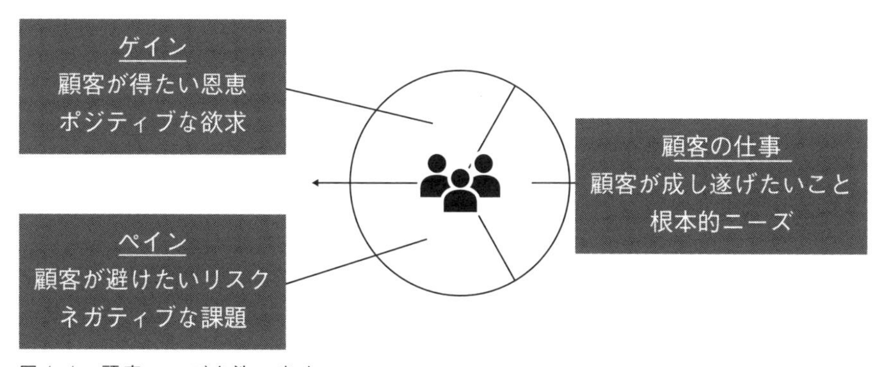

図4-4　顧客ニーズを洗い出す

「顧客の仕事」は製品やサービスを通じて顧客が解決したい主たるビジネスの課題です。顧客の仕事というと日本語としてしっくりこないかもしれませんが、英語ではCustomer Jobと呼ばれています。ここでいうJobは成し「遂げるべき事柄」という意味で、顧客のゴールとしての根本的ニーズを示しています。

つまり、ここでは顧客がその製品やサービスを使って、何を成し遂げたいのかという観点で、根本的ニーズを検討します。先ほどイシューツリーで検討した際の最上位のビジネスの課題がそのまま当てはまる場合もありますし、1段目や2段目から設定した方がよい場合もあります。製品やサービスが提供する価値に対してビジネスの課題の設定が広すぎれば、解決までのシナリオがわかりづらくなってしまいますし、狭すぎれば市場を狭めてしまいます。

「ゲイン」と「ペイン」は根本的ニーズを達成するにあたって顧客が求める細分化されたニーズです。ゲインは手に入れたい恩恵やポジティブな欲求、ペインは避けたいリスクやネガティブな課題として検討していきます。

先ほどのイシューツリーで分解した課題の要素は、必要に応じて表現を変えながら、ゲインやペインに追加していきます。ただし、ここで考慮すべきは、イシューツリーで導き出した要素だけが顧客のニーズではないという点です。すでに述べた通り、イシューツリーで分析した課題だけを解決しようとすると、極端な解決策になってしまうこともあります。そこで、経営的視点だけではなく、ユーザーの視点でのニーズも含めていく必要があります。ユーザー視点のニーズは、課題を解決するためというよりは課題を解決するにあたっての制約や要望になります。

これらのユーザー視点のニーズを検討するにあたって、最善の方法は顧客にヒアリング調査をする方法です。イシューツリーでの分析結果を理解した上で、それに対する現場の意見としてヒアリングするのが望ましいです。回答に関しては粒度や重要度がまちまちなため、ヒアリング終了後にグループ化や分解をするなどしてある程度粒度を整えて整理したり、重要度が低いものは破棄したりする必要があります。

また、顧客にヒアリングする機会がない場合は、自らが顧客の立場になってそれらのニーズを想像しながら書き出していく必要があります。この場合、できれば複数のメンバーで多様な視点から洗い出すのがよいでしょう。ヒアリングと同様に、まずはできるだけ多く書き出して、最後に整理を行うことが望ましいです。

ここで注意すべき点が2つあります。1つは、顧客の仕事に書かれたことを実現するためのゲインやペインから逸脱しないようにする点です。関係ないニーズが混じることによって、顧客の理解に混乱を与えかねません。例えば、ビデオ会議システムの分析なのに、利用料金の決済方法の話が書いてあったらどうでしょうか？　もちろん、決済方法は導入時の関心事ではありますが、そのビデオ会議システムが自社のコミュニケーションの改善に役立つかどうかには全く関係ありません。ビジネスの課題を解決するために導入すべきかどうかの判断においては意味のない情報です。

もう1つの注意点は、導き出すニーズの数です。ここで検討しているのは製品やサービスがニーズに対応することで、顧客が製品の導入を決断するためのポイントです。あまりに多くの訴求ポイントを用意しては、顧客はそれほど多くの情報を検討しきれません。多くて20ぐらいが限度でしょう。実際に製品やサービスがそれよりも多くのニーズに対応している、対応しようとしているとしても、マーケティング的にニーズとして扱うのはそれぐらいにしましょう。もちろん、マーケティング的にカバーされていないニーズであっても、適宜質問という形や、試用評価という形で顧客の方から解決に向けて動いてくれるので、心配はいりません。

このように、イシューツリーを使って導き出した課題と、それをニーズに変換した顧客プロファイルで、マーケティングとしてどのようなニーズに対応するのかという点を導き出すことができます。ここで導き出しているニーズはマーケティング的に優先度が高いものです。製品やサービスとして、ここに載らなかったニーズには対応しないというわけではないという点は注意してください。

事例

3 ソフトウェアの機能だけではコストダウンできない

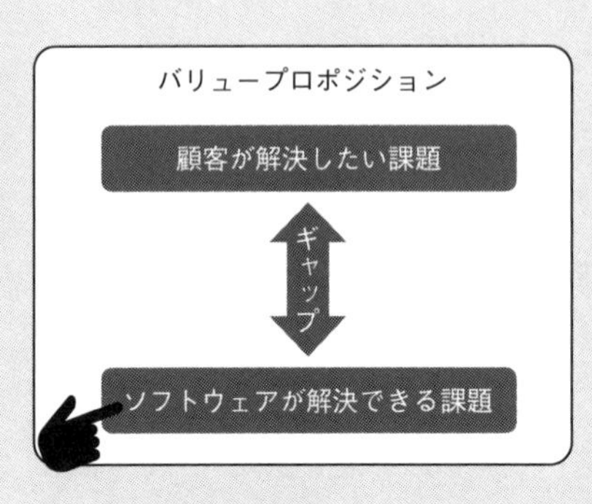

先日、顧客のコスト構造について質問された意図を品川先輩に教えてもらい、その理由に納得した大崎くん。自社の製品を導入すれば、どんなコストが削減できるかの資料を作成することにしました。

1週間後、できた資料を持って大崎くんが品川先輩にレビューをお願いしにきました。大崎くんの資料を見て品川先輩はこんなフィードバックをくれました。

「これなら、お客様の興味を引くことができるね。ちゃんとお客様のニーズを分析できているよ。でも、うちの製品を選んでもらうための説得力はないなぁ」

このフィードバックに嬉しさ半分、残念さ半分の大崎くんですが、なぜ自社の製品を選んでもらうための説得力がないのかを品川先輩に聞いてみました。すると、こんな答えが返ってきました。

「製品の機能はあくまで、こういうことができますというものであって、それだけでは課題の解決にならないことが多いんだよ。機能を活用してどうプロセスを変えるか、組織としてどう変化すべきかがわからないと、課題の解決に至る道筋がわからないんだよね」

大崎くんは品川先輩の話を聞いてもいまいちピンと来ていないようで、頭を抱えています。品川先輩はそんな大崎くんに「結局、課題を解決するのは人だからね。ソフトウェアはそれを助けるだけだから」と声をかけて、コーヒーを買いに行ってしまいました。

4-3 ソフトウェアの機能とそれが解決する課題

◎ ソフトウェアの機能が解決するのはプロセスの課題

ここまでは顧客視点でのニーズの分析について説明してきましたが、ここからは視点を製品やサービス側に移して、製品やサービスが提供する価値について説明していきたいと思います。

製品やサービスは導入しただけでは顧客が求めるビジネスの課題を解決することができません。人が変化をし、ビジネスが変化し、その結果ビジネスの課題が解決されるというのは何度も説明した通りです。

では、人が変わらなければ課題を解決できないのであれば、製品やツールは何をしてくれるのでしょうか。それを理解するためには、まずソフトウェアの根本的仕組みを理解する必要があります。ソフトウェアの根本的仕組みといっても決して難しい話ではありません。エンジニアであれば誰でも知っている当たり前のことですし、技術的に難しい話でもありません。

その根本的仕組みは、ソフトウェアがやっていることは「Input – Process – Output」であるという点です。コンピューターのことを計算機と呼んでいるのを聞いたことがあるでしょうか。計算機といわれると電卓のことを思い浮かべるかもしれませんが、電卓の計算式を入力すると、電卓が計算して、答えを表示してくれるという流れが、「Input – Process – Output」という観点では全く同じだからです。ソフトウェアはひたすらこの「Input – Process – Output」を繰り返しています（図4-5）。皆さんも、ソフトウェアを使って何かを入力するとその結果が返ってきているのを日々体験していると思います。この「Input – Process – Output」は、自身の操作の中でそのような動きが完結している場合もありますが、視野を広げるともっと広い範囲で起こっています。例えばSlackの場合は、誰かが入力したものがネットワークを介して他の人のSlack画面に出力されています。また、業務システムなどでは、誰かが入力した情報をシステムが処理し、他の人がその情報を基に仕事をするということも当たり前のようにやっています。場合によっては入力も出力も人ではないかもしれません。

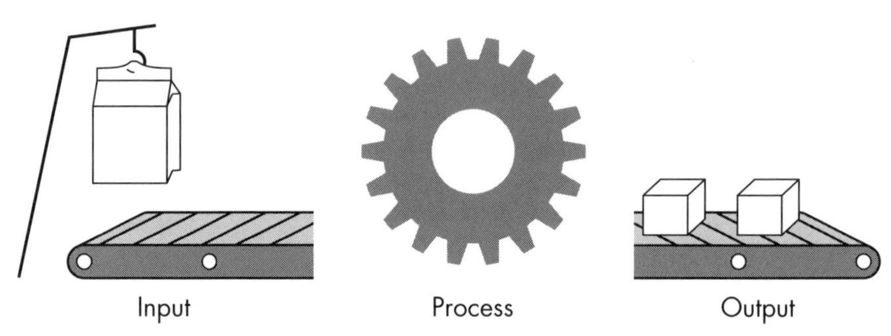

図4-5　インプットからアウトプットまでのイメージ

つまり、「どこからどんな情報を持ってきて、その情報でどんな処理をして、誰にその処理した情報を渡すのか」がソフトウェアの1つひとつの機能が実現する価値となります。人や別のソフトウェアが、outputとして受け取った情報を基に仕事をし、場合によってはまた元のソフトウェアに入力していくといった流れができています。

これをつなげていけば、ビジネスプロセスや作業プロセスといった「プロセス」が出来上がるわけです。このプロセスの一部として機能するのがソフトウェアです。逆にいえば、ソフトウェアだけではプロセスは完成しません。それが、ITの製品やサービスは道具でしかないといわれる所以です。

だからこそ、それを使う人が道具に合わせて変化しなければ、プロセスは変化せず、完成しないため、ビジネスの課題も解決できないということになります。

とはいえITの製品やサービスのできることは増えており、その結果、IT

の製品やサービスが提供する価値も増えているといえます。かつては経費精算のシステムといえば、一生懸命レシートを見ながら入力していたわけですが、今はレシートをスマホのカメラで読み込んで、それを分析して必要項目を入力してくれるような機能まであったりします。技術の進歩のトレンドはこのような形で、製品やサービスの価値向上に役立ったりします。

詳しくは後述しますが、ITの製品やサービスが実現するプロセスには少なからず人が介在する必要があります。ITの製品やサービスは導入しただけではプロセスの変化、ひいてはビジネス課題の解決は実現できません。ITの製品やサービスとしてソフトウェアが提供する機能はあくまでビジネスプロセスの一部です。人が介在する曖昧なプロセスの変化ではなく、決められた「Input – Process – Output」を忠実に実行するプロセスの部品です。逆に見れば、ITの製品やサービスを部品としてビジネスプロセスの枠組みを作ることができます。企業は、これらの枠組みに沿って、人や組織、プロセスを変化させていくこともできますし、既存の人や組織、プロセスに合わせて枠組みを変えていくこともできます。この2つのどちらを選ぶのかは企業次第ですが、ビジネスの課題を解決するためには当然、前者の選択をする必要があります。後者の場合は、プロセスの一部を変えただけにとどまるので、ビジネスの課題となるような大きな課題を解決することは困難です。ただ、残念なことに、後者の選択をする企業はいまだに多いのも事実です。

◎ ソフトウェアが解決する課題はビジネスの課題を解決しない

ソフトウェアの機能はプロセスの一部でしかなく、それだけではビジネスの課題を解決できません。ソフトウェアが提供する価値でビジネスの課題を解決するためには、それを実現するためのプロセスの変化が必要になるのはすでに述べた通りです。

先ほどは顧客プロファイルを使って顧客がビジネスの課題を解決するためのニーズを洗い出しました。そのニーズに対してどのように製品やサービスを使って個々のニーズを満たしていくのかを洗い出していきます。ここで注意すべきはあくまでマーケティングとして訴求する要素を決めることで、製品の機能を網羅することではありません。もし、まだ製品の企画段階である場合は、ここではその製品やサービスとして最低限満たすべき価値を定義していると解釈してください。逆にすでに製品が存在する場合は、その製品の価値をどのように顧客のニーズと結びつけ、どの機能を訴求するかの選択を行うと解釈してください。

では、まずここで使用するバリュープロポジションキャンバスの左側、バリューマップを紹介したいと思います（図4-6）。

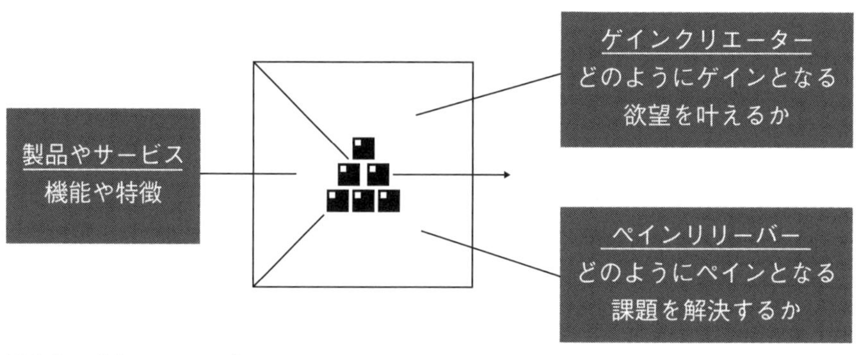

図4-6　バリューマップ

バリューマップは四角形で表現され、左側に「製品やサービス」、右上に「ゲインクリエーター」、右下に「ペインリリーバー」があります。製品やサービスには、その機能や特徴が入ります。一方ゲインクリエーターはどのようにゲインとなる欲望を叶えるか、ペインリリーバーはどのようにペイントなる問題を解決するかをシナリオとして設定していきます。このフレームワークを使用することで、どの機能や特徴を訴求すれば、顧客のニーズを満たすシナリオが作れるのかを分析できます。

このバリューマップを記述していくために、顧客プロファイルを入力して作成していきます。顧客プロファイルにはゲインとペインに分けて顧客の主なニーズが記述されており、そこに記述されたニーズをどのように製品やサービスが解決できるかを検討するのが目的です。解決方法は製品やサービスの機能として実現されることがほとんどですが、使用するプラットフォームや性能、利用可能な周辺機器など機能面ではない特徴で解決できる場合もあります。また、機能によって解決する場合でも、必ずしも単一の機能で解決しなければならないわけではありません。複数の機能を組み合わせて解決することもよくありますし、自社の製品やサービスでは解決できないニーズがあるかもしれません。そういったときは、そのニーズを解決するような機能や特徴を追加で開発してもよいでしょう。

重要なことは、機能や特徴があるからニーズを解決できるということを導き出すのではなく、それらの機能や特徴を活用することで解決するのかを示すことです。機能や特徴がどんな価値を提供するのか、それをどのように活用することでニーズを解決できるのかのシナリオを記述していくのがゲインクリエーター、ペインリリーバーにおける記述です（図4-7）。

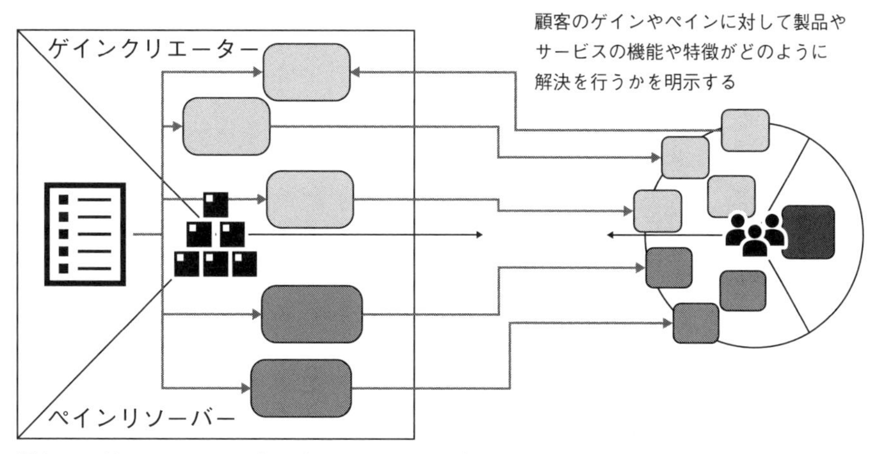

図4-7　ゲインクリエーターとペインリリーバー

このようにして、顧客のビジネスの改題を解決するために必要なニーズを満たすためには、どの機能や特徴を訴求すればよいかがわかってきます。それがわかれば、提案資料やカタログ、Webサイトに掲載すべき機能も自ずと変わってきます。

B2Cの製品ですが、AmazonのスマートスピーカーEchoシリーズを例にとって考えてみましょう（ビジネス課題はここでは省略します）。まず、顧客のニーズで「今いる場所から動かずに、家電の操作をしたい」というゲインを設定しましょう。これに対して、Echoシリーズの価値としては「Alexa対応家電を簡単に登録できる」と「人間の話す自然言語を理解して、登録済み家電の操作ができる」という価値を提供します。これがゲインクリエーターになります。そして、Echoシリーズがこの価値を提供している機能が、Alexa対応家電の登録機能と自然言語で音声認識機能になります。

また、1つの製品やサービスが解決するビジネスの課題は必ずしも1つだけではない場合もあります。特に、ある程度成長した製品やサービスでは、複数のビジネスの課題を解決する製品やサービスが多くなります。例えば、私が昔アトラシアンで扱っていたJira Service Managementという製品があります。これはIT部門のサービスデスクや、社外からの問い合わせ管理など様々な使い方ができる製品で、解決できるビジネスの課題も複数ありました。

このような場合は、バリュープロポジションキャンバスを複数用意する形になります。もちろん、ビジネスの課題が複数設定されていても、それを分解したニーズには共通となる部分が多く発生していきます。共通となる部分はその製品やサービスの根幹となる機能や特徴で実現するシナリオで、それを軸に様々なバリエーションのビジネスの課題を解決することができます。

先ほどのJira Service Managementの例では、核となるシナリオは「チームの外からリクエストを受けることができ、そのリクエストのステータスや対応時間の管理を実現できます。担当者がステータスや対応期限を確認しながら、もれなく迅速に回答を作成したり、サービスを提供したりすることができます」です。それに対して、問い合わせ窓口やサービスデスク（社内のバックオフィスとして作業依頼を受ける窓口）といった形で、この核となるシナリオにバリエーションを持たせることができます。それぞれのバリエーションではそのバリエーション固有となるシナリオがあり、それを追加で解決することで、バリエーションごとのビジネスの課題を解決できるバリュープロポジションキャンバスを作ることができます。

実際、複数のバリュープロポジションキャンバスの内容は共通点が多くなります。共通点が少なく、全く違う内容になるようであれば、製品やサービスを分けたり、オプション化したりすることをおすすめします。

さて、ここまでバリューマップを使って、顧客プロファイルに記述された顧客のニーズをどのように満たすかのシナリオを作成する説明をしてきました。提供側の視点でバリューマップを使ってシナリオを作っていると、機能を提供すれば顧客のニーズを満たすことができると錯覚してしまいがちです。機能の使い方を知っているので、こういう使い方をすれば自ずと顧客のニーズを満たすことができると思ってしまうからです。しかし、顧客の視点で見ると、どうしても既存のプロセスの中で使うことを想定してしまいます。そうなると、機能が提供する価値を正しく認識できないので、ニーズを満たしていると感じないリスクがあります。この錯覚から抜け出すのは非常に難しいですが、顧客の視点に立って確認を行うのが唯一の回避策です。そのために、何度も顧客プロファイルとバリューマップを見直し、機能や特徴がビジネスの課題の解決に向かっているかの確認をしましょう。

事例4 チャットを導入しても誰もコミュニケーションを取らない

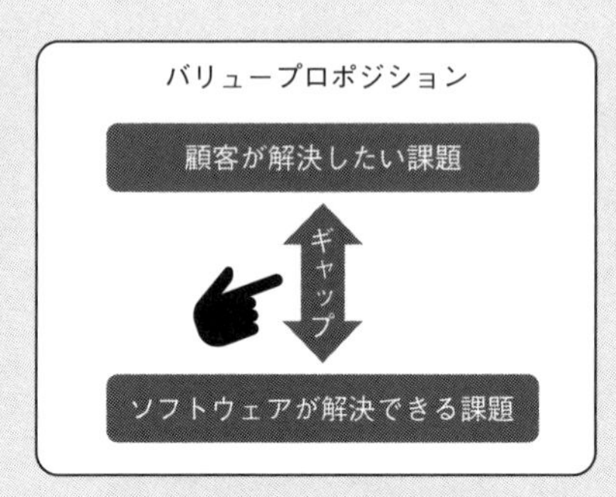

チャットツールを導入することになった山手ソフトウェアでは、品川先輩が大崎くんに「ちょうどいい機会だから」と、よくあるチャット導入の失敗例とその原因について説明してくれるそうです。チャットは便利なツールだから大歓迎だった大崎くんですが、どんなところにそんな落とし穴があるのか興味津々です。

品川先輩曰く、「コミュニケーションの改善のためにチャットを導入したのに、全く使われないケースは意外と多い」とのことでした。その理由としては、ベテラン社員を中心としてメール文化から抜け出せない人が多いからだということです。チャットはカジュアルなイメージで、ビジネスで使うことや、仕事中にリアルタイムでどんどん会話が進んでいくのに抵抗を感じる人が多いようです。

日頃からLINEで友達とやり取りをしている大崎くんにとっては、全く想像もつかない理由でした。なにせ、メールなんかでやり取りしていたら時間がかかって仕方ないし、何よりメールの堅苦しい挨拶文とかは無駄でしかないと思っていたからです。そういう意味では、チャットの機能を使ってもコミュニケーションを改善することは難しく、文化や考え方を変えなければいけないという点は理解できました。ただし、では文化をどう変えるのか、人の意識をどう変えるのかについては全く想像がつきませんでした。

4-4

ビジネスの課題とソフトウェアで実現することのすり合わせ

◎ ビジネスの課題とソフトウェアの機能の間に人がいる

ソフトウェアの機能や特徴が直接ビジネスの課題を解決するわけではないという話は繰り返し述べてきました。ソフトウェアの機能や特徴をいかに活用するかで、ITの製品やサービスが提供する価値が決まります。つまり、人が介在して初めてITの製品やサービスの価値が実現できます。加えて、ソフトウェアの機能や特徴を人が活用して満たす顧客のニーズは、ビジネスの課題を解決するための要素で、それを組み合わせてビジネスの課題を解決していきます。このビジネスの課題を解決するための要素の中にも、ITの製品やサービスが提供する価値で解決できるものもあれば、それに加えて組織やプロセスの変化が必要なもの、もしくは組織やプロセスの変化のみで解決するものもあります。いずれにせよ、ソフトウェアの機能や特徴を集めただけではビジネスの課題を解決することができず、組織やプロセス、文化といった形で人の関わりが変化することで、ビジネス課題の解決に向けて動き出すことができます。

ITの製品やサービスから見て人の関わりの変化にはハード面とソフト面の変化があります。ここでいうハード、ソフトはハードウェア、ソフトウェアではなく、マッキンゼーの経営分析のフレームワークである7Sでいうハード、ソフトです。7Sについて簡単に説明したいと思います。

7Sは組織に変化をもたらすために必要な要素としてShared Value（共通の価値観）/ Strategy（戦略）/ Structure（組織構造）/ System（システム）/ Staff（人材）/ Style（経営スタイル）/ Skill（能力）というSで始まる7つの要素を挙げたものです（図4-8）。

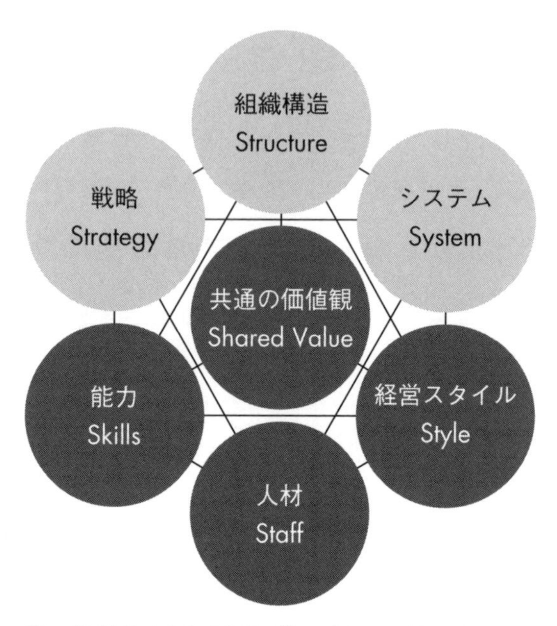

図4-8　7Sの要素

それぞれの要素を一通り説明したいと思います（図4-9）。

Shared Value（共通の価値観）	組織全体で持つ共通の価値観や会社としての理念
Strategy（戦略）	組織として目標を達成するための指針
Structure（組織構造）	組織の構造
System（システム）	事業を行うためのルールやプロセス
Staff（人材）	組織に属する人材とその分類・配分
Style（経営スタイル）	経営の特徴や組織文化
Skill（能力）	人員が持つ能力

図4-9　7Sの詳細

この中で、Strategy（戦略）/ Structure（組織構造）/ System（システム）は比

較的変更が容易なものとしてハードのSといわれています。逆にShared Value（共通の価値観）/ Staff（人材）/ Style（経営スタイル）/ Skill（能力）は簡単には変化を作れないことからソフトのSと呼ばれています。

容易なものをハードとしているのはその変化後の形を維持する力を意味しているためです。粘土のような素材は形を変えればその形を容易に維持してくれるので、ハードとなります。戦略や組織構造、システムはその時々によって柔軟に変更が可能です。年度単位、四半期単位など比較的短期でも変更できる要素です。一方、ソフトのSは変更が容易ではありません。例えば竹のように曲げようとしてもすぐに元の真っ直ぐな形に戻ろうとするのがソフトといわれる理由です。人材は簡単に採用することもできませんし、組織文化も簡単には変わりません。人の能力も一朝一夕に高めることはできません。このような要素をソフトのSと呼んでいます。ハードとソフトがごちゃごちゃになりやすいので注意しましょう。ハードウェアとソフトウェアに近いイメージを持った方がわかりやすいのかもしれません。ハードウェアは仕様を変更したければ部品や機材を変更すれば済みますが、ソフトウェアの変更は設計や開発、テストとさまざまなステップを踏まなければならないからです。

話を戻しましょう。ITの製品や技術を導入すると同時に、組織やプロセス、文化を変えることでビジネスの課題が解決できるわけですが、ここで必要となる人が関わる変化がまさにこの7Sで示されているものです。

まず、ハードのS（戦略・組織構造・システム）の側面から見ていきましょう。ハードのSの側面は先ほど述べた通り変更が容易です。ビジネスの課題を解決するために組織やプロセスを変更することはよくあり、ITの製品やサービスの導入はこれらと並列な存在になります。ある意味、システムの一部であると考えてもよいでしょう。ソフトウェアの機能や特徴によってプロセスが変更になりますし、そこから得た情報を活用するために新しい組織が必要になることもあります。場合によってはその逆もあります。ビジネスの課題を解決するために新しい組織とプロセスが必要となり、その実現方法としてITの製品やサービスを導入することもあるでしょう。

このように、ハードのSは製品やサービスの導入と同時に変更してしまうことが多い要素です。なぜなら、ハードのSは製品やサービスとセットとして変えなければ意味がないためです。

一方で、ソフトのS（共通の価値観・人材・経営スタイル・能力）は変更が難しく、ITの製品やサービスの導入の前後にわたって変化していくための努力が必要となります。上位概念である共通の価値観を除いて、スキルや文化、人員は徐々に変化を遂げていきます。つまり、必ずしも製品やサービスの導入と同時である必要はありません。ソフトのSは導入した製品やサービスを活用するための要素だからです。製品やサービスを導入し、ソフトのSを改善しながら徐々にビジネスの課題の解決へと近づいていくイメージです。もちろん、そのソフトのSにおける必要な変化の量や難易度は導入する製品やサービスによって異なりますし、企業によって異なる部分も多分にあります。

この7Sに当てはめたITの製品やサービスの導入を、BIツールの導入を例に考えてみましょう。BIツールはビジネスシステムに点在するデータを分析、可視化してビジネスに活用するツールです。

このツールを導入するにあたって、7Sに当てはめて次のような変化が起こると考えられます。

ハードのS

－（戦略）戦略としてデータを活用して生産コストの削減を行う

－（組織構造）組織としてデータ分析の専門チームを作る

－（システム）システムとして週次でデータ分析の結果を公表し、改善点を発表する

ソフトのS

－（共通の価値観）価値観としてデータによる業務改善をするというビジョンの共有

－（人材）人材としてデータ分析ができる人材が必要

ー（経営スタイル）文化として経験よりもデータを重視する文化の醸成
ー（能力） 能力としてデータ分析とそれを活かすための知識の獲得

このように、ハードとソフトの両面から変化が必要となります。もちろん、7S全てで変化が必要とは限りません。場合によっては部分的でよい場合もあります。

ではなぜこれをマーケティング視点で考えなければならないのでしょうか。ITの製品やサービスが提供する価値がビジネスの課題を解決するためには、人の変化が必要です。これらの変化は製品やサービスの導入前後に顧客が行うべきことです。そのため、製品やサービスが売れればよいという考え方であれば必要ないことかもしれません。しかし、マーケティングの原点に戻って、製品やサービスの価値を届けることがマーケティングの仕事であれば、この変化までを視野に入れて顧客に価値を届ける必要があります。

実際、多くの企業が事例を公開しているのは、このような変化を理解してもらうためでもあります。他社がどうやって導入からビジネスの課題の解決にまで至ったかを顧客に理解してもらうことで、信頼を獲得し、導入が広がることにもつながります。

◎ ビジネスの課題を解決するためのストーリー

ここまでに、ビジネスの課題を要素分解してニーズを導き出し、それを製品やサービスを活用して解決する方法を導き出す流れを述べてきました。その中でイシューツリーやバリュープロポジションキャンバス、そしてバリュープロポジションキャンバスに含まれる顧客プロファイルとバリューマップ、変化の要素としての7Sというフレームワークを紹介しました。それぞれの相関関係で見ると右記のような図になります（図4-10）。

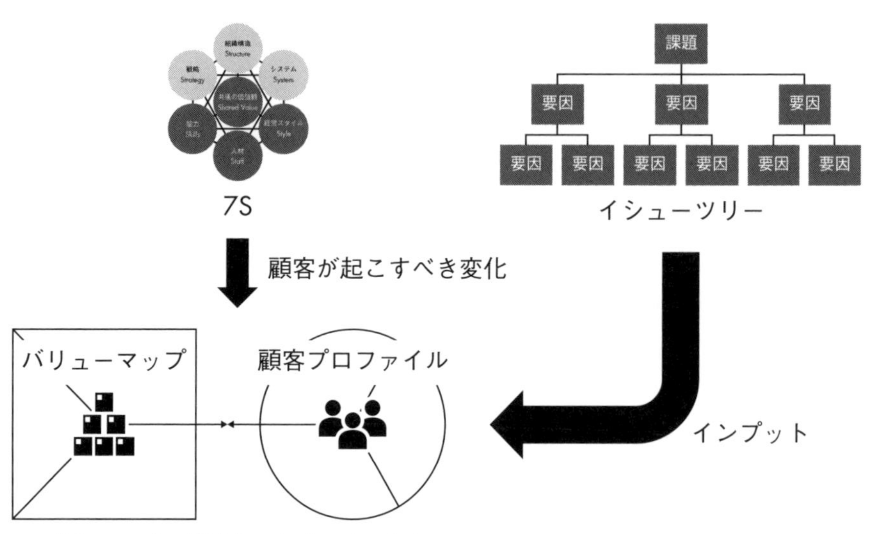

図4-10　各フレームワークの関係性

今一度、フレームワークを使った流れを振り返ってみます。イシューツリーを使って顧客の持つビジネスの課題を経営視点で要素分解し、細分化された課題を導き出します。これらの課題をインプットとして、製品やサービスが解決すべき課題や、それらの課題の解決にあたってユーザー目線での考慮すべき制約事項などを顧客のニーズとして顧客プロファイルを作成します。ここで洗い出された顧客のニーズに対して、製品やサービスとしてどのように解決できるか、満たすことができるかを検討しながら、バリューマップに解決のためのシナリオを記載していきます。この際、製品やサービスがどんな機能を提供するかだけではなく、顧客としてどのような変化が必要なのかを考慮しておく必要があります。

このようにして作成された一通りの流れは、当然ながら全体として整合性が取れている必要があります。ここで導き出されたシナリオに矛盾があったり、または不十分な点があったりすると顧客に対する説得力は落ちてしまいます。そのため、製品やサービスが顧客のビジネス課題を解決するための一貫性を持ったストーリーが作られなければなりません。

また、ここで作成されたストーリーは、Webサイトやカタログ、セミナーコンテンツなど様々な形で実装されます。今まで皆さんはただひたすら製品やサービスの機能や特徴が羅列されているだけのWebサイトやカタログを目にしたこともあるかと思います。そのようなWebサイトやカタログでは買いたいと思うことは少ないでしょう。あくまで、販売プロセスの序盤においては、なぜその製品やサービスがビジネスの課題を解決するかを理解してもらうことが重要です。そのためには解決したいビジネスの課題と製品やサービスの機能や特徴を結びつけるストーリーが重要で、そのストーリーの出演者として製品やサービスだけでなく、顧客がいることも忘れてはいけません。製品やサービスと顧客が一緒になって、ビジネスのあり方や進め方を変えることで、ビジネスの課題を解決するというストーリーが必要なのです。

ここで注意すべきは、このストーリーは汎用的なストーリーであるということです。全ての顧客がこのストーリー通りに自社のビジネスの課題を解決できるとは限りません。むしろほとんどの場合、それぞれの企業に合わせてストーリーを再構成していく必要があります。

では、マーケターが全てのパターンに対応していくかというと、それは不可能です。営業組織がある企業の場合は、営業が各企業に対応した形でストーリーを再構成して、その企業に合ったストーリーに直していく必要があります。マーケターは営業にリードを手渡すだけが仕事ではありません。顧客に合った提案をするための、元ネタを提供する必要があります。それが汎用化されたストーリーです。それをベースに営業が各顧客に合わせて提案する流れです。

また、一部のSaaSやパッケージソフトのように営業を介さず販売するようなケースもあります。そのような場合は、できるだけ顧客事例を多く用意しておくのが効果的です。1つひとつの事例は顧客の状況にピッタリと合うものではなかったとしても、いくつかの事例を参考にして自社に合った活用の仕方を見つけることもできます。そのためには、バリエーション豊かな顧客事例を用意する必要があります。加えて、どのように組織やプロセス、文化を変えていったかといった内容を盛り込むことも忘れないようにしましょう。

時々、顧客の事業内容と少しずれているからといって、事例が役に立たないと文句をいわれることもあるかもしれません。しかし、実際に製品やサービスの活用方法を考える主体は顧客です。顧客が自身の組織の状況を考えながら、自社に合ったストーリーを考える必要があります。そのために、顧客が活用方法を考えられるような情報を提供できるようにしましょう。その情報は必ずしも事例である必要はありません。販促的マーケティングのアプローチである必要も、セミナーやイベントの相談コーナーなどでもいいですし、アセスメントサービスといった有償サービスで対応することも可能です。重要なことは、顧客が製品やサービスを活用して、ビジネスの課題を解決するための汎用的ストーリーを自社に合った独自のストーリーに合わせて考えられるようにすることです。

ストーリーは顧客が製品やサービスを活用して、ビジネスの課題を解決するまでを想像できるようにするための一連のシナリオの集合体です。この製品やサービスの活用イメージを持ってもらうためには、ストーリーのような全体を俯瞰するような視点での説明が欠かせません。当然、顧客企業の中の担当者の役割によって細かい関心事は異なるので、それらの細かい関心事はもう一歩踏み込んだコンテンツで解決していくことになります。

第5章 同じソリューションを提供する競合を理解する

事例1 機能の追加を続けても競合に勝てない

営業担当の高輪さんから呼び出されて、営業部に向かった大崎くん。顧客からもらったフィードバックを伝えてくれるそうです。ちょっと不安だったので、ランチから帰ってきた品川先輩にも同行してもらうことにしました。

営業部に着くなり高輪さんから競合であるB社のカタログを見せられて、顧客からもらったフィードバックの詳細について説明を受けました。要約をすると、担当の顧客が競合B社の製品のとある機能が非常に魅力的に感じているそうで、同じ機能を自社の製品でも追加できないかという相談です。

大崎くんは、「そういう機能はないので、検討してみます」と回答しようとしたところ、それを察したのか品川先輩が先に高輪さんに質問をしました。

「その機能でお客様はどんな課題を解決しようとしているんですか？その課題は、お客様にとってどれくらいの重要度なんですか？」

高輪さんはそれに対して、わかる範囲で適切に情報を共有していきます。一通り話を聞いた品川先輩は次のように回答しました。

「B社ほどのインパクトはないものの、うちの製品でもこの機能を使って、こうしてもらえたらお客様の課題は解決できると思います。ただし、その課題の重要度が高いようだとしたら、今回はちょっと厳しいかもしれないですね」

高輪さんも納得をしていましたが、それを聞いていた大崎くんは、自分が回答しようとしていた内容に発展性がないことにガッカリしつつ、なぜ品川先輩はキレのいい質問ができたのか不思議に思ってしまいました。

5-1 競合との違いはソフトウェアの機能だけで判断しない

◎ わかりやすい○×表の落とし穴

ここまで、自社の製品やサービスを通じて、どのように顧客のビジネスの課題を解決するかという観点で話をしてきました。第5章では少し視点を変えて、競合との関わりについて説明していきます。

IT企業のマーケターをやっていて、ガッカリする仕事の1つに他社の製品やサービスとの比較のための○×表の作成があります。○×表はほとんどのケースで顧客からの要望により作成します。顧客が複数の製品やサービスを比較する際に、自社で触ってみて調査するのではなく、まずはベンダーに○×表で機能比較を依頼してくることがよくあるのです（図5-1）。

	A社製品	B社製品	C社製品
機能A：○○ができること	○	○	○
機能B：○○ができること	○	×	○
機能C：○○ができること	○	○	○
機能D：○○ができること	○	×	○
機能E：○○ができること	○	○	×

図5-1　○×表

マーケターが○×表の作成依頼にガッカリする理由の1つは、他社の製品やサービスを選ぶための当て馬にされるケースが多いからです。○×表の作成は顧客が複数の候補から選択をしたという実績を作るために作成されることが多く、ひどいときは、競合の製品やサービスが有利になる項目だけが羅列されていることも少なくありません。

もう1つは、機能のある、なしの二択では、それぞれの製品やサービスの機能の比較ができないからです。特にどちらの製品やサービスにも○がついていたとしても、その機能が示す意味が違ったり、機能の内容が異なっていたりすることがほとんどです。そのため、たとえ複数の製品やサービスを比較して○の数が多かったとしても、必ずしもその製品やサービスが優れているということにはなりません。

意味のない資料を顧客が求める、もう少しまともな理由もあります。顧客がビジネスの課題を解決しようとする場合、要件定義という作業を行います。要件定義は、そのビジネスの課題を解決するにあたって、導入する製品やサービスが備えているべき機能や能力を定義するものです。一般的に自社専用のシステム開発をする場合はシステムが備えるべき機能や能力を細かく定義していきます。そうすることで、実際に設計や開発段階に入った時に、認識の齟齬が小さくなり、想定していたシステムと完成したシステムの差異が小さくすることができます。

しかし、製品やサービスとしてソフトウェアを導入する場合は、システム開発と同じように要件定義をしてしまうと、フィットする製品やサービスが狭まってしまいます。なぜなら、顧客のニーズに対する解決のアプローチは製品やサービスによって異なる場合があり、結果的に同じ成果が得られるとしても、一方の製品やサービスは要件に当てはまり、もう一方は要件に当てはまらないということが発生するからです。そのため、前提となる製品やサービスを想定し、それを基に要件定義を行わざるを得ないという面もあります。ただし、問題はニーズを実現する方法が1つではなく、製品やサービスによってその解決方法が異なる場合がある点です。

これを回避するためには、顧客はニーズを洗い出し、それに対して製品やサービスの提供者はニーズをどのように実現するのかを説明していくという枠組みが必要となります。これはまさに第4章で説明したバリュープロポジションキャンバスの手法で、汎用的に作成していたストーリーを顧客に合わせて仕立てていく作業になります。この作業を行うためには汎用的なバリュープロポジションキャンバスとストーリーがあらかじめ作成されていることが重要です。それをベースに営業担当が顧客に特化した各ニーズの実現シナリオやビジネスの課題を解決するストーリーを作ることができます。加えて、競合を理解する観点からも、競合の製品やサービスがどのようなアプローチで顧客のニーズを実現しようとしているのかを理解することは非常に重要です。

○×表は一見すると合理的でわかりやすい比較ツールかもしれませんが、顧客視点からも提供側視点からも○×の機能一覧から離れて、顧客ニーズに視点を移していくことが必要です。

◎ どんなビジネスの課題をどう解決するか

続いて、顧客とマーケターの視点の違いについて見ていきます。ここまで話してきた顧客視点での製品やサービスの比較は、顧客のニーズを満たしビジネスの課題を解決できるか、それをコストや人材含めていかに効率的に実現できるかの観点で比較を行います。一方、マーケターは顧客のビジネスの課題をどのように解決するかという観点で比較を行います。この違いの原因は、顧客はどの製品やサービスを選べば自社にとってメリットがあるかに関心があるのに対して、マーケターの場合はどのように他社の製品やサービスと差別化するに関心があるからです（図5-2）。

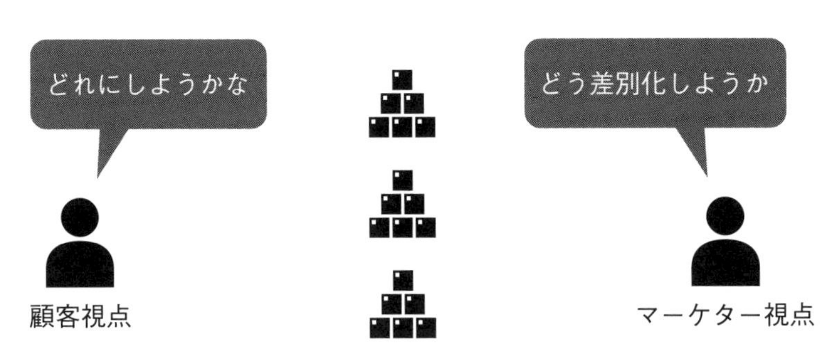

図5-2　顧客とマーケターの視点

昨今のマーケティングのテーマでは顧客の要望を吸い上げ、それに応えていく部分が強調されがちですが、競合分析を疎かにしていいわけではありません。競合分析は他社に対して勝つ以上に、うまく棲み分けていくため、足元を掬われないようにするために重要です。

先ほどの〇×表からもわかる通り、どちらの製品やサービスが優れているのかを競い合っても、答えが出ないケースがほとんどです。そのため、競合分析をして他社と比較して勝つための勝ち筋を単に見つけるのではなく、負けない、他者が入ってこない領域がどこにあるのかを見つけていくことが大切になります。他者の製品やサービスが得意とする分野では負けても構わないけど、自社の製品やサービスが得意とする領域では、負けないようにする考え方です。

例えば、販売データ分析ツールで自社が大量データの扱いが得意な場合は、大規模企業をターゲットとしてそこでは負けないようにし、中小企業の案件は負けても構わないといった棲み分けができるように考えます。これはマーケティングプロセスの戦略立案フェーズで出てきたSTPのPositioning（ポジショニング）を決めるために役立ちます。ポジショニングは自社が得意とする要素を2つ選び、その2つの軸では自社が他社に負けない領域を作り出します。そして、この2つの要素を求めている顧客がターゲティングされた顧客になります（図5-3）。

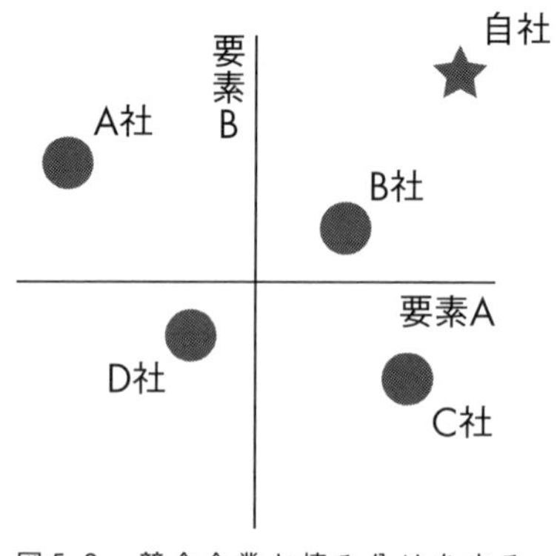

図5-3　競合企業と棲み分けをする

ポジショニングがしっかりとできていると、他社の製品やサービスより優れていることを一生懸命主張しなくても、適切な顧客に製品やサービスを訴求しやすくなります。

ここまで競合という言葉を何気なく使ってきましたが、競合の定義をしっかりとしておかないと困った事態が発生することがあります。足元を掬われないために、なぜ競合分析が必要かを説明したいと思います。

私は競合の定義を「同じビジネスの課題を解決するストーリーを持った製品やサービス」としています。先述の通り、それぞれの製品やサービスによって、ビジネスの課題に対するアプローチが異なっているため、似たような機能を持っていなくても同じビジネスの課題を解決するのであれば競合と考えられます。先ほど、ポジショニングをしっかりと作って棲み分けをすれば、無駄な争いをせずに済むと述べましたが、ポジショニングを行って差別化している時点で競合と考えてよいでしょう。なぜなら、同じビジネスの課題を持つ市場つまり戦場において、自社の製品やサービスが優位になるポジションを作るのがポジショニングだからです。ここに関しては一般的な競合のイメージがそのまま当てはまると思います。しかし、競合分析では、さらに視点を広げる必要があります。その視点を第2章で紹介したマーケティングフレームワークとして紹介した5 Forcesから得ることができます。

ここまで紹介してきたのは主に同業種の競合といわれる競合です。これらの競合はポジショニングをうまく作ることで棲み分けし、差別化することができます。しかし、新規参入や代替品として現れてくる脅威は、今まで認識していた競合の外側から現れてきます。もし、これらの脅威に対してノーマークでいると、足元を掬われてしまうでしょう。

事例 2

動画サービス市場への新規参入に塗り替えられた戦力図

先日の高輪さんとの会議の後、品川先輩に教えてもらって競合の分析をしていた大崎くん。競合製品の多さにびっくりしつつ、それぞれの競合製品の特徴を分析していきました。自社の製品のポジショニングも自分で考えてみて、なかなかしっくりくるものを作ることができたようです。

それを品川先輩に見てもらうために、品川先輩と一緒に休憩コーナーにやってきました。大崎くんはコーヒーを飲みながら、自分でまとめた競合製品の資料について説明を始めました。一通り説明を終えると、品川先輩がいつもよりも嬉しそうに、「本当によくできているよ」と褒めてくれました。いつもなら、この後にダメ出しが来るのですが、今日はそれがなく、少し拍子抜けしてしまいました。とはいえ、それだけでは品川先輩は解放してくれず、新しい宿題が出ました。それが、「新規参入の脅威について考えてみて」というものでした。

新規参入といっても、競合がひしめくこの市場に乗り込んでくるような企業はあるのだろうか、今から参入してくるメリットってなんだろうか、と色々と考えてみています。そんな大崎くんに品川先輩が、新規参入の面白い事例の話をしてくれました。

「Disney+っていう動画配信サービスは知ってる？　あのサービスって、動画配信サービスのプレイヤーが揃っている中に突如登場して、一気にシェアを取っていったよね。あれも新規参入なんだけど、どうしてそんなに一気にシェアを取れたと思う？」

大崎くんは品川先輩の事例の意味が全くわからず、せっかく褒められて嬉しいで気分も吹っ飛んでしまいました。

5-2 新規参入というフォロワーの脅威

◎ 技術が成熟すれば参入も増える

新規参入というと他社が似たような製品やサービスを開発して、自社の製品と同じ市場に参入してくるイメージではないでしょうか。日本では、第2章で説明したバズワードマーケティングではないですが、ある程度市場のニーズがあるとわかると、猫も杓子もその分野の製品やサービスを開発しては市場に投入してくるというのをよく見かけます。最近では、在宅勤務の普及でリモートワークが増え、Zoomなどのビデオ会議システムが使われるようになった結果、日本のソフトウェアベンダーもこぞってビデオ会議システムを開発して提供し始めました。

こうやってみると、未就学児のサッカーのようにボールのあるところに集まってくるように見えるかもしれません。もちろん、そういった側面もあるのですが、もう1つマーケティングの視点として考えておかなければいけない側面があります。それは技術の成熟度です。技術が成熟すれば、その技術を使用した製品やサービスの方法が世の中に普遍的な技術として提供され、それを使うことによって類似した製品やサービスを開発することが容易になります。つまり、その市場に参入するための参入障壁が低くなり、多くの企業がその市場へと参入することができるようになります。

成熟した技術の市場に対して、マーケターは2つの視点で判断を求められる可能性があります。まず1つがその市場に参入すべきかどうか、もう1つが新規参入してくる競合とどのように戦うかです。

前者に関しては、マーケティングのみの視点では判断を行うのが難しいですが、参入にあたっての競合分析という意味では、すでに市場に参入している場合と同様の競合分析を行う必要があります。後から市場に参入するフォロワー戦略をとった場合は、開発費やマーケティング費用を安く抑えることができる反面、差別化することが難しくなるため、結果的に既存製品の廉価版の位置づけで、小さなニッチ市場にフォーカスするのが定石といわれています。その際、この小さなニッチ市場でビジネスとして成り立つだけの市場規模があるかどうかを判断することも重要になります。

問題は後者です。新規参入を予測して防御をするというのは非常に難しく、どんな企業がどのような製品やサービスを持って参入してくるのかを予測することはほぼ不可能です。先ほどの通り、フォロワー戦略をとった製品やサービスは小さなニッチ市場を狙うのが定石なので、脅威となるような競合にはなりにくいといえます。ただし、フォロワー戦略で参入してきた競合に、資金力や開発力などアドバンテージが大きくある場合は話が変わってきます。基礎開発をスキップして、付加価値開発に大きな開発費と開発力をつぎ込まれたら、かなりの脅威になる可能性があります。このような脅威となる新規参入に対しては事前に対策をとることはほぼ不可能ですが、常に市場への参入障壁と技術の成熟度を理解しておくことで、こういったリスクの発生に無防備にならずに済みます（図5-4）。

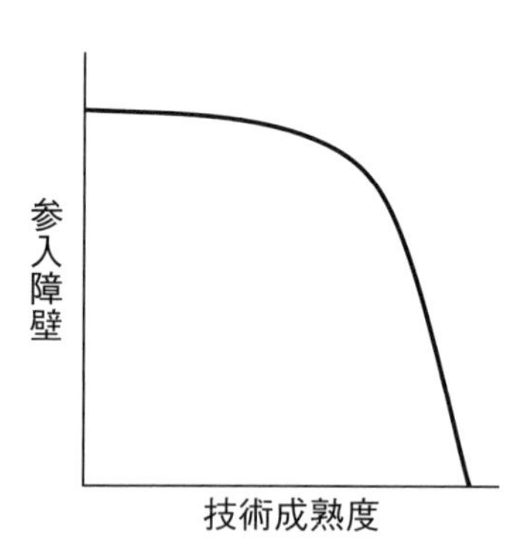

図5-4　参入障壁と技術の成熟度のグラフ

では、どのように参入障壁と技術の成熟度を理解するかというと、第3章でも挙げた技術トレンドを読む際のヒントとして解説したハイプサイクルが有効です。ハイプサイクルは期待値と浸透度を示すチャートなので、直接的に技術の成熟度を表すわけではないですが、啓発期から生産の安定期に至るためには技術が成熟していることが不可欠です。ハイプサイクルのこのフェーズに入った技術を核とする製品やサービスは、新規参入の脅威にさらされると理解しておきましょう。

もし、その状態でターゲットとなる市場に参入の余地があれば、十分に新規参入の危険性があります。どんな企業がどんな製品やサービスで参入してくるか常に目を光らせ、できるだけ早く参入を見つけて、どう差別化するかを考えるようにしましょう。

◎ 他分野からの参入は時に強力なライバルとなりえる

新規参入が増えて市場に競合となるプレイヤーが増えるだけであれば、先行優位性を活かしてシェアをある程度維持していくことは可能です。ただし、場合によっては先行優位性を一気に消してしまうような新規参入もあり得ます。先行優位性を消してしまうような新規参入は、今まで全く別の分野でのビジネスの課題解決をしていた製品やサービスがその分野での価値を付加価値として、競合となる領域に新規参入してくるケースです。このようなケースで新規参入が脅威となる理由としては2つあります。

1つ目の理由は、自社の製品やサービスが解決しようとしているビジネスの課題のより上位の課題を解決する可能性があるからです。このような新規参入の場合、参入してくる製品やサービスはすでに解決できるビジネスの課題が存在しています。それに対して、新しい市場に参入してくることで、別のビジネスの課題を解決することができるようになります。

既存の製品やサービスを拡張して新規参入してくるということは、既存の製品やサービスと関連のある分野への新規参入であることがほとんどです。そうなってくると、顧客のビジネスの課題の分析で使用したイシューツリーでいう、より上位の課題を解決することができるようになります。

その結果、自社の製品やサービスだけでは解決できなかった階層のビジネスの課題を解決する製品が市場に登場してくるということになります。

もちろん、上位の階層のビジネスの課題を解決できるかどうか、その解決しようとしている課題が、本当に顧客が解決したいと求めているのかは別の話なので、必ずしも脅威になるわけではありません。しかし、少なくとも単に同じビジネスの課題を解決する同種の製品やサービスが参入してくるよりも、脅威としては高くなるといえます。

2つ目の理由としては、他の市場ですでに実績を持っている製品やサービスが市場に参入してくるということは、ブランド的にも顧客的にもすでにある程度シェアを持っているといえるからです。後発的に市場に参入する場合は一からそのブランド認知を作り上げ、顧客を獲得していく道のりが必要ですが、他の市場ですでに製品やサービスを展開している場合はそこでのブランド認知や顧客の獲得は済んでいます。そこに新たなビジネスの課題を解決する付加価値が追加されれば、既存の顧客にとっては便利な価値が追加されたという形になります。このことは自社の製品やサービスを購買してくれる可能性のある潜在顧客が、自動的に新規参入してきた競合に奪われてしまうことを意味します。

すでに、その分野の製品やサービスが市場に十分浸透し、誰もが利用しているような状況では、このような形での新規参入は短期的には大きな脅威になることはありません。しかし、これが長期的な視点になった場合は、たとえ自社の製品やサービスが寡占的なシェアを持っていたとしても安心できる状況ではありません。

基本的に顧客は複数の製品を組み合わせて利用することは避けたいと考えています。そのため、スイート（統合製品）として複数のビジネスの課題を解決できるような製品があればそちらに乗り換えていくことは十分に考えられます。つまり、潜在顧客だけではなく、既存顧客をも奪われる可能性があることを意味しています。

この例として挙げられるのがMicrosoft Teamsです。Microsoft Teamsはチャットやオンライン会議などの組織内コミュニケーションを支援するツールです。実際にはMicrosoft Teamsが新規参入してきた段階では一製品として投入されたため、Slackなどの競合にとって組織内コミュニケーション支援ツールとしての単なる競合という位置付けでした。しかし、Microsoft TeamsをMicrosoft Office製品のサブスクリプションであるMicrosoft 365の法人向けサブスクリプションの一部として提供し始めてから潮目が変わりました。Microsoft 365はすでに多くのユーザーを獲得していたため、Microsoft 365のユーザーはOfficeドキュメントの活用から、企業内での情報活用といったレベルのビジネスの課題解決にまで得られる価値が増えました。

また、これによってMicrosoft 365のユーザーに対してSlackやZoomといった製品の販売の可能性は低くなってしまいました。もちろん、Microsoft 365を契約していたとしてもSlackやZoomを利用する企業はそれなりの数がいます。しかし、すでに追加料金を支払わず使えるコミュニケーション支援ツールがあるのであれば、それを使おうと思う企業は非常に多いのは想像にかたくありません。SlackやZoomにとっては、獲得可能だったかもしれない潜在的顧客が奪われてしまった形になります。

ここまで競合が新規参入してきた観点で説明してきましたが、全く逆の立場を取ることができる点にも注目しておきましょう。自社の製品やサービスを拡張することで、優位に新規参入できる市場がある可能性は十分あります。新規事業を始める際には、このような既存の事業とシナジー効果が望める領域に新規事業を起こすのが鉄則です。それと同様に製品やサービスを進化させていく場合にも、シナジー効果が望める領域に進化させていくことで、より強力な製品やサービスとすることも可能です。

進化の方向性を探るためには、PEST分析が重要です。自社の製品やサービスをどの方向に進化させることで、より多くの顧客を獲得することができるのか、既存の競合に対してより優位に立てるのか、PEST分析の政治、経済、社会、技術の立場から機会の存在を見つけ出す必要があります。

事例 3 個人向けHTML編集ツールが消え、CMSが主戦場になった

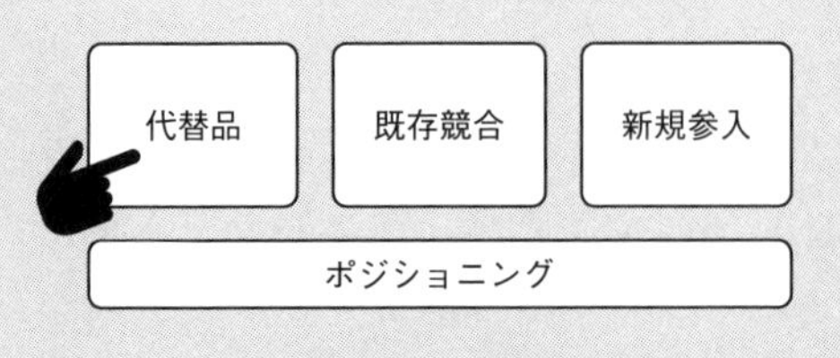

社内向けのイベント告知サイトの作成を依頼された大崎くん。どうやって作ろうかと考えていた時に、品川先輩がちょっとした昔話を持ち出してきました。品川先輩は元エンジニアでマーケターに転向してきたので、技術的な昔話を時々してくれます。今回はWebサイトの作成ツールについて聞かせてくれました。

昔は、HTMLエディターを使って、HTMLを直接入力しながら、Webサーバーを立てて、Webサイトを公開しなきゃいけなかったので、今みたいにマーケターの自分がWebサイトを作るのは無理そうだと大崎くんは感じました。今であれば、WordPress.comみたいなCMS（Contents Management System）を使えば、技術的な知識がなくてもWebサイトが作れてしまいます。そんなとき、品川先輩がこんなことを言いました。

「HTMLエディターの会社にとってCMSは突如現れた競合だからねぇ。HTMLエディター同士の争いをしてたら、一気に市場を持っていかれちゃったもんね」

言葉の真意を図り兼ねてると、品川先輩がさらに解説をしてくれました。

「HTMLエディターを販売していた会社は他のHTMLエディターの会社だけを競合として認識してたわけなんだけど、CMSはインターネットサービスで、顧客の『Webサイトを作りたい』という課題を全く違う方向から解決してしまったんだよ。これをマーケティング用語では『代替品』と呼ぶんだよ」

代替品と聞くと、必要なものがないときに、あり合わせで使うものというイメージを持っていた大崎くんですが、そんな脅威が突然現れたときに、どう対処したらよいのかと怖くなってしまいました。

5-3 代替品の存在とイノベーションのジレンマ

◎ ビジネスの課題を別の方法で解決する代替品とは？

ここまでは同じビジネスの課題を似たような方法で解決していく競合について説明してきました。これらは非常にわかりやすい競合ですが、マーケティングの観点では争う相手をもっと広い意味で捉えておく必要があります。

競合として、「同じビジネスの課題を解決する全く異なるストーリーを持った製品やサービス」が登場したらどうでしょうか。そうなると、市場の中の争いでビジネスの成功が決まるのではなく、市場自体が縮小してしまう状態が発生します。この、「同じビジネスの課題を解決する全く異なるストーリーを持った製品やサービス」をマーケティングでは「代替品」と呼んでいます（図5-5）。

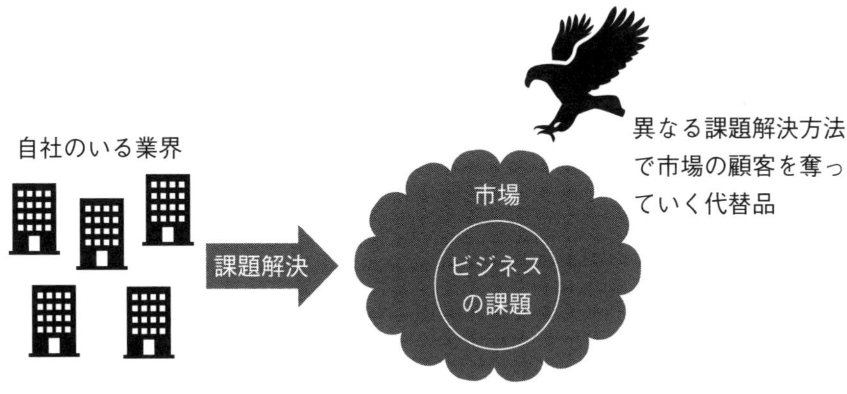

図5-5 顧客を代替品の市場に奪われる

実際の例を挙げてみたいと思います。かつて、レンタルビデオ屋は街に一軒はありました。「買ってまで見るほどではない映画や動画を、見たい時に借りて見られる」といった特徴が市場に受け入れられ、非常に多くの店舗が展開されていました。しかし、現在ではレンタルビデオ屋は滅多に見かけることもなくなり、大手でも店舗を見つけるのが困難なほどです。その原因となったのがインターネットによる動画配信です。レンタルビデオの代替品として登場した動画コンテンツ配信によって、レンタルビデオ市場は一気に縮小し、ほぼ風前の灯火という状態です。もちろん、レンタルビデオ業界も指をくわえて見ていたわけではありません。途中から、郵送によるレンタルなども行われ、顧客カバー率や利便性を上げるなどの努力もしていました。しかし、結果は皆さんがご存知の通りです。実際、アメリカの大手ビデオレンタルチェーンであるブロックバスターの店舗数は2004年のピーク時に9,000店舗以上あったにもかかわらず、2010年には倒産に追い込まれたという急転直下の展開でした。

このように代替品が現れ、その利便性や合理性が既存市場の製品やサービスを上回ると一気に既存の市場が縮小してしまう現象が起こります。このような現象は技術の進歩を原因として起こることがほとんどです。今まで不可能だったことが可能になる、もしくは採算が取れるようになることで、新しいビジネスの課題に対する全く新しい解決策が生み出され、既存の製品やサービスに対する代替品となっていきます。

先ほどのレンタルビデオの例では、アナログなビジネスに対してITの製品やサービスで代替品を生み出し、市場を塗り替えてしまいました。このようなアナログからITへの流れで生まれた代替品の例は非常に多いのですが、必ずしもそういったケースだけではありません。ITの技術の変化は非常に速いため、ITの製品やサービスが他のITの製品やサービスの代替品となることも頻繁に起こっています。有名な例では、サーバーホスティングサービスの話があります。サーバーホスティングサービスがクラウドサービスによって代替されてしまった例はIT業界にいる人であれば、よく知っている事例かと思います。場合によっては、アナログがITの製品やサービスの代替品となるケースもあり得るかもしれません。

いずれにしても、この代替品の脅威は市場の縮小、つまり顧客を代替品の市場に奪われてしまうことにあります。この脅威に対して予測して対策を立てることは容易ではありませんし、一旦代替品への動きが加速すれば止めることはできません。

ただし、全く手を打てないかというとそうではありません。先ほどのレンタルサーバーサービスの事例で、日本最大手のサーバーホスティングサービスであったさくらインターネットはクラウド型のサービスに舵を切り、現在でも日本の顧客向けにビジネスを行っています。

代替品の脅威への対応は、自身が変化することです。市場が縮小し始めた段階で、代替品の形で製品やサービスを提供できるようにすることで、この脅威を乗り切ることができます。ただ、それも簡単なことではありません。当然、事業形態を大きく変えることになるので、経営レベルの判断が必要となります。

では、マーケティングとしては何をすればよいのかというとそれは新規参入の脅威を探るのと同様で、PEST分析をくり返し行うことです。特に代替品の脅威への対応としては技術トレンドの分析が重要となります。ハイプサイクルなどから、代替品として採用される可能性のある技術を早い段階で確認し、調査を始めておく必要があります。

そこまでしても、思わぬところから現れてくるのが代替品です。どんなに調査をしても、見抜けないことも多々あります。場合によっては、代替品を提供しているベンダーも気づかないような使い方をユーザーがして突如として代替品となることもあり得ます。もちろん早い段階で代替品の出現に気づけることが望ましいですが、代替品が出てきた時に、それが代替品であると気づくことが重要です。

◎ イノベーションのジレンマに注意しよう

代替品の脅威への対応は、自身が変化することですが、変化の仕方には注意しなければなりません。代替品の脅威への対応のための変化の方向性としては大きく分けて2種類あります。1つが自社の製品やサービスが代替品と同じアプローチでビジネスの課題を解決しようとにする変化、もう1つが今までのアプローチでの課題解決をしつつ、その範囲の中で改善を行っていく変化です。先ほど紹介した例でいえば、さくらインターネットが前者、レンタルビデオ業界が後者になります。

ここで問題なのはやはり後者です。後者のケースでは既存の解決策の範囲で改善をしていくので、代替品に市場を取られるまでの延命措置にしかならないことが多いです。先ほどのレンタルビデオ屋が郵送でのレンタルを始めた例は市場を取られないように努力した結果ですが、無駄な努力となってしまいました。すでに優れた成果を上げたビジネスであるが故に、それを守り、改善することに集中してしまい、革新的な代替品の出現に対応できなかった例です。

これらの現象は「イノベーションのジレンマ」と呼ばれています。イノベーションのジレンマとはクレイトン・クリステンセンというアメリカの経営学者が提唱した理論です。書籍もかなり話題になったので、ご存知の方も多いかと思います。クリステンセンは先ほどの郵送でのレンタルも、代替品の出現もイノベーションであると位置付けています。しかし、これらの例はイノベーションとはいっても種類の違うものだと位置付けています。従来の製品やサービスを改善していくようなイノベーションを「持続的イノベーション」と位置付け、一方、従来の製品やサービスの市場を奪い、それらの価値を下げてしまう代替品のようなイノベーションを「破壊的イノベーション」と呼んでいます。

持続的イノベーションの場合は、既存の顧客やターゲット顧客層に価値を届け、よりよい製品やサービスを開発し、既存市場における競合に勝つためのイノベーションです。持続的イノベーションはすでに優れた成果を上げた製品やサービスであるが故に、そこから離れることに不安だったり、執着があったりするケースがほとんどです。特に大企業においては、ベンチャー企業などが開発した代替品となるような製品やサービスを軽視しがちで、自社の製品やサービスが飲み込まれることはないと思う傾向があります。加えて、このような代替品となるような技術の採用を検討しても、既存のビジネスを破壊してしまう共食いのような事業（カンニバリズム）を避けるために採用を見送るという判断をしがちです。その結果、持続的イノベーションから離れることができず、代替品に市場を奪われてしまう結果になります。

これをマーケティング視点で対応していく場合にすべきことは、ビジネスの課題のレベル感を少し上位の階層まで意識しておくことです。具体的には、イシューツリーを使って、自社の製品やサービスが解決するビジネスの課題の1、2段上まで常に意識を向けておくことです。

すでに優れた成果を上げた製品やサービスの場合、どうしてもその製品が解決するビジネスの課題に目を向けてしまいがちです。レンタルビデオでは、「どこにいてもビデオを借りたい時に借りられる」という課題設定がなされていたかと思います（ここはB2Cなので、単に課題とします）。しかし、もう1段上の課題設定ができていたら見えた世界は少し変わっていたでしょう。もう1段上の課題は、「どこにいても、いつでも、見たい動画コンテンツを視聴することができる」です。あくまで顧客はビデオを借りたいわけではなく、動画コンテンツを見たいというのがニーズなわけです。このように、顧客のニーズを矮小化して見てしまうことを、マーケティング用語では「マーケティング近視眼」といいます。このマーケティング近視眼に陥らないようにするためにも、常にイシューツリーを見直して、上位のビジネスの課題に目を向けておく必要があります。

事例 4 Web技術の進化でブラウザアプリの役割が変わった

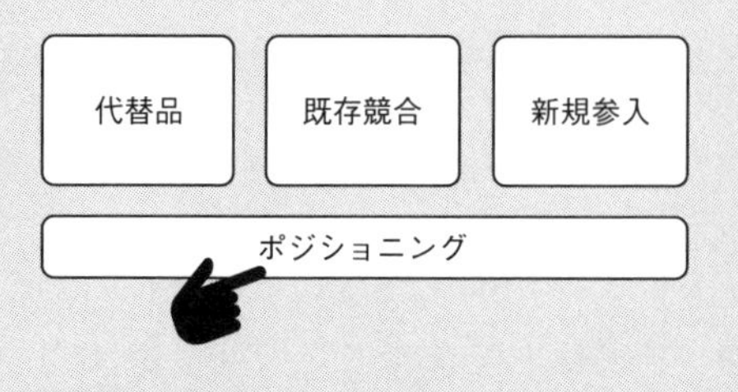

エンジニアチームから今後の開発方針のすり合わせの依頼を受けています。大崎くんと品川先輩は、今後の技術トレンドを見つつ、どのように競合と戦っていくかそのためのフィードバック案の相談をしています。今、問題になっているのがモバイルアプリを継続するかどうかです。顧客からは社内システムのためとはいえ、モバイルアプリを管理するのは手間がかかるというフィードバックが入っています。そこで、マーケティングからのエンジニアチームへのフィードバックとして出す案を議論しています。

大崎くんの意見としては、モバイルアプリの操作性はやっぱり重要で、管理の手間は目を瞑ってもらおうというものです。やっぱり、ブラウザで操作するWebアプリは操作性が悪くて使いづらいのが理由です。

ところが品川先輩の意見は逆で、モバイルアプリにこだわり続ける必要はないとのことでした。品川先輩の意見では、最近ではブラウザ上でもHTMLとJavaScriptのライブラリを使えば、モバイルアプリなみの操作性を実現することもでき、開発コストなどを考えても、モバイルアプリをやめてブラウザでWebアプリケーションを操作してもらった方が自社と顧客の両方にとってメリットが大きいからです。

大崎くんは、現在のブラウザでのWebアプリケーションの操作性の向上を知らず、昔の技術のポジショニングにとらわれていたことに気づきました。そういえば、どこかの会社もモバイルアプリを廃止して、ブラウザからの利用に変更したという事例を聞いたのを、今思い出しました。

5-4

技術の変化が競争優位性を変える

◎ 市場の成熟度によって変わる競合との戦い方

ここまで、自社と同じ市場で戦っている競合や、新規参入、代替品といった脅威について説明してきました。これらの脅威に対して適切に対応することで、脅威を乗り越え、企業のビジネスとして最適な形にする必要があります。

脅威の具現化のタイミングやそれに応じた対応は市場の成熟度によって変わってきます。その市場の成熟度を考える上で理解しておくべき考え方がプロダクトライフサイクルです。プロダクトライフサイクルは製品やサービスが登場してから市場から消え去るまでの流れを5つのフェーズに分けえて捉え、製品やサービスの戦略を変化させていくためにしようする考え方です（図5-6）。

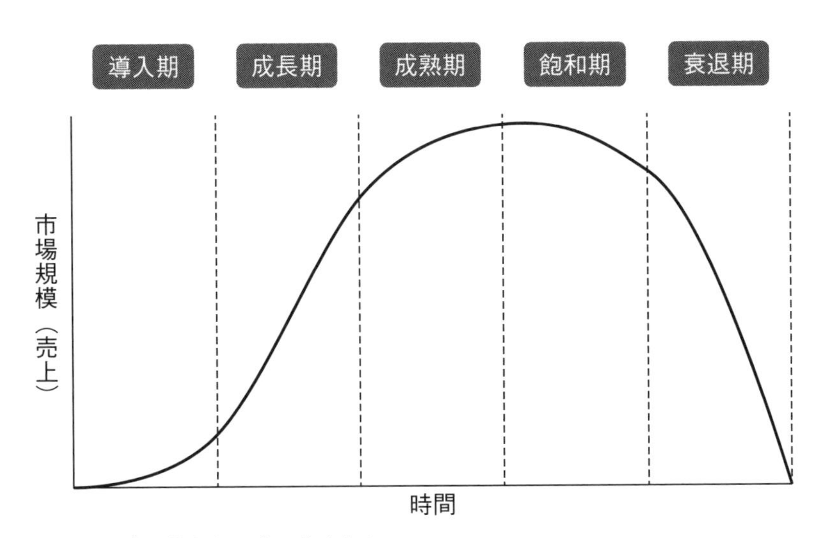

図5-6　プロダクトライフサイクル

一般的にプロダクトライフサイクルは1つの製品やサービスのライフサイクルを表すのに使用されることが多いのですが、市場の成熟度として使用することもできます。

プロダクトライフサイクルでは、横軸を時間、縦軸を市場規模として導入期、成長期、成熟期、飽和期、衰退期という5つのフェーズに分けて考えます。グラフ上ではその期間を便宜上均等に分けていますが、実際にはフェーズごとに期間は大きく異なります。当然、市場が異なればその期間も異なります。

技術の成熟度や浸透度を表すチャートとして、すでにハイプサイクルを紹介しました。プロダクトライフサイクルとハイプサイクルの違いは、縦軸が市場規模（売上）であるか期待値であるかという点と、カバーする範囲の違いです。カバーする範囲はプロダクトライフサイクルが市場の消滅までを表すのに対して、ハイプサイクルは成熟するまでしか表していません。また、ハイプサイクルは縦軸で期待値を取っているため、幻滅期という概念がありますが、プロダクトライフサイクルにはなく、成長期に入る前に消えてしまうという現象も起こり得ます。

さて、このプロダクトライフサイクルを使ってどのフェーズでどのような対策を取るべきかを紹介していきたいと思います。ただし、ここで説明するのは一般的な考え方です。製品やサービスの特性や市場の特性によってその対策は異なる点には注意してください。

まずは導入期です。導入期の市場に参入している競合は多くありません。むしろ、自社が参加できているという時点でチャレンジであるといえます。なぜなら、先ほどのハイプサイクルとの関係でも説明した通り、幻滅期を抜けることができるかどうかわからない段階だからです。この段階では、競合とシェアを争うよりも、競合と協力して市場を作り出していくことを優先すべきです。この段階で戦っても顧客の数は限られているので、少ない顧客を取り合うよりも市場を拡大した方がよい結果につながります。

次に、成長期です。この段階ではハイプサイクルでいうところの幻滅期を超え、市場が成熟に向けて動き出すという確信を持てるフェーズです。そのため、導入期には参加していなかった競合がどんどん参入してきます。このフェーズ以降に参入してくる競合は基本的には似たような製品やサービスになるので、後発にシェアを奪われる前に市場の拡大に合わせて顧客を獲得していくべきです。先行した実績を活かして、シェアを維持しつつ顧客数を増やしていくようにしましょう。特にサブスクリプションビジネスの場合は、この段階で無理をしてでも顧客を獲得しておくことで、その後のビジネスで非常に有利になります。また、この段階で参入する場合は、既存の製品やサービスの優位性が確実なものとなる前に、市場に入り込んでいかなければなりません。導入期から参入するよりも開発費用やマーケティング費用を安く抑えられるため、ここで一気に追いつく戦略が必要です。

続いて、成熟期です。この段階になると市場の成長も鈍化し、ある程度勢力図が固まってきます。競合に対して逆転をするにも、優位性を維持するにも、持続的イノベーションを起こす必要があり、それなりの体力が必要となります。また、他分野からの新規参入にも警戒しないといけません。逆にいえば、この段階で新規参入するためには破壊的な付加価値を持つか、ニッチな領域に対する価値を持っていないと参入は困難です。

そして、飽和期です。飽和期においては、その製品やサービスは自社か競合かにかかわらず、ほぼ全ての顧客に行き渡り、成長は望めません。ここでシェアを取るためには、成熟期同様、持続的イノベーションを起こすしかありません。この時期では価格競争に陥ることも多く、撤退を視野に入れる必要が出てきます。また、他の業界から破壊的イノベーションをもってこの市場が破壊されるリスクも大きくなります。そのため、次のビジネスへのシフトを考え始めるタイミングです。当然、この段階において、新規参入はおすすめできません。

最後に衰退期です。衰退期は文字通り市場が消滅に向けて動き始めている段階です。そのため、基本的には新しいことは何もせず、早期に撤退をすることを考えます。ただし、最後の最後まで残る体力がある場合は、少ない顧客に対して高価格で製品やサービスを提供することもできます。特に、IT業界ではサポートの切れたような技術でも、使い続けたいという顧客もいます。そういった顧客のために、高単価でも製品やサービスを提供することで、しぶとく生き残っていくこともできます。

◎ 技術トレンドを製品やサービスにフィードバックする

市場の成熟度に応じて競合への対応策を変えていく中で、成熟期や飽和期では持続的イノベーションを起こす必要があります。その持続的イノベーションを起こす要素の一つとして採用する技術があります。採用する技術は競合と争いの中で、導入を決めるための要因になることがあります。

採用する技術はどのタイミングでどんな技術を導入するかによって、顧客にとっての印象が変わります。例えば、Webアプリのベンダーが現時点でクラウドでのサービス提供をしていない場合、オンプレミスでの運用コストを嫌って競合のクラウドサービスを選択するという決断をすることも当たり前に起こっています。しかし、クラウドが一般的になる10年以上前の状況だったらどうでしょうか。クラウドにデータを置くことをセキュリティ的に嫌って、オンプレミスの製品を選択するというケースが多かったのも事実です。

このように、同じ技術であっても採用する際の成熟度によって、顧客の評価が変化します。競合がいなければ比較されることがなく、気にされないような技術の選択も、競合がいることによって判断の要素となります。その競合との争いの中で、影響を与えるのが技術のライフサイクルです。先ほどは市場の成熟度をプロダクトライフサイクルでフェーズ分けし、それぞれに適した競合への対応策を検討しました。今度は技術の採用タイミングを、プロダクトライフサイクルを使って検討していきます。

ITの技術においては速いスピードで破壊的イノベーションや持続的イノ

ベーションといった変化が起こり、様々な技術が登場してきます。それらの技術を自社の製品やサービスとして採用すべきか、すべきでないのか、採用するならどのタイミングで採用するのか、という判断を行う必要があります。そもそも採用する必要がない技術であれば検討する必要がないですが、採用しようと思う技術であれば、ライフサイクルに応じて採用するタイミングを検討しなければなりません。

一般的なプロダクトライフサイクルでは縦軸に売上をとっていますが、ここでは技術であるため採用率として考えていきましょう。ここからはそれぞれのタイミングでの判断の仕方を見ていきたいと思います。

まずは導入期です。この時点の技術はほぼ世の中に知られてはいません。そのため、技術情報も少なく、多くの検証が必要となるため、開発が高コストになりがちです。また、ハイプサイクルの観点でも、幻滅期を越えられないというリスクがあります。加えて、その技術を顧客のITチームが早すぎるとリスク視することもよくあります。結果、このタイミングでの技術の採用には大きなリスクが伴います。しかし、リスクばかりかといえばそうではありません。もし、この技術が破壊的イノベーションとなりうる技術の場合、競合に対して先行者利益として中期的に大きなメリットを享受する可能性も十分にあります。

続いて成長期です。成長期においては採用を始める競合も出始めているタイミングです。採用を決断していない競合は、採用した競合のビジネスの状況を注視しています。その技術が採用する必要がないものでない限りは、この段階で採用を積極的に検討すべきです。この段階ではハイプサイクルの幻滅期を越え、浸透する確率がかなり高くなります。多少の技術的リスクは残りますが、早い段階で投資をしておく方が、競合に対して優位性を創りつつ、投資の回収までの時間を作ることができるので得策です。

成熟期においては、ほとんどの競合がその技術を採用している段階です。この段階でその技術を採用するのは保守的なアプローチといえます。少なくともこの段階で技術を採用しないと、競合と比較して時代遅れといわれかねません。いち早く採用し、後れをとることを防ぐ必要があります。

そして、飽和期です。この段階ではほぼ全ての競合がその技術を採用し、業界の標準的技術として捉えられています。すでに技術的に優位になる状況は終わり、いわゆる「枯れた技術」といわれる段階です。この段階においては採用した技術で安心していればよいかといえば、そうではありません。次の新しい技術が出てきている可能性が高い段階です。次の技術トレンドを見つける必要があります。

最後に衰退期です。この時期までその技術を採用していると、逆にリスクとなる可能性が高くなります。ほぼ世の中で使われていない技術を使い続けるのは、安定しているというよりも、危険だと認識されてしまいます。例えば、その技術をサポートするOSのバージョンがサポート対象外になることも起こり得ます。この段階になる前に、新しい技術に移行している必要があります。

このような製品やサービスで採用する技術はあまりマーケターが考える話だと思わないかもしれません。実際にはどんな技術を採用するかの検討はエンジニアチームに一任されているケースも多いかと思います。

実際、その技術が製品やサービスに採用して意味があるのか、付加価値がつくのか、そもそもその技術に技術的リスクはないのかという点の検討はエンジニアの仕事です。しかし、顧客の購買動向を分析し、PEST分析やハイプサイクルなど、市場の状況を事実に基づき分析し、その技術を採用しても大丈夫かどうかを判断するのはマーケターの仕事です。技術トレンドをしっかりと分析して、必要な技術を適切なタイミングで製品やサービスに組み込めるようにすべきです。

もちろん、全ての技術の採用を検討するわけではなく、エンジニアの採用すべきという判断がなされた技術に対して検討をすればよいです。

第6章 顧客へのソリューションの価値と情報の届け方

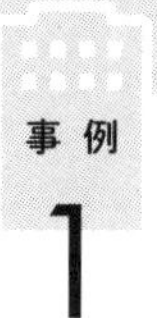

事例 1 誰に向けたもの？一種類しかない製品紹介資料

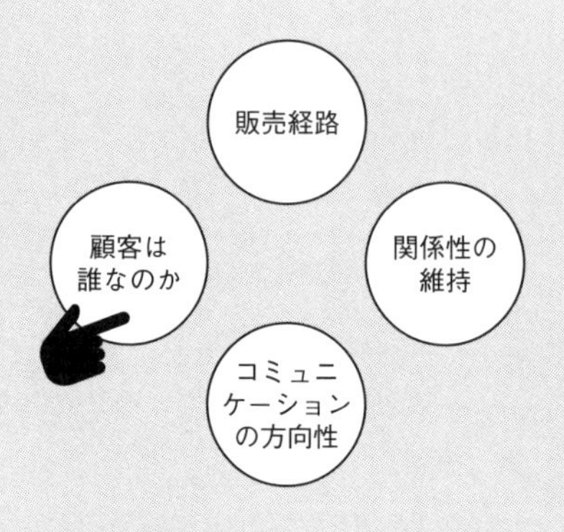

品川先輩から営業担当が説明してもらうための製品紹介の資料作成を頼まれた大崎くん。以前教わったバリュープロポジションやポジショニングを踏まえて、顧客に興味を持ってもらい、自社の製品を選んでもらえるように話の展開を作ることにしました。三日ほどでやっとアウトラインができたので、品川先輩に確認してもらうことにしました。

資料をみて、品川先輩は大崎くんを褒めつつも、この資料の問題点について「ところで、この資料は誰に向けて説明する仕様なの？」と言ってきました。大崎くんは（何をいってるんだ、お客様に決まってるでしょう）とツッコミしそうになり、おもわず「は？」と声が漏れてしまいました。慌てて「お客様向けですけど、違いました？」と聞いてみたところ、「お客様って具体的にはどんな人のこと？」と質問で返ってきてしまいました。

大崎くんは、「どんな人か」と聞かれてちょっと戸惑ってしまいました。今までB2Bにおける顧客は企業だと思っていたので、具体的にどんな人かを想像することはありませんでした。確かに、この資料の説明をうけるのは顧客企業の社員であることには間違いありません。そんな悩んでいる大崎くんに、品川先輩がヒントをくれました。

「実際、うちの製品を導入するにあたって、お客様の企業の色々な立場の人が検討に参加して、導入の議論をするよね」

言われてみれば確かに、現場の担当者もいれば、IT部門の人もいるし、決済には偉い人が検討に関わるのを思い出しました。では、大崎くんは誰に向けてどんな資料を用意すればよいのでしょうか。

6-1 ソリューションの価値を伝えるメッセージの届け方

◎ 伝えるべきは製品やサービスの機能ではなく解決策

顧客に製品やサービスを購入してもらうためには、その存在や価値を知ってもらわなければなりません。ここまで様々な分析をしてきましたが、どんなに分析しても顧客に伝わらなければ全く意味がありません。第6章では顧客との接点を作りながら、どのように顧客に存在と価値を届けていくかを説明していきます。

まず、顧客と接点を持って存在や価値を知ってもらうにしても、伝える内容が適切でなければ無視されてしまいます。セミナーなどで聞いたプレゼンテーションの内容は次の日どのくらい覚えているでしょうか。皆さんも経験があると思いますが、自分に興味のない話はそのプレゼンテーションのキーテーマぐらいしか覚えていないのではないでしょうか。逆に、自分が興味を持った内容であれば、ある程度詳しく話を思い出せるかと思います。人は興味を持っていない情報は忘れてしまいやすいです。そして、覚えていなければ次の行動も起こしません。相手に興味を持ってもらうためには伝える内容が重要です。相手が興味を持ちやすい内容をメッセージとして伝えることで、興味を持ってもらい次のアクションを取ってもらうようにします。

相手に興味を持ってもらうための情報はこれまでの分析でかなり明確になっています。それを伝えるためのメッセージについて説明していきたいと思います。

これまでも顧客が求めているのは機能ではなく、ビジネスの課題に対する解決策という話をしてきました。しかし、これは顧客が「ビジネスの課題に気づいている」という前提のもとに成り立っています。気づいていない顧客にいくら解決策を説明しても顧客にとっては興味のない話です。そのため、先ほどの製品やサービスの存在と価値を知ってもらうのと同様に、ビジネスの課題の存在とそれを解決することの価値を知ってもらわなければなりません。

実際、よくできたITの製品やサービスのWebサイトやカタログを見ると、ビジネスの課題設定をするメッセージが書かれています。これはビジネスの課題を他人事だと思っていた人や想定していなかった人に、自分事として捉えてもらうための仕組みです。このメッセージがなければ、ビジネスの課題を自分事として捉えていない顧客に、解決策や製品の話を一生懸命しても、関係ない話として忘れ去られてしまいます。

ビジネスの課題を自分事として捉えてもらったら、今度は製品やサービスが提供する価値がビジネスの課題解決につながることを理解してもらいます。とはいえ、製品やサービスの機能を説明してもビジネスの課題を解決できると納得してもらうことは困難です。繰り返しますが、製品やサービスを活用してビジネスを変革し、ビジネスの課題解決にまで至るのです。そのため、製品やサービスの機能とビジネスの課題を結びつけるストーリーを伝える必要があります。このストーリーが第4章で説明した汎用的なストーリーです。ただし、このストーリーは抽象度の高いビジネスの課題解決の方法なので、製品やサービスが本当にそのビジネスの課題の解決に役立つかを説明しなければなりません。その際に役立つのが、第4章で紹介したバリュープロポジションキャンバスです。

バリュープロポジションキャンバスでは、顧客プロファイルとして課題を解決するためのニーズと、バリューマップとして顧客のニーズをどのように解決するかが記載されています。この記述の1つひとつがビジネスの課題を解決することを証明するシナリオになります。これらの個々のシナリオを紹介することで、ストーリーが完成し、顧客にとってのビジネスの課題を解決するまでの流れを説明できるようになります（図6-1）。

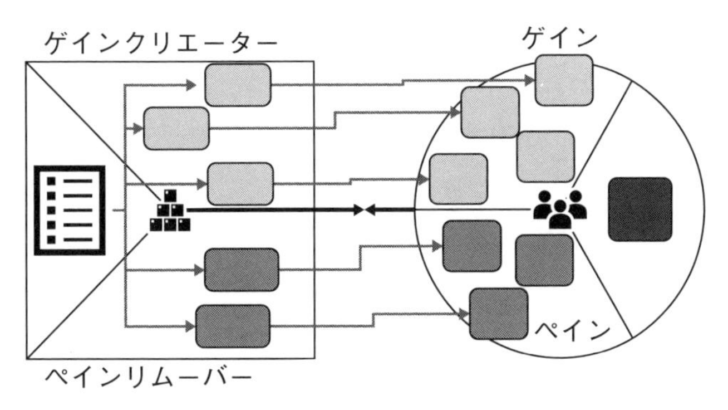

図6-1　バリュープロポジションキャンバス

顧客のビジネスの課題を解決するために必要な要素が顧客プロファイルにはあります。顧客が興味を持っているのは、あくまで顧客プロファイルの側のゲインやペインです。まずは、ゲインやペインを解決できることを証明するのが競合との比較の舞台に乗るための前提条件です。そのため、ゲインやペインに紐付けないで、製品やサービスの機能を一生懸命説明しても顧客は興味を持ってくれません。ゲインやペインを示した上で、製品やサービスがゲインクリエーターやペインリムーバーとして、そのゲインやペインをどのように解決するのかというシナリオが重要になります。

メッセージを作成する際の基本は、顧客プロファイルにある要素を自分ごととして顧客に認識してもらうこと、そして、それに対して製品やサービスが顧客プロファイルのゲインやペインを解決できるかを伝えることです。その前提として、製品やサービスの存在と価値、ビジネスの課題の存在と解決する価値を顧客に認識してもらうことが欠かせません。

ここからは、それをどうやって伝えていくのかを説明していきたいと思います。

◎ ビジネスに興味がある人とITに興味がある人の違いとは

マーケティングにおいて、B2BとB2Cでは決定的に異なる点があります。それは、購買を決定するまでのプロセスに関わる人間がB2Cでは一人の個人であるのに対して、B2Bでは企業内の様々な役割の人が関わることです。特に、ITの製品やサービスを購入してもらう場合にはビジネス側の役割の人に加えて、ITの側の役割の人がその決定に関わります。

第1章では提供側の視点でマーケターとエンジニアの関係性の話をしましたが、これは顧客の側でも同じです。顧客がIT企業でなくても、多くの企業で情報システム部門を持ち、そこにITを担当するエンジニアがいます。しかし、ビジネス担当とエンジニアの間ではIT企業以上に意識や知識に差があります。そのため、ビジネス側の人にITの技術の話をしても、なかなか理解してもらえません。つまり、誰に向けたメッセージなのかを明確にしておかないと、理解できない話をされて顧客が困ってしまうといったことが発生します。

よくある例が、現場の担当者を呼んだビジネスセミナーで、製品紹介と称して製品の機能の話や技術の話をしてしまうケースです。機能や技術の話をされて誰も内容がわからないまま終わってしまい、せっかくの機会を台無しにしたプレゼンテーションを見かけます。

誰に向けたメッセージなのか、その相手が知りたいことは何かということをしっかりと考慮してメッセージを出すことは極めて重要です。これはプレゼンテーションに限らず、カタログやWebサイト、ホワイトペーパーなどあらゆるコンテンツで意識をする必要があります。

B2Bにおいて顧客は企業ですが、マーケティングで接する顧客のステイクホルダーは様々な立場で様々な関心を持っていることを強く意識し、誰に対してどのようなメッセージを伝えるのか、何を説明するのかを想定しておきましょう。

先ほども述べたように、企業においては大きくビジネスに興味がある人とITに興味がある人に分かれます。ここまでビジネスの課題を解決することが顧客の最終的な目的だと述べてきましたが、このビジネスの課題を解決するストーリーはビジネスに興味がある人だけに向けたメッセージかというと、必ずしもそういうわけではありません。

ビジネス側がビジネスの課題を解決するために、自社の状況に合った形で組織やビジネスプロセスといったビジネスの仕組みをどう変えていくべきかを考え、IT側はそのビジネスの仕組みを実現するためにどのようにITのツールやインフラを準備して運用、管理していくかを考えるのです。このことを理解して、メッセージを作らなければなりません。

ここで注意すべきは、ビジネスに興味がある人だからといって必ずしもIT部門の外の人とは限らない点です。IT部門においてもビジネスをよりよいものにしていくために、ITを通じて何ができるのか、そのためにどのような製品・サービスを導入すべきかを考えている人たちも多くいます。そのため、ここではビジネスに興味がある人・ITに興味がある人としています。実際にメッセージを届ける際にも、事業部門だから、IT部門だからという基準で分けてしまわないように気をつけましょう（図6-2）。

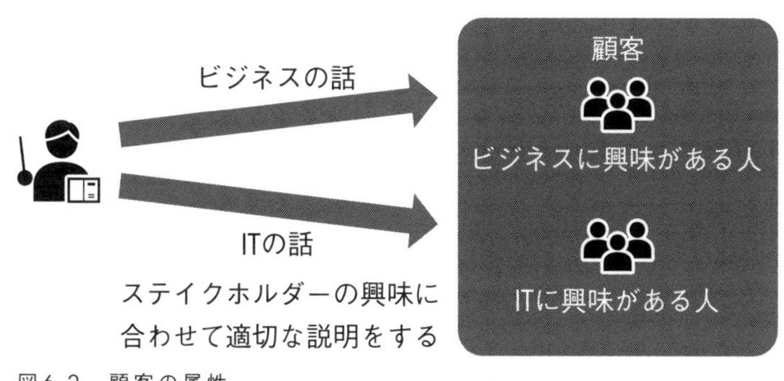

図6-2　顧客の属性

◎ カスタマージャーニーで導入までの道筋をつくろう

適切な人に適切なメッセージが届けばそれでよいかといえば、そうではありません。どのような流れで、どのような資料を使って誰にどんなメッセージを伝えるのか、そしてメッセージを受け取った人にどんなアクションを取ってもらいたいのかを定義する必要があります。そうすることによって、具体的にマーケティングでどのような施策を計画すべきかがわかるようになります。これらの情報を定義するために使用するのが、カスタマージャーニーです。

カスタマージャーニーは顧客が購買プロセスをどのように進んでいくのかを設計するチャートです。購買プロセスの各フェーズにおいて、誰に、どんな経路で、どんな情報を伝え、どんな意識を持ってもらい、どんな行動を取ってもらいたいかを定めることで、一貫性のあるマーケティング施策を設計するためのインプットとすることができます（図6-3）。

	認知	興味	検索	比較	評価	行動
行動	自社の課題を認識する	雑誌やWebで課題を学ぶ	課題のキーワードで検索する	対象商品をリストアップし問い合わせを行う	製品説明を受ける技術評価を行う	契約を締結する
タッチポイント	広告	Web記事 雑誌	検索結果 Webサイト	訪問営業	評価支援	契約書
顧客ステイクホルダー	総務担当者	総務担当者	総務担当者	総務担当者 IT部門	総務担当者・部長IT部門	総務部長 購買部門
顧客の思考	自社にもこういう課題があるかも	課題を解決しなければ競争力を失う	いくつか役に立ちそうな製品がある	この製品なら自社がよいのではない	確かに、この製品で課題を解決できる	自社に競争力をもたらす契約だった
課題	広告費用がすくない	他社のWeb記事が多い	検索上位を他社に取られている	営業がうまく特徴を説明できていない	評価環境を作るのに時間がかかる	
対応策	広告効率の見直しを行う	オウンドメディアで記事数を増やす	SEOの改善を行う	営業用マテリアルの改訂とトレーニングを実施	事前に準備した評価環境を利用してもらう	
自社の担当者	マーケティング	マーケティング	マーケティング	マーケティングエンジニアチーム	営業マーケティングエンジニアチーム	

図6-3　カスタマージャーニー

まず、カスタマージャーニーを考える上で知っておかないといけないのが購買プロセスです。本書の中でも購買プロセスという言葉を使ってきましたが、ここで改めて購買プロセスの説明をしたいと思います。

購買プロセスとは顧客が製品やサービスを認知してから購買するまで、もしくはロイヤルカスタマーになるまでのプロセスのことです。顧客は製品やサービスを突然買うわけではありません。製品やサービスを知り、興味を持ち、悩んだ上で購入を決定します。そして、その製品が気に入ればリピートしたり、他人に勧めたりします。たとえ、いわゆる衝動買いと言われるような買い方でも、一瞬のうちに購買プロセスを辿っているのです。

この購買プロセスは1つの決まったプロセスがあるわけではなく、製品やサービスの特性や市場の特性によって異なってきます。とはいえ、これまでの研究の結果から、購買プロセスを汎用化したいくつかのパターンに分類され、モデル化されています。ここではいくつか代表的なモデルを紹介したいと思います。

- **AIDMA**
  1920年代にアメリカのサミュエル・ローランド・ホール氏によって提唱されたモデルで、Attention（認知）-Interest（興味）-Desire（欲求）-Memory（記憶）-Action（行動）というプロセス
- **AISAS**
  2000年代にインターネットによって消費者行動が変わり、AIDMAがフィットしなくなったため登場したプロセス。Attention（認知）-Interest（興味）-Search（検索）-Action（行動）-Share（共有）というインターネットに対応したモデルに変化している
- **AISCEAS**
  AISASのSearch（検索）とAction（行動）の間にCompare（比較）-Examination（検討）という2つのステップが追加されており、こちらのモデルはよりB2Bに適したプロセス。

私はいつもAISCEASをベースに製品やサービス、そしてその企業の販売体制を考慮して、カスタマージャーニーの横軸を定義しています。

それに対して、カスタマージャーニーの縦軸として顧客の行動、タッチポイント、顧客の思考、課題、対応策の各項目を整理していきます。これらの項目に対して、顧客がどういう状態になってほしいのか、そのためにはどうするのか、といった点を考えていきます。それではそれぞれの項目について見ていきたいと思います。

まずは顧客の行動です。顧客の行動はそれぞれのフェーズに至るきっかけとなる行動や、そのフェーズの中で行われる行動が入ります。一般的には、この段階で顧客のペルソナを作り、その行動をブレーンストーミングで想像しながら書き出していきます。ただし、B2Bの場合は注意が必要です。すでに述べた通り、B2Bの顧客は企業であり、購買プロセスは複数の立場で複数の人が関わります。そのため、一人のペルソナを作って行動を想像するのではなく、購買プロセスに関わる人とその関心事、利害を想像して行動を書き出していく必要があります。

次に、タッチポイントです。タッチポイントは自社の製品やサービスに対する顧客との接点です。いわゆるマーケティング施策や営業活動がここに入ります。タッチポイントは先ほどの顧客の行動と対になっており、顧客が何か行動を起こしたときにその受け皿になったり、起爆剤になったりするのがタッチポイントです。当然、顧客の行動と同様に、購買プロセスに関わる人を意識して、誰に対するタッチポイントなのかは明確にしておく必要があります。

そして、顧客の思考です。タッチポイントを通じて、顧客にどんな思考を持ってもらいたいかを検討します。B2Cの場合は感情の要素も入ってきますが、B2Bの場合は論理的判断が優先されるため、思考と考えた方が良いでしょう。顧客にどんな思考を持ってもらいたいかによって、タッチポイントで提供する情報が異なってきます。

課題感では現状で顧客の思考や次のステップの顧客の行動の実現を阻害

する課題を洗い出します。この課題は基本的にはすでに動いているマーケティング活動に対する改善の面が強いですが、新規でカスタマージャーニーを分析する場合にも、十分役立ちます。そして、上記の課題に対する解決策を検討して、何を改善すれば良いのかの解決策を検討していきます。

ここまでが一般的な縦の項目ですが、私はこれに顧客ステイクホルダーと自社の担当者を加えています。顧客ステイクホルダーでは誰に対してメッセージを送るのかを定義します。もちろん、具体的なステイクホルダーは顧客の企業によって異なるため、汎用的な形でステイクホルダーを設定します。もう1つ、自社の担当者にはそのタッチポイントを提供する社内の担当者を入れています。これは、誰がどう関わってこのプロセスを進めていくかを明確にするためです。

営業担当がいる企業に限った話になってしまいますが、自社の担当者について詳しく説明していきたいと思います。マーケティングの仕事は多岐にわたっていますが、具体的なB2Bマーケティングの仕事として最も重要な仕事の1つが、リードを生成して営業担当に渡す仕事です。営業担当にリードを渡して個々の顧客の対応を任せたからといって、あとは営業担当に丸投げというわけにはいきません。

カスタマージャーニーの目的の1つに一貫性のあるマーケティング施策があるといいましたが、これはマーケティング施策に限ったことではありません。営業担当や営業担当に同行するセールスエンジニアなどの人たちの活動も同様です。ここで、一貫したメッセージを出すためには、自社で購買プロセスに関わる人にも協力してもらう必要があります。例えば、セールスマテリアルのたたき台を作ったり、正しいメッセージを伝えるための社内セミナーを行ったりという形で、協力して社内向けの活動をする必要があります。

このように、カスタマージャーニーは顧客に自社の製品やサービスを知ってもらい、その価値を届けるまでの一連の流れを整理するための骨格となります。顧客に届けるメッセージは常に一貫していないといけません。途中でメッセージが変わったりすると、顧客に不信感を抱かせる危険性すらあります。

◎ ビジネスに興味がある人へ届ける情報

ここでは、カスタマージャーニーの中で、ビジネスに興味のある人にとって、どのような情報を届けるべきかについて紹介していきたいと思います。

ビジネスに興味がある人に届けるべきは、どのようにビジネスの課題を解決するかのストーリーを、いかに自分事として捉えてもらうかの情報になります。自分事として捉えてもらって、自社のビジネスの課題解決に製品やサービスが役立つと感じてもらうことが重要です。カスタマージャーニーでは、ビジネスの課題が自社にとっても解決すべき課題であると認識してもらうことから、実際に製品やサービスを導入する際にどのように組織や人材に変化をもたらし、ビジネスの仕組みを変化させていくまでを納得してもらい、契約してもらうまでをカバーします。最近では、その後の顧客のロイヤルティを向上させ、情報を共有してもらうまでのプロセスを設計することも増えてきています。契約後のプロセスに関してはまた別途説明しますので、ここでは契約までのプロセスをカスタマージャーニーで追っていきたいと思います。

どのような情報をビジネスに興味がある人に提供していくかの話をする前に、いくつかカスタマージャーニーを設計する上で覚えておくとよい点を紹介します。

まず、カスタマージャーニーはあくまで購買プロセスに顧客が進んでもらうための骨格です。カスタマージャーニーに対してマーケティング施策の実装は複数存在することがほとんどです。例えば、常時行っているマーケティング活動におけるマーケティング施策と、キャンペーンにおけるマーケティング施策は異なります。同じカスタマージャーニーを使ったとしても、異なる実装になる点は理解しておきましょう。

続いて、カスタマージャーニーは必ずしも全ての顧客がその通りに進むものではないという点です。カスタマージャーニーはあくまで、マーケターが想定した顧客の購買プロセス上の振る舞いです。ほとんどの顧客がこのプロセスを通るであろうという例を作っています。そのためカスタマージャーニー通りに購買プロセスを進まない顧客は多くいます。よくあるパターンではカスタマージャーニーの途中から登場してくるパターンです。競合のマーケティングですでにビジネスの課題を認識し、その競合との比較として自社の製品やサービスを認知してカスタマージャーニーに入ってくるような顧客もいます。

そのような前提を持った上で、カスタマージャーニーを辿りながら、ここのステップを説明していきたいと思います。あくまで典型的な購買プロセスのモデルであるAISCEASで説明しますので、それぞれに適した形に置き換えて理解していただければと思います。

まず、Attention（認知）です。この段階では、ビジネスの課題に気づいてもらい、自分達にも関係あると思ってもらうのが一番の目的です。一般的には広告を使って認知を得るという施策がとられますが、B2Bの場合、課題を自分事として考えてもらうにはWeb広告だけでは十分ではありません。というのも、ビジネスの課題は本来それほど単純なものではないため、現在はWeb広告とランディングページのセットで運用していることがほとんどです。ただし、広告だけが認知を得る方法ではありません。例えば、ビジネス向けのイベントなどで講演をする、ビジネス雑誌に記事広告を掲載する方法も取れます。いずれにしても、一番大事なのは認知の段階で、そのビジネスの課題を自分たちの組織に当てはめてみて、改善の必要があると思ってもらえることが重要です。

続いてInterest（興味）です。この段階では、どのようにビジネスの課題を解決するかに興味を持ち、その候補として自社の製品やサービスを挙げてもらうことを目的とします。ビジネスの課題の解決に向けてバリュープロポジションキャンバスの顧客プロファイルの内容を説明します。それに対する答えを自社の製品やサービスが持っていることを認識してもらうようにし、Web記事やセミナー、オウンドメディアといったそれなりに情報量を提供できる施策を活用します。場合によっては、ランディングページやWebの記事広告など認知と同時に行うこともあります。ここではできるだけ製品の説明はせず、あくまでどのように課題を解決するのかといった情報を提供しましょう。

そして、Search（検索）です。この段階は自社の製品やサービスがビジネスの課題に対していかに有効な解決策を提供できるかを説明します。一般的には、製品やサービスを知ったからといって、突然問い合わせをすることはありません。その前にどのような製品やサービスなのかを検索して調べることがほとんどです。そのため、検索した結果のWebサイトなどで、興味の段階で設定した解決策に対する製品やサービスの具体的対応を記載しておく必要があります。ここでは、バリュープロポジションキャンバスのバリューマップでの内容を記載していくことにより、興味の段階での課題の解決策に対する、製品やサービスの対応に一貫性を持った訴求ができます。

Compare（比較）の段階においては、第5章における競合分析の結果で顧客に説明することになります。この段階においては、問い合わせなどを受けて、営業担当が対応することが多いです。競合との比較に関しては、課題に対するアプローチの違いや、製品やサービスが提供する価値で説明する必要があります。この段階では、顧客によって着目点や重視する点が異なってくるので、ある程度個別対応が必要となります。場合によってはビジネスの視点だけではなく、ITの視点も混ざってくる場合が多くなります。

SaaSなどの場合で営業担当がおらず、個別に対応できないような場合は、あえて比較の段階を飛ばしてしまうという選択もあります。その際は、検索で得た情報とこの後説明する評価で得た情報で顧客に判断してもらうという形になります。

そして、Examination（評価）です。この段階では、製品が本当に自分の会社のビジネスの課題を解決できるかの評価を行います。当然この段階においてはITの視点での情報も重要性を増してきます。最近ではPoC（Proof of Concept）と呼ばれる製品やサービスを実際に小規模に導入してみて、その評価を行うというやり方も増えています。そのための評価ガイドや個別セミナーといった形で、適切な評価をしてもらうための情報を提供する必要があります。

この後のプロセスは、Action（行動）、つまり契約です。ここまで来れば一旦マーケティングの仕事は終わりです（図6-4）。もちろん、釣った魚に餌をあげないというわけではなく、この後のプロセスも重要なものが存在します。それに関してはまた後ほど紹介します。

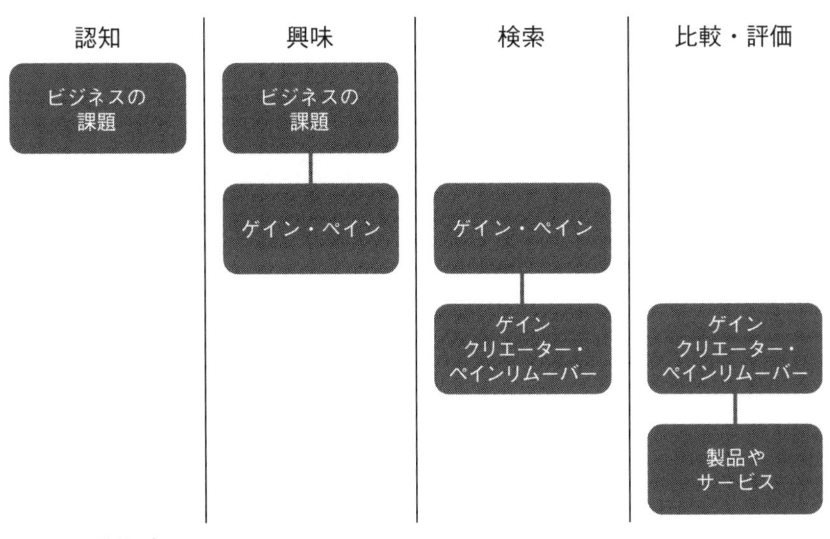

図6-4　購買プロセス

◎ ITに興味がある人へ届ける情報

さて、一方ITに興味がある人への情報はどのようなものを提供すればよいでしょうか。すでに述べた通り、ITに興味がある人は、変革後のビジネスの仕組みを実現するためにどのようにITのツールやインフラを準備して運用、管理していくかを考えます。そこにかかるコスト、人材的リソース、機器、セキュリティ、教育などといった多面的な要素について検討をしながら、どのようにITを構築、運用、管理していくのかの計画を立てていくのです。

そのため、エンジニアチームの助けなしにはこれらの情報は提供できません。実際、ITに興味がある人に提供する情報は、エンジニアチーム主導で作成されるものがほとんどです。そのため、マーケティングからは足りていない情報をフィードバックしたり、その情報の流通を支援したりすることが主な仕事になります。とはいえ、カスタマージャーニーを無視して情報を提供するわけではないので、カスタマージャーニーに照らし合わせて必要な情報を用意していきます。先ほどのビジネスに興味のある人で使用したAISCEASのカスタマージャーニーを例に紹介してどのような情報を提供するのかを説明していきたいと思います。

まず、ITに関する情報が必要になるのはSearch（検索）の段階です。多くの場合は、この段階でビジネスに興味がある人がITに興味がある人に打診をしています。この時点でITに興味がある人は、システム要件や基本的な機能などを確認して、どのような環境を準備しなければいけないのかのざっくりとした予想を立てます。

その上で、Compare（比較）の段階では必要なコストや人員を見積もったり、セキュリティの評価をしたりと、実際に導入することを見越して調査を行っていきます。そのために、あらかじめ必要となる機器構成や運用手段、ライセンスコストなどの基本情報や、セキュリティーシートといった情報を準備して提供できるようにしておく必要があります。少なくとも、ITに興味がある人が導入時の環境と、その後の運用、管理に対して具体的なイメージがつくようにするための情報を提供できるようにしておく必要があります。

そして、Examination（評価）の段階では、実際に顧客の環境で製品やサービスを動かして、その製品やサービスが本当にその顧客の環境での利用に耐えられるかの評価を行います。この際、実際に製品やサービスを利用するため、正しい方法で使用し評価してもらう必要があります。この正しい利用方法で評価してもらうために、評価手順書などの技術的手順書を用意し、それを利用してもらいます。必要に応じて、データ移行やアプリの配布手順などに関する情報なども用意しておく必要があります。顧客が実際にどのような評価を行うかによって変わってきますが、顧客の理解不足によって、正しくない評価をされないように準備しておくことが重要です。

ITの視点では顧客がどんな観点で情報を見るのか、どんな情報を提供するべきなのかは、製品やサービスの仕組みによって異なってきます。製品やサービスがサーバーサイドで動作するものなのか、クライアントのみで動作するのか、クラウドなのかオンプレミスなのかと様々な形態があります。また、場合によっては自社製品だけでなく、他社製品を絡めて考える必要があることもあります。ここではある程度汎用的な情報をあげましたが、状況に合わせてどんな情報を提供すべきかを検討してみてください。

事例 2 販売代理店を見つけても導入が進まない現状

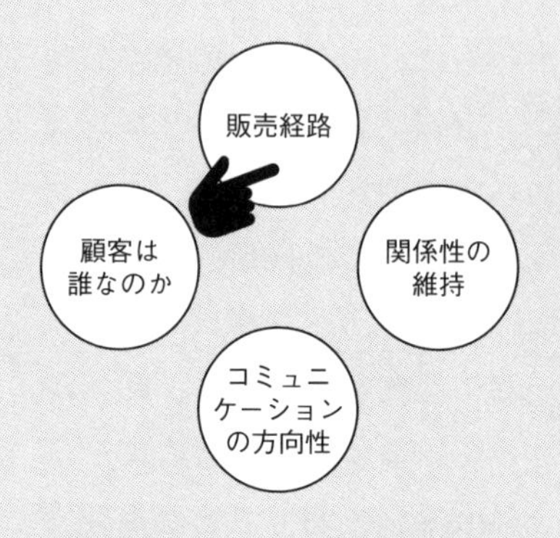

マーケティングチームのリーダーの上野さんから「販路開拓のアイデアを出してほしい」と言われた大崎くん。時々展示会などで見かける販売代理店のC社に自社の製品も売ってもらえばよいのではないかというアイデアを出そうと思っています。そのことで、品川先輩に相談してみることにしました。

品川先輩にアイデアを説明すると、なぜ販売代理店のC社にしようかと思ったか、その理由を聞かれました。大崎くんは「うちの会社で営業担当の人数が少ないじゃないですか。その分をカバーしてもらうのに、販売代理店にお願いしたらいいんじゃないかと思って」と説明しましたが、あまり自信がないので、自分の案のデメリットや他の選択肢について教えてもらうことにしました。

品川先輩曰く、「やっぱり、販売代理店は中間マージンで利益を出さなきゃいけないので、仕切り値といってかなり安い価格でライセンスを卸さなきゃいけないんだよ。それに、販売代理店は数多くの製品を扱っているから、うちの営業担当みたいに製品の深い説明もできないし、うちの製品だけを売ってくれるわけじゃないしね。他の選択肢としては同じ販売代理店でも、すこし役割の違うソリューションパートナーという選択肢もあるよ。あとは、自社の営業担当の人数を増やすとか、セルフサーブ型で販売してみるとか。色々考えられるね」というアドバイスをもらえました。

正直、販売代理店という言葉は知っていたものの、他に出てきた単語は知らないものもあり、「後で調べなきゃ」と慌てた大崎くん。まずは販路の整理から始めることにしました。

6-2 直販かパートナーか、そのメリットとデメリット

◎ 効率を重視した直接販売

製品やサービスを顧客に届けるには販路を確保しなければなりません。IT業界の販路としては大きく分けて3種類あります。まず自社で販売を行う直接販売。ライセンス販売を代わりに行ってくれる販売代理店。そして、販売代理店の中でも技術的支援もしてくれるソリューションパートナーがあります。ここからはそれぞれの販路について、そのメリットデメリットを踏まえながら紹介していきたいと思います。

まず、最初に紹介するのは直接販売、いわゆる直販です（図6-5）。直販は言葉の通り、販売代理店などを通さず、直接自社から顧客に販売する形態です。昨今ではB2Bでもこの形態の販売が増えてきています。特に、クラウドサービスの場合は、この直販による契約が多くを占めています。

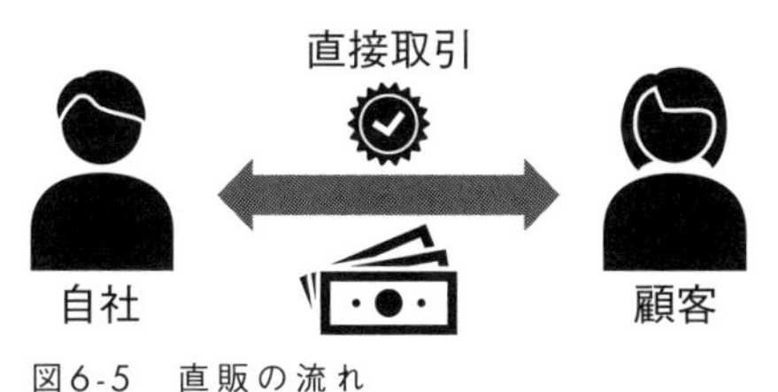

図6-5　直販の流れ

この直販のメリットはなんといっても粗利の高さです。販売代理店を通さないため、中間マージンが不要になります。販売代理店を通す場合、仕切り値という形で直販の価格よりも安い価格で販売代理店に卸します。基本的には販売代理店経由と直販で顧客への最終価格を変えることができないため、これがそのまま粗利を下げる要因になります。これがない分、直

販では粗利の幅は大きくなるのに加えて、販売時の値引きに対して自由度が大きくなります。

また直販は顧客とのコミュニケーションが取りやすいこともメリットです。販売代理店経由の場合は、顧客の声を聞くのは販売代理店になります。ある程度まとめてフィードバックをもらえる場合もありますが、直接聞くわけではないので、どうしても不正確な情報となってしまいます。加えて、顧客の声を聞くだけではなく、直接説明した方が正確な情報を顧客に伝えることができます。また、導入後の継続的なコミュニケーションを取るという点に関しても直販が有効です。継続的関係を持てる直販は長期にわたって顧客のロイヤルティを高めていくことができます。

メリットが大きいように見える直販ですが、当然デメリットもあります。このデメリットを考える上で理解しておくべきなのが、直販の形態には2種類あるということです。1つは営業担当が契約を取ってくるパターンです。このパターンは顧客担当として営業担当が割り当てられ、その顧客に対する直接的コミュニケーションを任せられます。もう1つはセルフサーブ型といわれる顧客です。セルフサーブとは顧客がWeb上で申し込みを行って契約をするパターンです。クラウドサービスではこのセルフサーブ型で直販されているケースが非常に多いです。

なぜ、この違いが重要になってくるかというと、営業利益が大きく変わってくるからです。先ほどまで出てきた粗利は売上から製品やサービスの原価を差し引いた利益です。これに対して営業利益は粗利からさらに販管費を引いたものです。販管費にはマーケティング費用や社員の人件費、接待交際費などが含まれます。そのため、営業担当が契約を取ってくる場合は、営業担当をある一定数雇用しなければならず、営業担当の規模によっては販管費が大きくなり、営業利益を圧迫してしまいます。逆に、セルフサーブ型の場合は、申し込みのシステムさえできてしまえば、規模が大きくなっても販管費をそれほど肥大化させることはありません。

また、セルフサーブ型にも特有のデメリットがあります。それは顧客とのコミュニケーションです。せっかく販売代理店を挟まずにコミュニケーションができる直販ですが、セルフサーブ型の場合、直接コミュニケーションを取る接点がないまま契約まで至ってしまいます。そのため、営業担当がいる場合のような、密なコミュニケーションを取ることができません。

他にも、いくつかデメリットはあります。例えば、大企業の場合、新規の取引口座を開くことが難しく、販売代理店経由での購入を顧客が打診してくるケースも少なくありません。また、入金管理などのシステムが必要になります。入金だけでなく、解約時の返金や価格改定などへの対応も必要です。特にサブスクリプションの場合には、月額請求や途中で金額が変わるケースなど、多様な支払いへの対応が必要となります。そのようなシステムを構築することがコストに合うのかどうかは見極める必要があります。

◎ 販路を拡大する販売代理店戦略

直販に対して、外部の営業リソースを利用して製品やサービスのライセンスを販売するのが販売代理店方式です。販売代理店にはライセンス販売を専門としている販売代理店と、ライセンスを販売しつつ、その製品やサービスに関わる自社の製品やサービスを提供するような販売代理店があります。ここではライセンスの販売を専門としている販売代理店について紹介します。自社の製品やサービスを提供する販売代理店はソリューションパートナーとして後ほど紹介します。

ライセンスの販売を専門としている販売代理店には、SIerの一部門が販売代理店として機能していたり、逆に企業としてライセンス販売を主たるビジネスとしたりしている場合もあります。SIerがライセンス販売を行っている場合は、ソリューションパートナーとして活動している場合もありますが、SIerが元請となるプロジェクトで使用する場合に、顧客に対してライセンスを販売する形態がほとんどです（図6-6）。

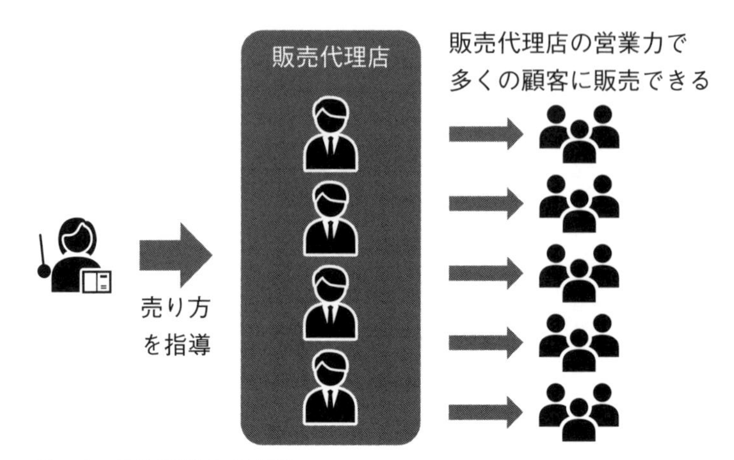

図6-6　販売代理店の役割

販売代理店を経由してライセンスを販売することのメリットは、なんといっても自社の営業リソースではリーチできない顧客に、ライセンスを販売することができる点です。直販では営業担当が顧客に直接コミュニケーションを取る分、対応できる顧客の数や範囲が自社の営業リソースによって限定されてしまいます。しかし、その点販売代理店では営業担当が複数のベンダーの製品やサービスを担当する代わりに、広く顧客にリーチできるメリットがあります。

販売代理店は販売することが目的であるため、基本的には営業集団で大規模な営業リソースを持っています。その営業集団が複数の製品やサービスを持って、地域や規模の大小を問わず様々な顧客の困りごとを解決するのが役割です。そのため、直販ではコストがかかりすぎてケアできない顧客に対してもリーチすることができます。

また、地方や中小企業にまでリーチでき、購入してもらうことができるので、取引数が増えてきます。直販の場合は取引数が増えてくると、入金管理の手間が増大してしまいますが、ここに販売代理店を挟むことによって、入金をまとめることが可能です。販売代理店を通し一口にまとめてもらうことで、管理コストと同時に手数料コストも抑えることが可能になります。

さらに、販売代理店は複数の製品やサービスを取り扱っているため、直販で自社の製品やサービスのみを訴求するのとは異なり、他社の製品やサービスと組み合わせて提案してもらえることもあります。

販売代理店経由での販売のデメリットについて紹介します。先ほどの直販では粗利が高いという話をしましたが、当然、販売代理店経由では定価に対して販売代理店の利益分を確保しなければならないため、仕切り値という形で販売代理店に製品やサービスを卸します。そのため、自社に入る売上が減り、粗利も少なくなります。当然、販売代理店も値引きなどの要素を使って販売するため、仕切り値もある程度下げておく必要があります。

また、先ほどの他の製品やサービスと組み合わせて販売できることと表裏一体なのですが、販売代理店は複数の製品を扱うため、1つひとつの製品やサービスに対して詳しい知識を持っているわけではありません。そのため、販売代理店の営業担当に知識がなくても説明できる、もしくは顧客に理解してもらえるような資料を用意する必要があります。販売代理店の営業担当は製品を売り込むというよりは、顧客が「こんなことに困っている」という課題に対して、「こんな製品があります」という紹介をしてくれるような販売形態だと思ってください。そのため、顧客が抱えるビジネスの課題に対して、「この課題ならこの製品やサービスが適切だ」とすぐに気づいてもらえるかどうかが重要になってきます。これを実現するために、可能であれば販売代理店向けに製品の説明会を実施したり、販売代理店のイベントに出展したりするなどして、理解をしてもらう努力が必要です。

また、販売代理店はあくまで販売の代理店です。マーケティングに関しても基本はベンダー側で考える必要があります。また、自社でリードを生成できたとしても、顧客の担当者の個人情報を勝手に販売代理店に渡すわけにもいきません。そこで、それを回避するために販売代理店と共同マーケティングを実施することもあります。

さて、ここまで販売代理店について紹介してきましたが、販売代理店経由がよいのか、直販がよいのかという判断は容易ではありません。自社の製品がどれくらいの浸透度を保っているのか、粗利率、営業利益率はどれくらいなのか、契約する販売代理店は自社のターゲットとする顧客にリーチできる販路を持っているのかなどの情報を総合的に判断する必要があります。

とはいえ、販売代理店経由か直販かは二者択一ではありません。直販をやりながら、販路を拡大する必要があれば販売代理店経由でも販売することも可能です。ただし、販路を拡大したからといって売上が増えるわけではないのはすでに説明した通りです。販路を拡大するのであれば、それなりのコストと、それなりの努力をベンダー側もしなければなりません。

◎ 顧客の技術を支援するためのソリューションパートナー戦略

ここまで直販と販売代理店について説明してきましたが、販売代理店の中には、単にライセンス販売をするのではなく、自社の製品やサービスを組み合わせて付加価値をつけた形で販売する販売代理店がいます。その販売代理店をソリューションパートナーと呼びます。英語では、ライセンス販売のみをする販売代理店をResellerと呼び、ソリューションパートナーのことをVAR（Value Added Reseller）と呼んだりしています。呼び方に関しては企業のパートナープログラムによって様々なので、ここではソリューションパートナーとします。

ソリューションパートナーに関しては大きく2種類あります。1つが、その製品やサービスの導入支援や運用支援などを主たるサービスとしているソリューションパートナー。もう1つが、対象の製品やサービスを利用して自社の製品やサービスを開発し、それらの製品やサービスを組み合わせて販売するソリューションパートナーです。いずれの場合も、単にライセンスを売るのではなく、自社のビジネスの一部としてライセンスを販売してくれるという点です（図6-7）。

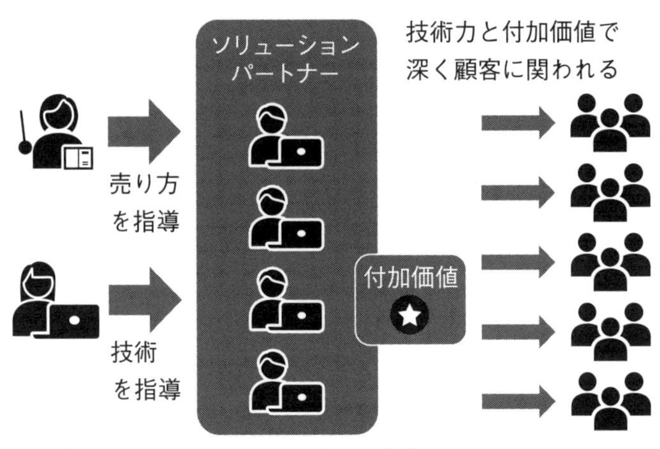

図6-7　ソリューションパートナーの役割

ソリューションパートナーのメリットはなんといっても製品やサービスに関する技術的知識です。ソリューションパートナーはその製品やサービスに関わるエンジニアがいます。そのエンジニアが製品やサービスを理解した上で、独自の製品やサービスを開発したり、導入支援や運用支援を行なったりしています。そのため、他の販売代理店とは異なり、製品やサービスに関する知識を十分持って顧客に説明することができます。

また、製品やサービスの導入や運用に関してもビジネスとして積極的に支援してくれるため、ベンダーの支援を必要としないで導入や運用までを実現してもらえます。特に、同じ製品やサービスを扱ってくれるようなエンジニアにはその製品やサービスのノウハウが溜まっていき、場合によってはベンダーのサポートエンジニアよりも詳しいエンジニアがいることもあります。

もちろん、販売代理店の一種ではあるので、仕切り値を設ける必要はありますが、自社で付加価値をつけて製品を販売するため、それほど仕切り値の設定に対してシビアな要求が出てくることは多くありません。ベンダーにとっては仕切り値の割引率を差し引いてもありがたい存在です。

ソリューションパートナーもメリットばかりではありません。ソリューションパートナーとビジネスをする上で最も大変なのが、ソリューションパートナーを育てることです。ソリューションパートナーは製品やサービスの技術的知識を持っているということは、その製品やサービスの知識を学習する必要があります。よほどソリューションパートナーであることにメリットがない限り、初期の学習に関しては支援が必要です。その支援は、トレーニングの提供や仕事の斡旋といった形で実現していかなければなりません。案件を斡旋するケースもありますが、ホワイトペーパーやブログの執筆、デモの作成、技術ドキュメントの作成といった技術を習得するのに役立つ仕事をソリューションパートナーに発注することで、効率的に技術的知識を獲得してもらう方法もあります。

また、技術的知識は一度習得したらずっと使えるわけではありません。バージョンアップなどがあった場合は、技術的なアップデートを行う必要があります。このアップデートはマーケティング的な新機能の紹介ではなく、技術的に何が変わったのか、移行のためには何をすればよいかなどの詳細な技術情報を提供する必要があります。

さて、このソリューションパートナーは最初の一社をどう見つけるかが非常に重要になります。最初の一社は単なるソリューションパートナーではなく、今後ソリューションパートナーになる企業の後ろ支えになることのできるソリューションパートナーである必要があるからです。一見、競合の支援をしてもらうのは不利益なように見えますが、自社元請の仕事だけでなく、他のソリューションパートナーの案件にも食い込んでいけるというメリットがあるため、決して最初にソリューションパートナーになった企業にとって悪い話ではありません。

この最初の一社の見つけ方には注意が必要です。一緒にビジネスを立ち上げていこうというとき、よくある間違いが大手もしくは中堅のSIerと組もうとすることです。大手や中堅のSIerは顧客も多く、様々なシステムを開発しているため、ニーズにあった顧客を見つけられる可能性が高いと思うかもしれません。また、製品やサービスが面白ければ、そのようなSIerもぜひパートナーになりたいといってくるかもしれません。

しかし、基本的にそのようなSIerは契約までのスピードが非常に遅く、またパートナーとなったとしても、その製品を説明したり、導入支援をしたりするような専任のエンジニアの確保が容易ではありません。というのも、このようなSIerでは多くの製品やサービスを扱っており、1つひとつの製品やサービスに十分なリソースを割けないという現実があるからです。その結果、大手がソリューションパートナーであるというネームバリューはつきますが、なかなかビジネスとしては立ち上がらないという状態になってしまいがちです。

では、どんなパートナーを最初に選ぶべきかというと、規模の小さい企業でも、その製品やサービスの専任のエンジニアや担当者を置いて、一緒にビジネスを大きくしていこうと思ってくれるような企業です。このような企業は販売網こそ大きくはありませんが、扱う製品やサービスが少ない分、その企業のビジネスにおける自社のビジネスの割合は大きくなり、場合によってはコアビジネスの一つとして扱ってもらえます。

ここで重要な点は、専任のエンジニアを少数でもいいので配置してもらうことです。ビジネスの初期段階においては、大量に販売できる営業よりも、導入支援や教育ができるエンジニアが重要となります。

事例3 広告からソーシャルへ、顧客との接点が製品とメッセージを鍛える

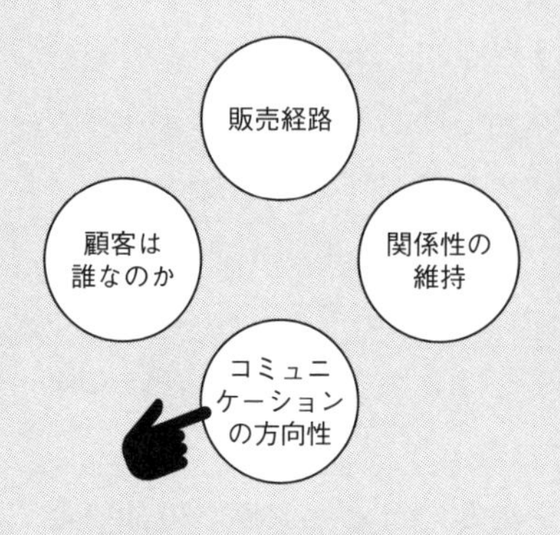

営業担当の高輪さんから呼び出されて、久々に営業チームのフロアにやってきた大崎くん。高輪さんから「先日作成した提案資料が、いまいち顧客に反応が良くない」というフィードバックをもらいました。ただし、「製品評価まで進んだ顧客からの製品に対する反応は悪くない」とのことです。つまり、評価に至るまでの過程で、離脱を高めてしまっているメッセージがあるということまでは大崎くんも理解しました。しかし、どのメッセージに問題があるのか、どう改善すべきかがわからないので、品川先輩に相談してみることにしました。

一通り大崎くんから説明を受けた品川先輩は、こんなアドバイスをくれました。

「まずは既存顧客に話を聞かせてもらう機会を作ったらどうだろう？マーケティングメッセージは提供側から発信するだけでなく、顧客側からフィードバックを受けるのも非常に大事なんだよ」

このアドバイスを受けて、大崎くんはどうフィードバックをもらえるか、どうコミュニケーションを取るべきなのかを考え始めました。高輪さんの営業に同行させてもらうのか、それとも多くの既存顧客を集めるようなセミナーを開催するかなど、色々な案を考えています。そして、単に話を聞きたいだけの既存顧客に時間をとってもらうのは申し訳ないので、何か顧客にとってメリットがあるようなことをしたいと考えている大崎くんです。

6-3

リレーションを重視する双方向コミュニケーション

◎ 顧客の課題を敏感に収集するための双方向コミュニケーション

従来のマーケティングでは、マーケターと顧客の関係性において情報はマーケターから顧客へと一方的に流れるケースがほとんどでした。マーケターにとってはいかに情報を正確かつ魅力的に伝えるかに注力し、広告宣伝に力を入れていたマーケターも少なくありませんでした。

今でも正確かつ魅力的な情報を伝えることの重要性は変わりませんが、それだけやっていればよい時代ではなくなりました。現代のマーケティングでは、顧客との接点を多く持ち、顧客の意見を製品やサービス、そしてマーケティング施策にどんどん反映していくといった手法がスタンダードとなりつつあります。そういった流れの中で、顧客といかにコミュニケーションをとっていくかという点は、現代のマーケティングにおいて重要な考え方です。

マーケティングにおいてコミュニケーションが重要になったのはなぜでしょうか。もちろん、インターネットの普及でSNSを通じて顧客と関わりやすくなったということもありますが、実はもっと前からこういった動きはありました。それは、4Pと対となる4Cという概念が提唱されたためです。4Cは1990年代にアメリカの経済学者ロバート・ラウターボーン氏によって提唱された概念で、4Pがプロダクトアウト、つまり提供者側の視点で考えていたのに対して、4Cではマーケットイン、つまり顧客視点で考えるようになっています。4Pと4Cの相関関係は次のようになっています。

- **Product → Customer Value（顧客価値）**

- **Price → Customer Cost（顧客のコスト）**
- **Promotion → Communication（顧客とのコミュニケーション）**
- **Place → Convenience（顧客の利便性）**

ただし、4Cが登場したからといって4Pがなくなるわけではなく、4Pに4Cの概念が追加されたと考えてください。つまり、Promotionがなくなったわけではなく、それにCommunicationが加わったのです。

さて、みなさんはマーケティングの仕事をしていて顧客とのコミュニケーションをとる機会はあるでしょうか。顧客の声は聞こえていますか？よく「営業担当からのフィードバックやアンケートなどで顧客に耳を傾けている」と言っているマーケターもいますが、それはコミュニケーションではなく、情報の伝達です。コミュニケーションは双方向の情報のやり取りでなければなりません。双方向のコミュニケーションを成り立たせるためには、リアル、バーチャルを問わず、顧客と向き合って対話をしなければなりません。顧客のいるところに出て行って対話をするなり、顧客にとってメリットのある場所に顧客にきてもらって対話をする必要があります（図6-8）。

図6-8　伝言ではなく、直接のコミュニケーションが必要

今までは展示会やイベントなどはマーケターが顧客と対話をする絶好の場所でした。ただし、自社の主催ではない展示会やイベントにおいては、自社がターゲットとする顧客と対話できる可能性はそれほど高くありませ

ん。自社がターゲットとする顧客との対話を効率的に保つのであれば、自社がイベントやセミナーを主催して、そこに来場した顧客と対話をするのが最適な手段です。もちろん、自社主催のイベントやセミナーにわざわざ参加してもらうためには有益な情報を提供しなければなりません。従来であれば参加者に話を聞いてもらい、そこに来場した人のリストを獲得することを目的としてイベントやセミナーを開催していましたが、いまはコミュニケーションを目的とした開催も少なくありません。実際に私も、勉強会を開催しながら、そこで顧客とのコミュニケーションをとり、参加者がどんな課題を持っているのかを学んでいます。その勉強会では参加はニックネーム、質問や意見は匿名でできるという仕組みをとっています。その方が、忌憚のない意見をもらえるためです。

また、最近ではSNSを活用した顧客とのコミュニケーションも取ることができます。SNSはバーチャルな空間であるため、時間や場所を選ばず気軽にコミュニケーションが取れるメリットがあります。最近ではSNSマーケティングという言葉もあるように、SNSを使った顧客コミュニケーションに注目が集まっていますが、B2BのビジネスにおいてSNSでのコミュニケーションはそれほど重要視しなくてもよいです。むしろ、そこで提供した情報で興味を持ってイベントやセミナーに参加してもらい、そこでコミュニケーションが取れれば十分です。もちろん、SNSでコミュニケーションを取ることが得意なのであれば、SNSを活用すべきです。

実際、顧客とコミュニケーションをとるのにベストな手段というものはありません。自社にとって最も有効な方法で、顧客とコミュニケーションを取れば良いと思います。重要なのは、顧客がどんなことを気にして、どんな関心を持っているのかを把握することです。市場調査やアンケートでは見つからないような情報が山のように出てきます。

ここで、自分の立てた課題に対して、顧客の意見が異なっていても心配いりません。多くの人の意見を聞いて、課題を設定し直し、それに対するストーリーを修正し、新しいメッセージを顧客に届ければよいのです。

ただし、顧客とコミュニケーションを取ってメッセージを調整する際に、注意しなければならない点があります。それは、声が大きい少数の意見に振り回されないようにすることです。企業とコミュニケーションを積極的にとる顧客は、なんらかの意見を持っている場合が多いです。そのため、どうしてもその主張を聞いてもらいたいと思っています。ただし、本当にその意見がユーザーの大多数の声なのかはしっかりと判断する必要があります。

◎ 技術的理解を深めてもらうためのコミュニケーション

顧客とのコミュニケーションで顧客の声を聞いてメッセージを改善していくのは、顧客と直接対話することによって、顧客が求めるものを理解することが目的です。この場合は、どちらかというと仮説検証といった意味合いが強くなります。

一方、仮説検証ではなく、対話の中で相手に理解を深めてもらった方がよい場合があります。ITに興味がある人とのコミュニケーションです。ITに興味がある人とのコミュニケーションは、技術に対する理解を深めてもらい、それによりその製品やサービスに対して信頼を持ってもらうことが目的です。エンジニアと呼ばれる人たちは、技術的によくわからないものを信用しない傾向にあるため、技術の仕組みを理解して、どのように動くのかが予想できるようになって初めてその技術を信頼してくれます。

しかし、製品の技術に対するマニュアルや手順書は非常に情報量が多く、求める情報に簡単に辿り着けないことも少なくありません。それに加えて、全ての状況を網羅した記述がなされていない場合がほとんどです。そのため、自分が知りたい技術的情報がズバリ出てこない場合もあります。この期待値と現実のギャップを埋める仕組みとして、ITに興味がある人たちとのコミュニケーションを設計しなければなりません。

ITに興味がある人たちとのコミュニケーションという意味では、個々の顧客への対応とその製品やサービスに興味のあるエンジニアへの対応の2つに分けられます。個々の顧客に対応するという意味では、直接は営業担当やプリセールスエンジニアの役割ではありますが、カスタマージャーニーとしてそのような仕組みを用意しておく必要があります。また、その製品やサービスに興味のあるエンジニアに対応するという意味では、市場全体に対して製品やサービスの技術的信頼性をアピールしたりしていくために、マーケティング施策としてITに興味がある人とのコミュニケーションを作り出していく必要があります。

まず、個々の顧客への対応の観点では、競合と比較する段階や評価段階における技術的質問への対応となります。このような対応はプリセールスエンジニアが、担当の顧客に対して、そのコミュニケーションを行っていくわけですが、必ずしも全ての顧客に対してプリセールスエンジニアをつけられるわけではありません。もしプリセールスエンジニアが付けられない場合は先ほど出てきたパートナーを紹介してコンサルサービスを紹介したり、相談会のイベントを定期的に開催したりといった回避策をとることができます。それも難しい場合は技術サポートの窓口などを利用してもらうなどもできます。

コミュニケーションの形は様々ですが、そこのケアをすることによって案件の成約率が大きく変わってくることも少なくありません。全てをケアできないとしても、できるだけケアできるような多段的仕組みは考えておく必要があります。

また、その製品やサービスに興味があるエンジニアに対して、コミュニケーションを取ることができる場所を提供することも重要です。これは製品やサービスの特性にもよりますが、エンジニア向けの技術や、カスタマイズ性の高い製品やサービスといった、利用に際してエンジニアの手が入る可能性の高い製品やサービスに関しては、コミュニケーションが特に重要になります。このようなエンジニア向けのマーケティング施策となるのが、イベントや勉強会、トレーニングです。

イベントや勉強会でのプレゼンテーションは一方通行ですが、その後のQ&Aや懇親会などで個別の質問に答えることで、コミュニケーションをとれるようになっている場合がほとんどです。実際、大手のマイクロソフトやAWSなどでは、エンジニア向けのイベントを定期的に開催し、そのベンダーとのコミュニケーションが取れるような展示ブースや質問コーナーを用意しています。

また、このイベントや勉強会は、製品やサービスを提供している会社のエンジニアとコミュニケーションをとるだけでなく、顧客同士でのコミュニケーションをとることでも、ITに興味がある人の疑問に答えることができる場合も少なくありません。最近では、ミートアップという形で、製品やサービスに興味がある人同士が集まってコミュニケーションをとることを中心としたイベントも盛んに行われていたりします。

このように、ITに興味がある人にとって、質問に答えてくれたり、相談に乗ってくれたりする人がいる機会は貴重であり、有益な場です。特に、導入を考えているようなタイミングでは、このような機会は顧客の製品やサービスに対する信頼度を高める非常によい機会となります。そのため、タイミングさえ合えば、導入を検討している顧客にイベントや勉強会にきてもらえるように営業担当に周知し、活用してもらえるようにするのもマーケティングの重要な仕事です。

マーケターにとって、顧客のITに興味がある人が何を求めているかは理解しづらい部分もあるでしょう。私自身、エンジニア出身でエンジニア向けの製品を長く担当してきたため、このようなイベントや勉強会の重要性をよく知っていました。しかし、エンジニア文化を経験していないと、それが製品やサービスの導入につながるイメージが湧きづらいこともあるかと思います。

自社のエンジニアとうまく連携して、どんなイベントや勉強会が有効なのかを教えてもらいながら、自社で企画しても良いですし、既存のイベントに協賛してもよいでしょう。

事例4 マーケティングを強化する既存顧客向けのコミュニティの設立

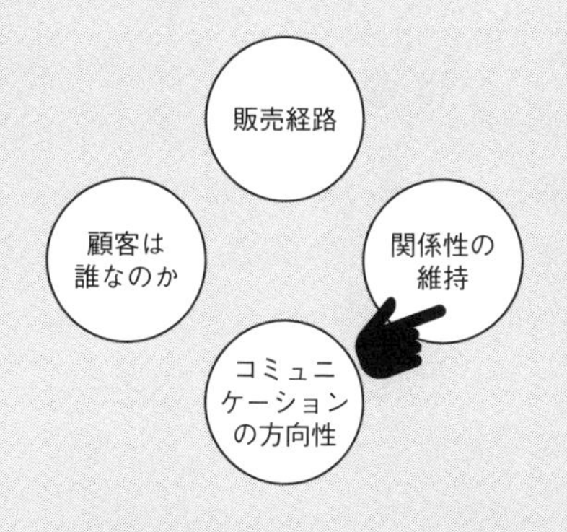

カスタマージャーニーを作って新規契約数は徐々に増えてきているのに、売上があまり伸びていない状況に気づいた大崎くん。色々とデータを調べてみると、契約の更新率が思いのほか高くないのが原因だという点に気がつきました。ただし、製品の品質も問題はないようだし、サポートの満足度も高いのに、なぜか契約を更新してくれないようです。

そういえば、大学時代の友人が、契約の更新をやめてしまった企業に勤めたのを思い出し、理由を探ってきてもらうことにしました。すると、最近、競合のD社が我が社の顧客に対してリプレース営業を強力に行っているようです。山手ソフトウェアの営業は契約更新のときに営業に来ないから、乗り換えてしまったとのことでした。確かに、山手ソフトウェアの営業は人が少なく、更新契約までケアしきれていないのも理解できます。

そこで、マーケティングとして何か対策を打てないか先輩に相談してみたところ、こんなアドバイスをもらいました。

「例えば、既存顧客を集めてユーザーコミュニティを開催するのも1の施策だね。ユーザー同士で事例の発表をしたり、技術的な発表をしたりして情報交換をする場を作るんだよ。そうすることで、ユーザー同士の満足度も増えるし、顧客のロイヤルティも向上するからね。あと、ユーザーがどんどん情報を発信することで、マーケティング以外の情報拡散ができるようになって、新規の顧客の獲得にも繋がるしね」

大崎くんは品川先輩のアイデアに乗ってみようと思いましたが、実際どうやったら既存顧客が集まってくれるかなど、まだまだ悩むことが多そうです。

6-4 サブスクリプション時代に欠かせない関係性の維持

◎「購買してもらったら終わり」ではない！

これまで、カスタマージャーニーをはじめ、どうやったら製品やサービスを購入してもらえるかという観点で話してきました。しかし、最近では新規顧客の獲得と同様に、既存顧客との継続的関係を持つことも重要視されるようになってきました。特に、IT業界においてはサブスクリプションや保守契約といった契約が多いため、既存顧客に対するマーケティングの役割は重要度を増しています。

とはいえ、従来のマーケティングにおいても、既存顧客に対するマーケティングという考え方がなかったわけではありません。カスタマージャーニーの部分で紹介した購買プロセスのモデルでは最後にShare（共有）が入っているモデルもいくつかありました。共有は古くは口コミと呼ばれ、ヴァイラルマーケティングという形で、既存顧客にその製品やサービスのファンになってもらい、口コミによって新規顧客を増やしていくといった手法になります。現在ではSNSによる口コミなどが主な施策となっています。これは確かに既存顧客に働きかけるマーケティングですが、ゴールは新規顧客を増やすことです。これはこれで重要なのですが、サブスクリプションや保守契約といった観点では、別の観点でのゴールが必要になってきます。

現代のITのビジネスにおいては、顧客のロイヤルティを向上させて、いかに長期的に製品やサービスを使ってもらえるかが重要です。口コミと同様に製品やサービスのファンとなってもらう点には変わりはないのですが、競合に目移りしないように、ロイヤルティ、つまり忠誠心の高いファンになってもらう施策を打っていく必要があります。そして、その施策を評価する指標が離脱率（Churn Rate）であり、顧客維持率（CRR: Customer Retention Rate）です。顧客の離脱率が高くなることは、定期的に入ってくる売上が少なくなることに加えて、新規顧客獲得のためにかけたマーケティング費用の回収が難しくなるということを意味します。そのため、この顧客維持率を向上させることが既存顧客に対するマーケティングの1つのゴールとなります。

新規顧客獲得のマーケティング費用は既存顧客を維持するためのマーケティング費用には比べ物にならないくらい高くなります。「1:5の法則」などと呼ばれ、新規顧客獲得のコストは既存顧客を維持するためのコストの5倍かかるといわれています。せっかく高い費用をかけて製品やサービスを購入してくれたとしても、短い期間で離脱されてしまっては十分な売上を立てることができません。加えて、一度離れた顧客がまた戻ってきてくれる可能性はそれほど高くありません。つまり、既存の顧客のロイヤルティを向上させる努力はかなり重要なものとなります。

いかに顧客が長く顧客であり続けてもらえるかは、単に長い期間一定の収入が得られるというだけではありません。既存顧客に追加で製品やサービスを購入してもらうのは、新規顧客に製品やサービスを購入してもらうのと比較してかなり容易です。これは、アップセルやクロスセルといわれ、既存顧客におけるビジネスを拡大していくセールスアプローチです。アップセルは既存顧客がすでに使用している製品やサービスに対してアップグレードを行うようにするセールスアプローチです。上位のグレードへの移行やユーザー数の追加などがこれにあたります。一方、クロスセルは既存の顧客に対して新しい製品やサービス、または既存の製品やサービスの新規ライセンスを販売するセールスアプローチです。顧客のロイヤルティが高ければ、その顧客とのビジネスを拡大していくことも可能になります。

では、その顧客のロイヤルティを向上させるためのマーケティング施策としてはどのようなことを行っていけばよいのでしょうか。この既存顧客の維持を目的としたマーケティングはリテンションマーケティングと呼ばれています。そして、リテンションマーケティングを実施していく上で、重要となる存在がカスタマーサクセスという役割です。カスタマーサクセスは近年よく見られるようになり、顧客に成功体験を持ってもらうことを目的としています。このカスタマーサクセスと協力してリテンションマーケティングを行っていくのが、成功への鍵です。

ここではカスタマーサクセスと協力してリテンションマーケティングを行う際の施策の例をいくつか紹介したいと思います。

まずオンボーディング支援です。オンボーディングとは製品やサービス導入直後に顧客がその製品やサービスを使いこなせるようにする支援です。導入前に評価のためのPoCを行ったとしてもあくまで評価で、実用フェーズに入った段階では、実際の業務を行う人がその製品やサービスの使い方や活用方法を習得する必要があります。それを支援するのがオンボーディングです。スムーズに導入を進めることで、初期での離脱を防ぎます。

そして、顧客がやりたいことに対する伴走支援があります。これは顧客が解決したいビジネスの課題に対して、単にストーリーを伝えるだけではなく顧客の現場で一緒に考えながら、アドバイスだけではなくその顧客にあった解決策の実現まで伴走するようなサービスです。

最後に、ユーザーコミュニティです。ユーザーコミュニティは顧客同士が意見交換をしたり、相談をしたりする場です。単なる集まりではなく、事例の発表をしたり、新しい活用方法の紹介をしたりすることで、マニュアルや手順書にない情報をお互いで教え合ったりすることもできます。また、それぞれが持つ悩みを共有することで、不安を解消したり解決策を見つけたりすることができます。

◎ 顧客の声を開発チームへフィードバックしよう

顧客と継続的関係を維持していく上で、リテンションマーケティングの施策はあくまで支援的要素でしかありません。製品やサービスが顧客に対して必要な価値を提供できていなければ、どんなにリテンションマーケティングを頑張っても顧客は離脱してしまいます。

そこで重要なのは、開発チームへと顧客の声をフィードバックし、製品やサービスの改善につなげる活動です。すでに述べたように、顧客の声を収集し、分析して開発チームへとフィードバックするのはマーケティングの役割です。これをマーケティングではCFM（Customer Feedback Management）といいます。実際にはマーケティングの施策へのフィードバックの管理にも使用しますが、ここでは製品やサービスに対するフィードバックについて紹介したいと思います。

CFMを行うことの目的は顧客との継続的関係を維持していくことですが、何を指標とすべきかに関しては注意が必要です。先ほど出てきた離脱率はすでに離脱行動がとられてしまった結果です。離脱率が増え始めてから対策を取っても遅いですし、離脱率が変わらなければそれでよいかというとそうではありません。では、どんな指標を使うかというと、NPS（Net Promoter Score）という数値を使用します。よくアンケートなどで、「この製品をどの程度ほかの人に勧めたいと思いますか？」という質問がNPSの調査にあたります。単に現時点での満足度を測るのではなく、ほかの人へ推奨するという将来的な信頼を含めて測ることで、顧客のロイヤルティを測定することができます。そのため、離脱率に影響が出る前に顧客のロイヤルティの変化を分析することができます。

さて、CFMには大きく分けて4つの工程があります。1つ目が既存顧客からのフィードバックの収集、そして2つ目が収集したフィードバックの分析、3つ目がフィードバックの反映、そして最後が効果の測定です（図6-9）。1つひとつ見ていきましょう。

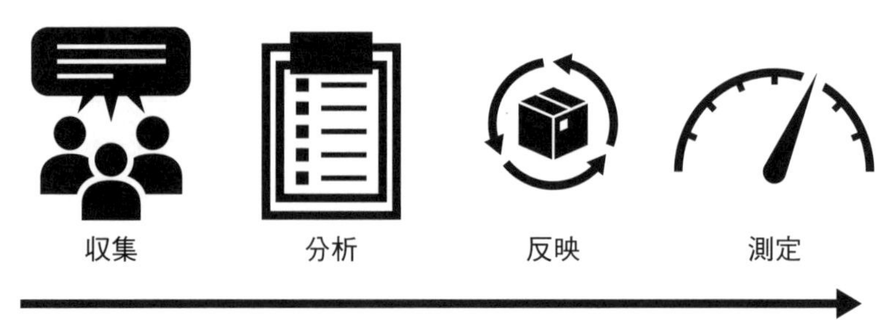

図6-9　CMFの工程

まず、フィードバックの収集です。フィードバックの収集方法には様々な方法があります。ここではいくつか代表的なものを紹介したいと思います。

一般的に思い浮かべるのはサポート窓口でしょう。サポート窓口には何かトラブルが発生したり、使い方がわからなかったりといった質問が入ってきます。顧客の生の声が聞けるという点ではサポート窓口は非常に有効なフィードバックの収集源となります。ただし、注意するべき点もあります。それは基本的にサポート窓口に連絡してくるのは困っている顧客のみという点です。顧客が何に困っているのかという情報は収集できますが、今後の期待に対する情報はほぼ収集できないという点には注意しましょう。

サポート窓口に似たような例としては、FAQや技術資料のアクセスログや検索ログも参考になります。どんな機能について知りたいのかを把握することで、顧客がどこで迷っているかといったような情報を知ることができますし、検索ログを分析することで顧客が何をしたいと思っているのかを知ることもできます。

そして、アンケートによるフィードバックの収集も重要です。アンケートのよい点は自分達が知りたいことを知ることができる点です。アンケートの設計さえしっかりと作り込むことができていれば、かなり客観的な意見を顧客から収集することができます。最近では、アプリの中でアンケートを取得したりすることも可能です。時々クラウドサービスを利用していると画面にアンケートのお願いが出てくることがありますが、そういった形で顧客からアンケートをとることが可能となっています。もちろん、そういった仕組みがない場合はメールなどでアンケートをお願いする形となります。

フィードバックを収集する場合、1つ必ず注意すべき点があります。それはどのバージョンにおけるフィードバックなのかという点です。場合によっては、機能に変更を加える前と加えた後で顧客からのフィードバックが変わる可能性が十分にあります。この場合、バージョンを無視してしまうと、間違った分析となってしまいます。もちろん、バージョン情報が取れない収集方法もありますが、できるだけバージョン情報は取れるようにしましょう。

続いて、集めたフィードバックの分析です。この分析のゴールは、マーケティング視点で、どのような改善を製品やサービスに加えたいかの優先順位のついたリストです。このリストを作成するために3つの観点で分析を行います。

まず1つ目が顧客のフィードバックの把握です。様々な手法で収集された顧客のフィードバックは、内容も形式もバラバラなため、それを分類して、顧客が求めているものは何かを判断する必要があります。

そして2つ目が製品やサービスが進化しようとしている方向性が正しいのかどうかの判断です。既存顧客は想定しているターゲット顧客と合っているのか、製品やサービスが提供している機能や特徴は既存顧客が求めているものなのかという点を確認します。これにより、マーケティング戦略が間違っていないのか、製品やサービスが提供する価値が間違っていないのかを判断します。

最後が、どのような優先順位で開発チームに改善を要求するのかといった順位づけになります。当然ながら、顧客の離脱要因となりそうな機能の修正は優先度が高くなります。また、客からの声が多いからといって離脱要因とならないような機能の場合、優先度は低くなります。

そして、改善点のリストができたら、それを製品やサービスに反映できるようにしましょう。マーケティングの都合で優先順位をつけたとしても、開発チームの都合や、技術的制約でその通り実現できない場合もあります。マーケティングと開発チームですり合わせをして、ビジネスとしてバランスをとった判断をし、改善を行うようにします。

改善がリリースされたらその効果を測定する必要があります。効果測定のポイントは2点です。まず1つが、リリースされた改善の方向性が正しいかどうか、もう1つがそれによりNPSが改善しているかどうかです。これらの効果測定は、アンケートで取得することが可能です。もちろん、リリースされれば新たなフィードバックが集まってきます。そのため、またCFMの最初に戻ってフィードバックを収集するといった形でサイクルを回していくことになります。

顧客からのフィードバックを収集し、分析し、反映し、評価するというサイクルを回し続けることで、NPSを向上させるようにすることが既存顧客を維持していく上では重要です。

◎ マーケティングを自走化させるフライホイールとは？

ここまでは、購買プロセスのその先にある既存顧客に対するマーケティングという観点で説明してきましたが、既存顧客の存在を前提としたマーケティングの考え方もあります。それがフライホイールです。

フライホイールは日本語で言うと「弾み車」といわれます。弾み車といわれてもイメージしにくいかと思うので、コマで想像してみてください。コマは一度回転エネルギーを加えればしばらく回り続けます。そして、もし回転エネルギーを追加で加えることができれば、最初より少ない回転エネルギーの追加で回り続けることができます。このように一度動き出せば小さな力でマーケティングが回り出す仕組みのことをフライホイールと呼んでいます（図6-10）。

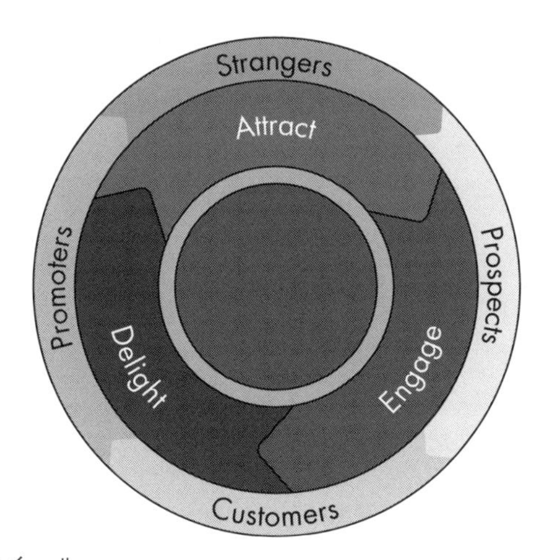

図6-10　フライホイール
出典：HubSpot「フライホイールモデル」をもとに作成
https://www.hubspot.jp/flywheel

マーケティングにおけるフライホイールは顧客のロイヤルティを向上し、それによって既存顧客がほかの人に推奨することで新規顧客を呼び込み、またその顧客のロイヤルティを向上し、新しい顧客を呼び込むというサイクルを回していく仕組みです。

このフライホイールを回していくには、回転速度、摩擦、サイズという3つの要素があります。回転速度はこのフライホイールを回すための回転エネルギーの大きさです。回転は放っておけばいずれ速度が落ち、止まってしまいます。そうならないために、マーケティング施策として顧客のロイヤルティを向上させるための施策を実施していきます。

また、どんなに回転エネルギーを加えたとしても、摩擦が大きければ、回転速度の低下は防ぐことができません。この摩擦とは、製品やサービスに対する満足度だったり、サポートやセールスへの満足度だったりします。この摩擦を減らしていくためにも、前の項で説明した顧客のフィードバックを製品やサービスに適切に反映する仕組みが欠かせません。

そして、フライホイールはサイズが大きければ大きいほど慣性の法則が強く働き、止まりにくくなります。マーケティングにおけるサイズはフライホイールの上で回っている顧客の数になります。ロイヤルティが高い顧客が多いほど、多くの新規顧客を呼び込み回転は落ちにくくなります。

これらの3要素をうまく満たしていくことで、フライホイールはより高速かつ安定して回ることができるようになり、マーケティングの手を大きくかけることなく、既存顧客が勝手に口コミを広げてくれ、ビジネスを拡大できるようになっていきます。

これをうまく実現している例がAWSです。日本のAWSではJAWS-UGというユーザーコミュニティがあります。すでに触れた通り、ユーザーコミュニティは顧客同士が情報交換をしたり、相談したりする場です。JAWS-UGでは日本全国で定期的にイベントが開催され、そこでAWSのユーザーが集まり、自分が体験したことや実験したことを発表したり、事例を発表したりしています。また、地方ごとや、AWSの活用方法ごとにサブコミュニティがあったりして、身近にAWSについて相談できる人が集まる場を作ったり、同じ興味関心を持つ人が集まる場を作ったりしています。新規にAWSを使いたいと思っている人がそのイベントに来てAWSを勉強したり、また発表内容をブログなどの記事にして多くの人が学べるコンテンツを提供したりしています。

フライホイールもいいことばかりではありません。フライホイールが回り始めるまでには相当の困難があります。フライホイールを回すための仕組みづくりで一番難しいのは既存顧客が新規顧客を生み出すようにするところです。いくら他の人に勧めたいと思っても、勧める場がなければ勧めてもらうことはできません。この場づくりの1つがユーザーコミュニティでもあります。

ただし、どんなに準備してもフライホイールを回すための条件が満たされていなければ、フライホイールは回りません。それがNPSです。どんなに他の人に勧める場を用意しても、他の人に勧めたいと思われなければ、既存顧客は他の人に勧めてもらえません。まずは、NPSを高くすることを先に考えましょう。

第7章 売り切り、サブスクリプション、多様化するソリューションの販売方法

事例 1 同じ製品やサービスでもライセンスに豊富な選択肢を持たせる

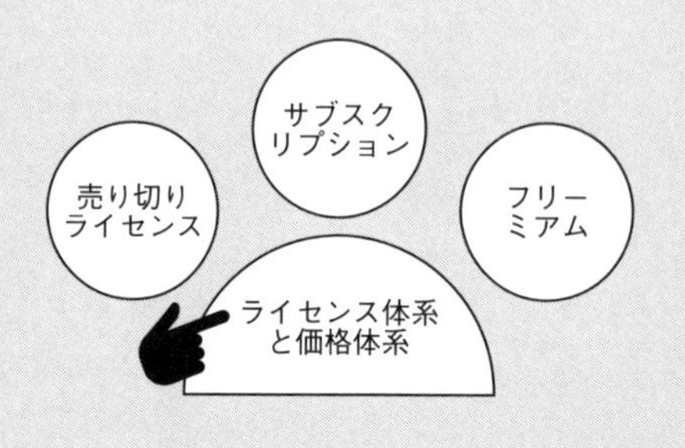

山手ソフトウェアの会議室では新しく開発された製品の価格戦略を決める会議が始まろうとしています。当初は営業チームのリーダーの御徒町さんに「どんな価格であれば売れるのか」と聞いて価格を決めようと思っていた大崎くんですが、品川先輩のアドバイスでエンジニアチームのリーダーの高田さんにも参加してもらい議論をすることにしました。

会議の冒頭、御徒町さんが競合他社の資料を見せながら要望を出してきました。

「まず、競合よりも安い価格じゃなくちゃ。とにかく新規顧客を獲得しなきゃ意味ないでしょ？　一度うちとの取引ができれば、他の案件も提案できるようになるから」

対して高田さんが、開発費用の資料を見せながら反論を始めます。

「いやいや、そんなに安く売られては困りますよ。我々の開発費用も回収しなきゃいけないですし、継続して改善をして製品をアップデートしていくための投資も必要です。それに、サポートだってしなきゃいけないでしょ。競合に比べて安くなんて売れないですよ」

その後も、「安くすべき」と「高くすべき」の押し問答が続いています。どう収拾すべきか大崎くんが悩み果てていたところ、品川先輩が助け舟を出してくれました。

「まぁ、価格だけの議論では高いか安いかの議論になってしまうので、ライセンス体系を含めて、一度マーケティングチームでドラフトを作ってみます。それをベースにもう一回議論しましょう」

7-1

多様化するソフトウェアのライセンス体系と価格体系

◎ ソフトウェアの価格設定の基礎知識

ここまでは製品・サービスの価値や情報の届け方について説明してきましたが、ほとんどの企業は営利企業であるため利益を出さなければなりません。第7章ではマーケティングミックスの4Pの中のPriceである価格体系とライセンス体系について紹介します。

ソフトウェアはライセンス販売という形式上、複雑な会計処理が必要となります。ここでは会計基準の細かい点には触れませんが、マーケターとして知っておくべき考え方を紹介したいと思います。詳しい会計処理に関しては書籍や専門家の情報を確認してください。

会計上、ソフトウェアを開発するという行為は主に下記の4種類の目的によって分類されます。

- **受託開発**
- **研究開発**
- **販売目的開発**
- **自社利用目的開発**

ここでは本書のターゲットである販売目的開発にフォーカスして説明します。販売目的のソフトウェアの開発においては、販売するソフトウェアの最初の製品マスターが完成するまでにかかった開発費用は、研究開発費として計上することになっています。最初のマスターが完成した以降の改善に関しては大きなものは研究開発費、小さなものは製作原価として資産計上されます。税務署に報告する財務会計上、研究開発費は費用として計上され、製作原価に関しては無形固定資産として計上されます。これはパッケージ製品でも、クラウドサービスでも同様に処理されます。

しかし、マーケティングで考慮すべきは、財務会計ではなく、企業としてのパフォーマンスを測定するための管理会計です。管理会計は財務会計とは異なり法令で決められた処理の仕方がありません。先ほどの財務会計では研究開発費と製作費を分けて処理するような形でしたが、管理会計においてはそれを分けることなく開発原価として捉えて考えるのが一般的です。この開発原価に加えて、販管費や一般管理費といわれる費用を合わせた総コストを回収するように価格を設定する必要があります。

ここで財務会計と管理会計の違いを説明した理由は、これらの数字を取得するには経理部門の協力が必要だからです。しかし、経理部門は基本的に財務会計の視点で会計を見ています。そこを誤解のないように正確な数字を得るためには、この違いを理解しておく必要があります。

ところで、ソフトウェアに限らず、販売する価格を決定するためには2つの視点が必要です。それが「どれだけ売れれば利益が出るのか」「いくらならば顧客は妥当だと感じるか」の視点です。

1つ目の視点では先ほど説明した総コストを回収するためにいくらでどれだけ売ればよいのかを分析しなければなりません。それが損益分岐点分析です。ライセンス体系ごとの分析に関しては後述しますが、ここでは総コストの概念だけを理解してもらえればと思います。先ほど、総コストは開発原価と販管費、一般管理費を合わせたものだと述べました。ソフトウェアの場合は形を持たない製品やサービスとなるので、基本的にはほとんどのコストが固定費となります。固定費とは販売数とは関係なくかかる費用です。ソフトウェア開発の場合は固定費となる開発担当者の人件費が多くを占めるため、ソフトウェアが売れようが売れまいがソフトウェアのコストは大きく変わりません。一方変動費は、販売数が増えれば増えるほどかかるコストを意味します。かつてソフトウェアは箱に入って販売されていたため、ソフトウェアが売れれば売れるほどかかる箱代は変動費となります。

結果、総コストのグラフは「コスト=変動費×販売数+固定費」になります。これに対して、総売上のグラフは「総売上=単価 ×販売数」です。この2つのグラフが交差する部分が損益分岐点です（図7-1）。実際には、総売上のグラフはライセンス体系によって形が異なり、複数のライセンス体系で販売する場合には、さらに複雑なものとなります。

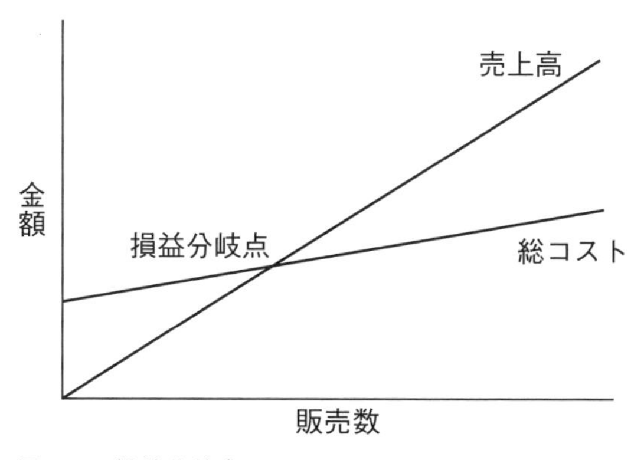

図7-1　損益分岐点

そして2つ目の視点では、顧客が妥当だと思う金額を導きだします。顧客に「いくらが妥当ですか」という質問をすれば必然的に安い価格が返ってくるため、妥当な価格を決めるためには価格需要性調査を行うことがあります。そこで使用する分析手法がPSM（Price Sensitivity Meter）分析です。PSMでは下記の4つの価格について質問をします。

- **安すぎて不安になる価格**
- **安くてお得だと思う価格**
- **高いけど品質が良ければ購入する価値があると思う価格**
- **高すぎて品質が良くても購入の検討ができないと思う価格**

そして、それらの価格の積み上げの折れ線グラフを作成します（図7-2）。

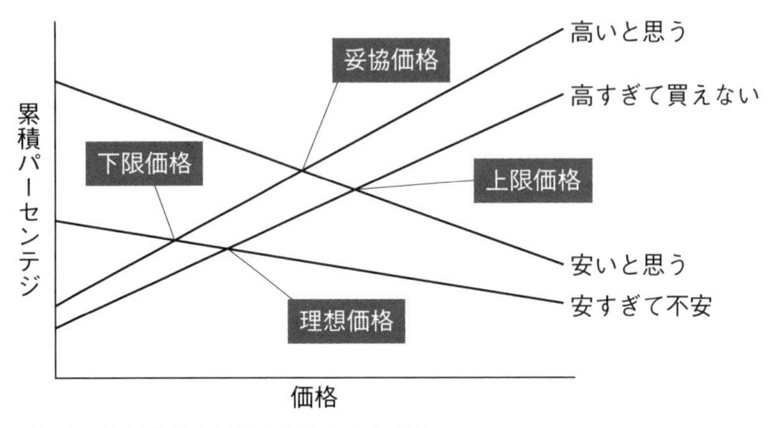

図7-2　PSM分析の結果を反映させたグラフ

これらのグラフの交点を価格設定の基準値とします。上限価格、下限価格をとりうる価格帯の幅として、その中で利益を取りに行くのであれば妥協価格、販売数を取りに行くのであれば理想価格に寄せていく手法になります。実際には例のように比例や反比例のグラフにはなりませんが、分かりやすさの観点から直線で記載しました。

PSM分析はあくまで正しくその商品の価値を理解してもらった上で、回答してもらうことで、正確な分析を行うことができます。また、PSM分析は300〜500のサンプルが必要といわれています。そのため、B2BにおけるITの製品やサービスに関しては、リリース前の段階では十分な調査ができない可能性があります。そのため、リリース後に既存顧客に対してPSM分析で調査を行い、価格改定を行うというケースも少なくありません。

最終的には損益分岐点と価格需要性調査に加えて、競合との価格優位性、ライセンス体系を考慮して価格の決定を行います。実際のITの製品やサービスに対する価格設定はかなり複雑で、その特性によって大きく計算ロジックが異なります。そのため、本書では基本的な部分のみを紹介します。

◎ 収益構造を決めるライセンスの体系をどう考えるか

ソフトウェアに関してはライセンス体系が決まって初めて価格の検討ができるようになります。ライセンス体系はライセンスを付与する単位を決定する要素です。そのため、ライセンスの付与単位×単価が売上という形になります。

ソフトウェアのライセンス体系が分かりづらい原因の1つが付与単位の多様性です。ライセンスの付与単位は付与対象と期間があり、付与対象と期間の組み合わせでライセンス体系が決定します。現在一般的に採用されているライセンスの単位を紹介していきたいと思います。

まず、ライセンスの付与対象です。何に対してライセンスを付与するのかの観点になります。一般的な付与対象はユーザーやデバイスです。例えば、Microsoft 365はユーザーに紐づきます。この場合、同じユーザーであれば複数のPCでMicrosoft 365を利用することができます。一方、Windowsはデバイスに紐づきます。Windowsは1つのデバイスで複数のユーザーが利用することができます。また、コーポレートライセンスという形で、企業に紐づくライセンスもあります。コーポレートライセンスの場合は、使用できるユーザー数の上限を決めて、それに応じた価格が設定されます。コーポレートライセンスはB2B向けのクラウドサービスの場合によく用いられるライセンス体系です。他にも、サーバーライセンスやCPUライセンスという形でライセンス体系が設定されている場合もあります。サーバーライセンスは、アプリケーションをホストするサーバーに紐づくライセンスで、3台のサーバーで稼働すると、3台分のライセンスが必要となります。また、CPUライセンスはアプリケーションをホストするサーバーに設置されているCPUに紐づくライセンスで、たとえばサーバーが3台であってもCPUがそれぞれ2台ずつ設置されていれば合計6CPU分のライセンスが必要になります。

場合によっては、コアライセンスとサブライセンスという形で、多重的に設定されたライセンス体系もあり、サーバーにインストールする製品に対するコアライセンスが存在し、そこに接続するためのサブライセンスが必要となるといったケースもあります。しかし、あまり複雑にしてしまうと、顧客のライセンス管理が煩雑になってしまい、敬遠されてしまう可能性もあります。価格に加えて、ライセンス管理の容易性に関しても重要視している顧客も少なくありません。少なくとも、できるだけライセンス管理が容易になるようにしましょう。

また、ライセンスの付与対象とは別に、ライセンスが許諾される期間もライセンス体系の要素となります。かつてはライセンスの期間といえば永続ライセンスが一般的でしたが、最近ではサブスクリプション形式が増えてきました。そのため、ライセンス体系として期間が考慮されるようになっています。サブスクリプションモデルはクラウドサービスでの採用が一般的ですが、デバイスにインストールするようなクライアントアプリでの利用も増えてきています。Adobeはいち早くAdobe CCという形で、クライアントアプリのサブスクリプション化に踏み切りましたが、Microsoft 365も現在ではクラウドサービスとセットでクライアントアプリのライセンスをサブスクリプション形式で提供しています。

永続ライセンスの場合は、一度付与されるとずっと使い続けられる半面、変化に対応できない場合もあります。そのような場合にはアップデートライセンスやアップグレードライセンスという補助的ライセンスを提供することで、対応を可能にすることもあります。

何をラインセンスの対象とするのか、ライセンスの期間をどうするかは、製品やサービスによって自由に設定できます。そのため、ライセンス管理の容易性の観点で、競合となる製品やサービスとの差別化要因として競合と異なるライセンス体系を設定することもあります。

また、ライセンス体系を柔軟にするために、1つの製品やサービスで複数のライセンス体系を設定することもあります。同じ製品やサービスでも永続ライセンス版とサブスクリプション版の両方が存在することも珍しくなくなりました。

さて、価格を決めるという点でのライセンスについて少し説明したいと思います。基本的にライセンス体系の中で収益構造に大きく影響を与えるのは期間です。永続なのか、サブスクリプションなのかでコストの回収モデルが変わってきます。永続ライセンスの場合は、顧客を獲得した時点でまとまった売上が立つため、早期にコストを回収することが可能です。しかし、ビジネスを拡大するためには常に新規顧客を獲得し続けなければなりません。サブスクリプションモデルはサービス導入後も継続して収入が入ってくるため、新規顧客獲得の努力は少なくてすみます。一方で、1回の売上は少ないため顧客維持の努力をする必要があります。

ライセンスの付与対象も価格を決定するにあたって影響を与えないわけではありません。ライセンスの付与対象は企業単位とするのか、デバイス単位とするのか、ユーザー単位とするのかによって1ライセンスあたりの単価の決め方が変わってきます。当然、ユーザー単位であれば1ライセンスあたりの価格は低くなりますが、企業としての総額は高くなります。逆に企業単位であれば、ライセンス単位の価格は高くなりますが、企業全体としてみた場合、1ユーザーあたりの価格は安くなり、全体として支払う金額が安くなります。

このようにライセンス体系次第でコストの回収モデルが異なり、それによってライセンスの価格設定が変化するため、提供側にとっては価格設定が複雑になってしまう傾向にあります。実際、マイクロソフトには全製品の全てのライセンス体系を記載した価格表という資料がありましたが、非常に膨大で、担当製品の価格表ですら理解するのには苦労しました。

ライセンスは選択肢を増やして顧客が得するライセンスを得られるようにするのか、選択肢を減らして分かりやすくするのかは意見が分かれるところです。しかし、基本的には分かりやすいライセンス体系と分かりやすい価格体系の方が顧客には納得感が高くなります。

◎ サポート費用とサポートサービスの関係

ソフトウェアビジネスにおいてはライセンス以外にも発生する費用がいくつかあります。その中で、ライセンス体系に関わらず発生する可能性がある費用がサポート費用です。一般的には製品を購入するとサポートがついてくると思うかもしれませんが、最近では追加のサポート費用を支払うことでより手厚いサポートを受けるような形式をとっている企業も少なくはありません。有償のサポート契約をしていない顧客に対しては、問い合わせ窓口はWebのみで、回答に関してもベストエフォートということも珍しくなくなりました。

なぜこのような対応に変化してきているかというと、製品やサービスにかかるコストを抑えるためです。コストを抑えるというと、利益を追求するためだと思われるかもしれませんが、それは正しくありません。本当に手厚いサポートが必要な人は顧客の中ではごく一部です。大半の顧客はサポートに問い合わせることなく、製品やサービスを使用しています。サポート費用を製品やサービスのライセンス費用に含める場合、ごく一部の手厚いサポートが必要な顧客のためのサポートのコストを、サポートに問い合わせない顧客を含めた全てのライセンスの売上の中から賄わなければなりません。顧客が増えればサポートの人数を増やさなければならないため、サポートのコストはソフトウェアのビジネスでは珍しい変動費になります。そのため、サポートにかかるコストを外出しすることは、製品やサービスにかかるコストを下げることに大きく寄与します。その結果、ライセンスの価格を安く抑えることができるようになります。つまり、ベースとなるライセンス費用は安く抑え、本当に必要としている人にのみサポート費用を負担してもらい手厚いサポートを提供するという仕組みを作っているのです。

もう少し詳しくサポート費用とサポートのコスト、そしてサポートのサービスレベルについて見ていきたいと思います。サポートに無償のサポートと有償のサポートがあるのですが、有償のサポートは多くの場合で何段階かにレベル分けされています。すこし、例を見てみましょう（図7-3）。

	月額費用	問い合わせ方法	一次回答SLA	対応可能時間
無償	無償	Webフォーム	ベストエフォート	ベストエフォート
ベーシック	50,000円	メール	1営業日以内	平日営業時間
プレミアム	500,000円	電話、メール	6時間以内	24時間365日

図7-3　サポートのレベル分け

この例では問い合わせ方法や一次回答までの時間保証、対応可能時間などに違いを持たせ、それに応じてサポート費用を設定しています。このサポート費用の算出根拠となるのが、サポート担当者の配置コストです。あくまで、稼働コストではなく配置コストである点に注意が必要です。サポート作業は実際に問い合わせがあるかないかに関わらず、一次回答SLA（回答期限）や対応可能時間帯に対応できる体制を作っておかなければいけません。実際には稼働していなくても人を配置しておかないと、問い合わせが発生したときに約束したサポートレベルを満たすことができません。そのため、その体制を維持するためのコストを、サポート費用で稼がなければなりません。もちろん、体制を維持するといっても、サポートレベルごとにチームを作るのではなく、無償も含めたサポート体制の中でサポートレベルを遵守できるような体制を作ります。

有償でのサポート契約は問い合わせをしなくてもかかる費用なので、顧客にとっては損をした気分になるかもしれません。しかし、もし万が一の時に手厚いサポートを得られるという保険のようなものです。顧客にはこの点を理解してもらう必要があります。逆に、ライセンス費用を支払っても手厚いサポートが得られないという顧客には、手厚いサポートを行わないことで、ライセンス費用にコストが還元されていることを理解してもらう必要があります。

事例 2 「そんなに高いものは買えない」と言われがちな売り切りライセンス

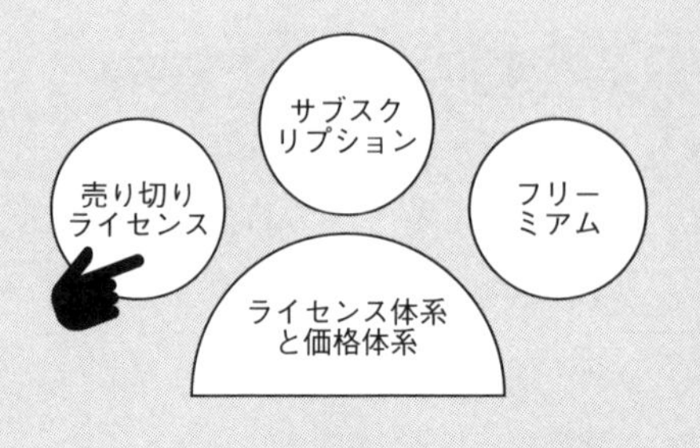

先日の会議の後、価格戦略について少し勉強してきた大崎くんですが、結局どのような価格に設定すればよいのか分からず思い悩んでいます。品川先輩はライセンス体系も含めて考えるといっていましたが、まだそこまで考えられず、とりあえず今まで通りの売り切りのライセンスで考えてみることにしました。

色々と条件を考えて採算計算をしてみましたが、競合よりも安い価格で販売した場合、いつまで経っても開発費用を回収できそうにもありませんでした。そこで営業チームのリーダーである御徒町さんに「なんとかこの価格で販売できませんか？」といったところ、「この価格じゃ、『そんなに高いものは買えないよ』と言われちゃうよ」と突き返されてしまいました。

そこで困ってしまった大崎くんはいつものように品川先輩に相談することにしました。すると、品川先輩がこんなヒントをくれました。

「まず、売り切りのライセンスとはいっても、ライセンス料だけで将来のアップデートの分の開発費用まで稼ぐ必要はないよ。B2Bでの売り切りライセンスの場合、保守費用という形で、新規契約の翌年から定期的にお金を支払ってもらうことも普通に行われているんだよ」

そんなアドバイスに加え、こんなことも教えてくれました。

「製品に競合よりも強い競争力のある機能があれば、価格面で競合よりも高い価格で買ってもらえることもあるんだよ」

7-2

売り切り販売の価格設定と保守費用

◎ 売り切りライセンスの価格戦略

売り切りライセンスは、一度購入したら永続的に使用できるライセンスのため、永続ライセンスとも呼ばれています。一般的にはオンプレミスでサーバーにインストールするサーバー製品や、クライアントPCにインストールするデスクトップ製品に適用されることが多いライセンス体系です。従来のライセンス管理方法はライセンスコードやライセンスファイルといった仕組みで認証していましたが、最近は不正利用防止の観点からインターネットに接続してアクティベーション処理を行うようなことも増えています。

売り切りライセンスでは最初にライセンス費用を全額受け取ることができるため、開発費用の回収が容易な点がメリットです。逆にいえば、この最初に受け取ったライセンス費用で開発の原価は全て回収しなければなりません。これは一般的な消費財と同じで、価格戦略も同様の戦略をとることができます。ここで使える価格戦略にはペネトレーション価格とスキミング価格という、代表的な2つの戦略があります。この2つについて少し説明したいと思います。

まず、ペネトレーション価格についてです。ペネトレーションとは日本語で「浸透」を意味します。ペネトレーション価格は、価格を抑えることにより、市場への製品やサービスの浸透を早めることで数量を多く販売することを目的とした価格戦略です。すでに多数の競合が市場に参入していて、イノベーティブな差別化要因がない場合はこの戦略をとります。ペネトレーション価格は、価格を抑えて販売するからといって必ずしも競合より安い価格で販売することを意味していません。競合が多数参入しているということは、その製品やサービスのカテゴリーにおける妥当な価格が存在するということです。その価格帯に合わせていくこともペネトレーション価格といえます。あくまで、開発費用の回収の観点であり、競合に対して価格的に優位に立つといった意味ではありません。ペネトレーション価格のデメリットとしては、開発の原価の回収に時間がかかることに加え、すでに利益率を低く設定しているので、大胆な値下げがしづらいという点にあります。そのため、設定できる価格の幅は狭くなってしまいます。

もう1つがスキミング価格です。スキミングとは日本語で「上澄みを掬い取る」といったような意味です。スキミング価格は価格をあえて高く設定することで、少ない数量の販売でも一気に開発の原価を回収することを可能とする価格戦略です。イノベーティブだったり、ブランド力があったりするような製品やサービスなどで採用されます。市場に競合がいなかったり、いたとしても十分に強い差別化ができたりする場合は、その価値に顧客が高い費用を払う可能性は十分にあります。逆にいえば、その価値を製品やサービスとして作り込めていなければうまくいかない戦略です。スキミング戦略のメリットとしては、開発の原価の回収が早いのに加えて、価格をコントロールすることで徐々に市場を広げていくことができる点です。最初は高価格帯でイノベーティブな顧客を狙い、その市場が飽和したり、競合が現れたりしたら、価格を下げて次の層を狙うということもできます。

スキミング戦略のデメリットは値上げがしづらいということです。市場への浸透を目的とした価格設定なので、当然、ある程度の市場規模でシェアをとらなければ開発の原価の回収ができません。販売数が思うほど伸びないからといって、追加開発を行い、その開発費用を回収するために値上げをしてしまったら、さらに販売数を落とすことになりかねません。そのため、十分な市場規模の分析と販売予測を行っておく必要があります。

これら2つの価格戦略はあくまで考え方なので、明確な区別はありません。場合よっては中庸となる戦略をとることもできます。実際に価格を設定する場合は、市場の状況や競合に対する自社の製品やサービスの立ち位置を考慮してどちら寄りの戦略を取るべきか考えていきます。その上で、先ほどでてきたPSM分析や損益分岐点分析を行って、価格と販売ライセンス数のシミュレーションを行いながら、適切な価格設定と総コスト回収のプランの検討を行います。もちろん、競合がすでに市場にいるようであれば、競合の価格設定を考慮に入れる必要がありますし、ITへの投資動向なども調査して顧客の懐具合も考慮する必要があります（図7-4）。

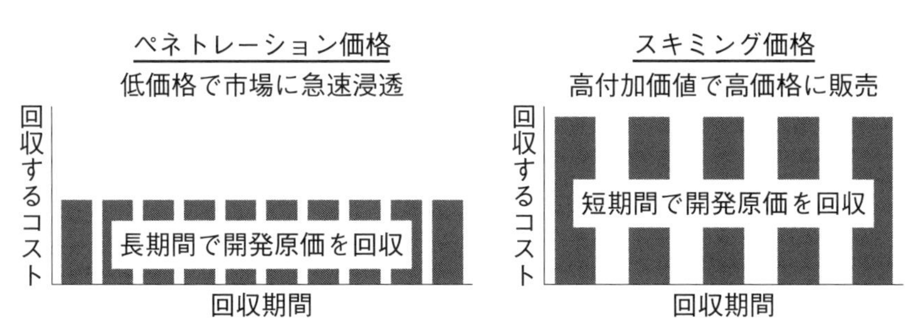

図7-4　ペネトレーション価格とスキミング価格

スキミング価格でもペネトレーション価格でも、売り切りライセンスであればサブスクリプションモデルよりも早く開発費用を回収できます。製品やサービスの提供側にとってのメリットです。一方で、顧客にとってのメリットは、一度購入したライセンスが値上がりすることがない点です。サブスクリプションの場合は、一般的に製品やサービスが成熟していくにつれて、値上がりしていきます。新しい機能を使おうが、使わまいが、値上がりしたサブスクリプション費用を支払わなければなりません。一方、売り切りライセンスの場合は最初に全て支払ってしまっているので、価格変動は関係ありません。

ただし、これは逆にいえば製品やサービスの提供側がライセンス費用で継続的に収入を得ることができないというデメリットでもあります。もちろん、そうなっても大丈夫なようにシミュレーションをして価格設定をすべきですが、ライセンスが市場に十分浸透してしまった場合、継続した開発ができなくなってしまいます。そのため、定期的にライセンス費用とは別の形で売上を立てる保守費用という仕組みが存在しています。この保守費用は定期的に費用が発生する仕組みではありますが、サブスクリプションとは異なる仕組みです。この後、この保守費用について説明していきます。

◎ 保守費用の価格と保守に含まれるもの

売り切りライセンスを購入した場合、ライセンス費用とは別に保守費用がかかるのが一般的です。個人向けのソフトウェアの場合には保守費用がかからないことがほとんどですが、B2Bの場合はほとんどの場合に保守費用がかかります。

この保守費用はサブスクリプションとは異なり、支払わなかったからといって購入したライセンスが無効になったり、失効したりすることはありません。主にバージョンアップやセキュリティパッチの対応、ソフトウェアの修正といったサービスを受けるための費用になります。基本的に、売り切りのライセンスの場合、ライセンスを提供されるソフトウェアのバージョンは固定されています。購入した最初の1年は保証の意味もあり、バージョンアップやセキュリティパッチの対応、ソフトウェアの修正のサービスが提供されることも多いですが、2年目以降はこれらのサービスを受けるためには保守契約を結び保守費用を支払わなければなりません。また、前に述べたサポート費用がここに含まれる場合も少なくありません。つまり、売り切りライセンスを所有していても、保守契約を結んでいない状態ではソフトウェアを利用する権利は持っているものの、問題が起こった場合に対処しようがない状態ともいえます。実際、この保守契約をしていなかったために、セイキュリティホールから侵入されてしまい、データを盗まれたり、データを人質に取られてしまったりという事例をよく聞きます。一見、ソフトウェアが使えるのに、追加で保守費用を支払わなければならないのは無駄なように見えますが、安全な状態で使用できるようにすることは非常に重要なことであることを顧客に納得してもらう必要があります。

さて、この保守費用をマーケティングの観点から見ていきましょう。まず、マーケティング的視点で一番のメリットは、顧客との接点を持てるという点です。年に1回とはいえ、更新のタイミングで顧客との接点ができます。営業担当が訪問することもあれば、オンラインでの更新という形かもしれません。いずれにしても、連絡をして接点が持てるということは顧客から情報を聞き取る機会が得られるということです。売り切りライセンスの場合、一度売ってしまったらどういう状況にあるのかの把握が難しくなってしまいます。しかし、保守契約の更新があれば、アンケートなり、ヒアリングなりの形で様々な情報を得ることができます。例えば、現在使用しているソフトウェアのバージョンや、ユーザー数などです。アンケートやヒアリングという形ではなくても、契約更新の有無で継続して使用しているかを判断できます。これは非常に重要な情報です。今まで保守契約を継続していた顧客が、保守契約の更新をしなくなったら、その顧客は自社の製品やサービスを使わなくなってしまった可能性が高いということです。こういった情報が得られるのが保守契約、特に保守契約更新のメリットです。

また、先ほど述べたように、保守契約を結んでいない状態の顧客は危険な状態であるため、納得をして保守費用を支払ってもらうようにする必要があります。アップデートをするためのソフトウェア開発も無償ではありません。コストをかけて安全なソフトウェアにするために開発費用をかけてセキュリティパッチの開発やソフトウェアの修正を行います。そのためこのアップデートに対する対価として、保守費用を支払ってもらう点に納得してもらう必要があります。

保守契約を結んでもらうのは、顧客の環境を安全なものにすることに加え、自社の製品やサービスの評判を落とさないようにするためでもあります。もし、何かトラブルがあった場合に、その製品やサービスに対する悪い評判が立つ可能性は十分にあります。なぜなら、世間一般では保守契約の存在を知られていないため、製品やサービスに問題があると思われてしまうためです。

一般的に、保守費用は売り切りのライセンス費用の15%～20%を年額として設定しています。この価格設定は業界の慣習のようなもので、ほぼ全世界でこの価格設定がなされています。保守費用として定額が設定されている場合もありますし、売り切りライセンスの費用に対して何%という形で設定されている場合もあります。何%という形で契約している場合は、販売時の値引きなどが影響を与えるケースもあります。最初の値引きが後々まで影響を与える可能性があるので、売り切りライセンスの定価に対しての割合にするか、保守費用を定額に設定しておく方が望ましいです。

また、しばらく保守契約を結んでいないのに、バージョンアップのときだけ保守契約を結んでバージョンアップをしたいという顧客も出てきます。しかし、それを許してしまうと他の顧客に対して公平性がなくなってしまいます。そのため、保守契約に空白期間がある場合は、空白期間分を遡及請求する形で保守契約を再度有効にするというやり方が一般的です。

事例 3 低価格なサブスクリプションでコスト回収できるのか

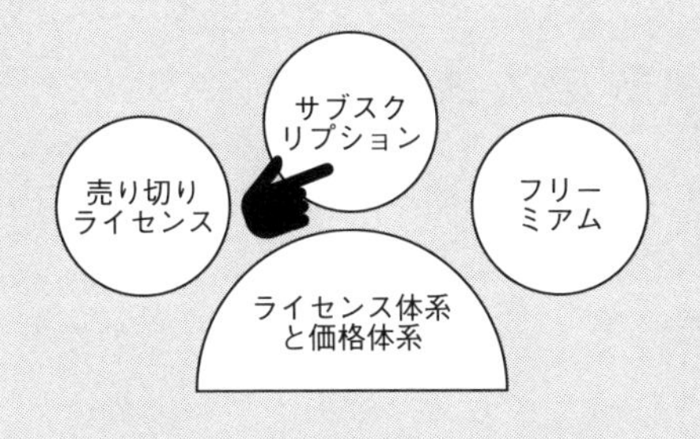

売り切りライセンスでの価格設定に悩んでいる大崎くんをみかねて、品川先輩が声をかけてくれました。

「クラウドサービスじゃなくても、サブスクリプションモデルを採用してもいいんじゃないかなぁ。ほら、Adobeも Adobe CCでサブスクリプションモデルやってるでしょ」

そういわれれば、確かにそうだと思った大崎くん、早速サブスクリプションモデルのライセンスと価格設定について調べてみました。確かに、この方法であれば1回1回の支払額は安くなります。それに最初こそ赤字が続くものの、計画通りに行けば2年目後半から黒字化して3年目半ばには累積赤字も解消できそうです。そこで、資料をまとめて営業チームのリーダーの御徒町さんとエンジニアチームのリーダーの高田さんにみてもらうことにしました。

御徒町さんは「確かに新規顧客が増えるのはありがたいけど、初年度は努力してもこれしか売上上がらないのかぁ。なんか、営業の評価下がりそうなんだけど大丈夫？」と不安そうな顔。高田さんも「初年度は全然開発費用を回収できないよね。これって大丈夫なのかな？　確かに、3年後には回収が終わるのは理解できるけど」とこちらも不安そうで、大崎くんは品川先輩に相談してみました。

「役員にそういうビジネスだと理解してもらう必要があるよね。役員さえちゃんと理解してくれれば社内的には問題なく進むはずだよ。もちろん、評価の仕方だって変えなきゃいけないし、我々がビジネスの状況分析するために使用する数字も変わってくるからね」

7-3 サブスクリプション特有の価格設定方法

◎ サブスクリプションの価格設定方法

サブスクリプションは売り切りライセンスとは異なり、ある一定期間の使用権を提供するライセンスです。期間を区切ることで、売り切りライセンスよりもかなり安い価格で、期間単位のライセンスを取得することができます。クラウドサービスでよく使用されるライセンス体系ですが、最近ではクライアントアプリでもサブスクリプション形式のライセンスを設定しているものも少なくありません。先ほどから紹介しているMicrosoft Officeもサブスクリプションでクライアントアプリが使用できますが、2012年にAdobeがAdobe Creative Cloudをサブスクリプションで提供するという発表をしたときは衝撃的でした。実は、クライアントアプリとはいいつつ、どちらもクラウドサービスが付属しているので、純粋なクライアントアプリではないですが、主な価値としてはクライアントアプリなので、特殊といえば特殊です。

そんなサブスクリプションの価格ですが、売り切りライセンスとの大きな違いは、売上の計算に時間の概念が加わることです。1つの顧客から得られる売上の概念が、売り切りライセンスでは単価×ライセンス数であったのに対して、サブスクリプションでは単価×ライセンス数×期間という式に変わります。ライセンス数は売り切りライセンスでもサブスクリプションでも同じであるため、期間の概念が加わることで単価の価格が安くなります。これが、売り切りライセンスよりも契約期間単位の単価がかなり安くなることの理由です。開発費用を回収するためにはある程度の期間利用をしてもらわなければなりません。

しかし、売上の成長率という意味では、売り切りライセンスと比べてサブスクリプションの方が圧倒的に大きくなります。その原動力がARR

(Annual Recurring Revenue) という数字で、日本語では「年間経常収益」と呼ばれます。Annualは年間、Recurringは繰り返し、Revenueは売上です。つまり年間で繰り返し入ってくる売上 (ARR) となります。このARRに、顧客が離脱したことで失った売上と、新規に顧客を獲得したことで追加された売上を加味して翌年のARRになります。これを概算式で表すとこのようになります。

翌年のARR = 今年のARR − (離脱顧客数 x 年間顧客平均単価) + (新規顧客数 x 年間顧客平均単価)

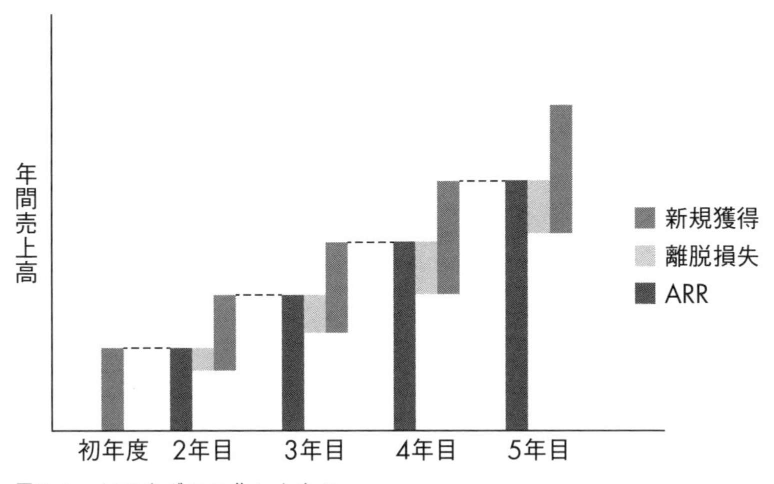

図7-5 ARRをグラフ化したもの

新規獲得の部分の伸びが金額こそ違っていますが、売り切りライセンスの売上の伸びとなるので、いかに、サブスクリプションの成長率が高いかということを理解できるかと思います (図7-5)。価格を決定するには、顧客数の変化と年間顧客平均単価をシミュレーションしながら、開発費用をどのようなペースで回収していくかを検討しなければなりません。当然、開発費用は初期開発だけの費用ではなく、製品やサービスの改善が必要となるため毎年必要となる費用です。そのため、単年度の収支だけでなく、累積の収支をシミュレーションすることになります。

ある程度シミュレーションで目標となる年間顧客平均単価を決めたら、それをどのような構成で実現するかを検討します。サブスクリプションに限った形ではないですが、ユーザー数やコンピューティングリソース量によって段階的に変化する価格設定が増えています。特にサブスクリプションでは顕著で、顧客にできるだけ大規模に使用してもらえるように、スケールメリットを感じてもらえる様々な料金体系を設定するのが一般的です。ここではユーザーを例に挙げて紹介しますが、サーバー数、デバイス数など適宜読み替えてください。

まずは、ユーザー単価固定のパターンです。この価格設定ではスケールメリットが全くありません。ユーザー数が増えれば増えるほど直接的にサブスクリプション費用が増えていきます。

それに対するのがユーザーステップ単価です。この価格設定では、ある一定のユーザー数に達すると、それ以上のユーザーの単価が下がる仕組みです。具体的な例でいうと、1～100ユーザーの場合は1ユーザーあたり100円で、101～200ユーザーまでは1ユーザーあたり90円になります。注意すべきは130ユーザーの場合、90円×130ユーザーで11,700円になるのではなく、100円×100ユーザー＋90円×30ユーザーで12,700円になる点です。これは100ユーザーと101ユーザーの場合を比べて見ると理由がわかるかと思いますが、先ほどの最初の例で計算すると100ユーザーの場合は10,000円、101ユーザーの場合は9,090円となり、逆転現象が発生していまいます。こうなると顧客に混乱を与えかねないため、段階的ユーザー単価の足し上げの計算をするのが一般的です。

そして、ティア価格というものもあります。ティア価格は100ユーザーまでなら何ユーザー使っても一律10,000円、200ユーザーまでは何ユーザー使っても一律18,000円といった形で、ユーザー数を厳密に管理しない価格設定です。この価格設定を採用するのは、ユーザー数が外部の顧客などで、自社で厳密に管理できない場合です。一見、ある一定量を超えると一気に価格が上がるので、顧客に嫌がられそうですが、管理コストを考えるとこちらの方が喜ばれるケースも少なくありません。

ここでは代表的なものを紹介しましたが、他にも様々な価格設定方法があります。かなり複雑な設定方法をしている製品やサービスもありますが、できるだけ請求金額を顧客が予想しやすいようにしておくことも重要です。

最後に、サブスクリプションの価格帯の設定について説明しておきます。売り切りライセンスほどではないですが、ペネトレーション価格とスキミング価格のように、価格帯はある程度変えていくことができます。サブスクリプションの場合、一度使い始めてしまうと乗り換えづらいという面もあり、多少の値上げであれば、それが離脱につながることはほとんどありません。私も何度かサブスクリプションの値上げの実施を経験していますが、顧客から一時的にネガティブな意見が来ることはあっても、離脱につながることはほとんどありませんでした。そのため、サブスクリプションでの販売初期はある程度価格帯を下げ、製品やサービスの浸透を目指し、その後徐々に値上げをして回収を早めるということも可能です。

◎ サブスクリプションにおける期間の考え方

すでに述べた通りサブスクリプションには期間の概念があります。サブスクリプションは一回一回の支払い金額が少なくなるため、いかに長く契約してもらえるかが重要になります。個人での利用の場合は月額での支払いというイメージが強いかもしれませんが、B2Bでは必ずしも月額設定ばかりではありません。実際は多くの製品やサービスにおいて年額支払いの設定をしています。年額支払いの場合は一般的に10〜11ヶ月分の費用で利用できるように価格が設定されています。これは顧客にとってメリットがあるのはもちろんのこと、提供側の企業にも入金管理が容易になるというメリットがあります。

逆に月額の場合は新規顧客を取り込みやすいというメリットもあります。新規顧客は本当にその製品やサービスが使い物になるのか、組織にとって価値を発揮できるものなのかの確信を持てていない場合があります。そのため、小規模で始めて、うまくいけば広げていくという展開方法をとる場合も少なくありません。

そのため、可能であれば月間契約と年間契約の両方を提供できるようにしておくことが得策です。月間契約で新規顧客を確保しやすくしつつ、年間契約で長く使い続けてくれる顧客を囲うという2段構えにすれば、都合がよい方を顧客が選んでくれます。ただし、月間契約と年間契約の両方を持つのは、管理がそれなりに複雑になり、コストもかかります。もし両方が難しいようであれば、新規顧客を獲得できる月間契約を優先していきましょう。

また、サブスクリプションでは月間、年間といった契約の単位期間を考えるのに加えて、先ほども述べた通り、いかに長い期間契約を継続してもらえるかという点も重要です。そういった観点で、顧客のロイヤルティの向上は欠かせません。

長期に契約を続けてもらうために気にすべき指標が、第6章でも出てきた離離脱率（Churn Rate）です。離脱率が少なければ長期にわたって売上を得られますが、離脱率が高ければどんなに新規顧客を獲得しても短い期間でどんどん顧客が離れていってしまいます。この離脱率ですが、大きく分けて2つの考え方があります。1つが顧客数ベースの離脱率であるカスタマーチャーンレート（Customer Churn Rate）、もう1つが売上ベースの離脱率であるレベニューチャーンレート（Revenue Churn Rate）です。

カスタマーチャーンレートは一定期間内にどれだけの顧客が離脱したかの離脱率です。数式で示すとこのようになります。

カスタマーチャーンレート＝期間で解約した顧客数÷期初の顧客数

無償プランがある場合は、サブスクリプションとして費用を支払ってくれる顧客のみを顧客として測定します。一方、レベニューチャーンレートは一定期間内の解約やダウングレードによって、いくらの売上が失われたかの離脱率です。レベニューチャーンレートにはグロスレベニューチャーンレートとネットレベニューチャーンレートがあります。グロスレベニューチャーンレートは解約やダウングレードによる損失のみにフォーカスしたチャーンレートです。数式で示すと次のようになります。

グロスレベニューチャーンレート＝期間内の損失額÷期初の経常収益

期初の経常収益とは本章の初めに出てきたRecurring Revenueのことです。期間が年間とは限らないため、ARRではありません。

一方ネットレベニューチャーンレートは解約やダウングレードによる損失だけではなく、アップグレードやアップセル、クロスセルなどで増収となった部分も含めて計算します。式で示すと次のようになります。

ネットレベニューチャーンレート＝（期間内の損失額-期間内の増収額）÷期初の経常収益

注意すべき点は期間内の増収額には新規獲得した顧客からの売上額は含まない点です。あくまで期初にいた顧客がどのように変化したかをチェックする指標です。また、期間内の増収額が損失額を上回り、ネットレベニューチャーンレートがマイナスになることがあります。この状態は、新規顧客を考慮から外しても、既存顧客だけでもビジネスが成長しているという状態です。これをネガティブチャーンと呼びます。

チャーンレートの基準値は産業や業態、B2CかB2Bかによって異なってるためはっきりとしてものがありません。ただし、カスタマーチャーンレートに関しては、Recurly社が調査レポート※1をだしており、B2BにおけるSaaSの月間チャーンレートの平均は月間で3.5%となっています。ま

※1 https://recurly.com/research/churn-rate-benchmarks/

た、一般的にはカスタマーチャーンレートが3%を切るのがよい状態といわれています。

このチャーンレートの改善は最初に説明した通り、いかに長く契約してもらうかを測る指標です。そして、その期間が長くなれば長くなるほど、その顧客が生涯で支払ってくれる金額が増えていきます。この顧客が契約期間中にもたらす価値を表す数字が顧客生涯価値(LTV)です。サブスクリプションにおける顧客生涯価値を数式で表すとこのようになります。

顧客生涯価値=顧客平均単価÷カスタマーチャーンレート

サブスクリプションビジネスにおいてはこの顧客生涯価値を最大化していくことを重要視します。

◎ 疑似的従量課金制を実現するクレジット制

サブスクリプションは基本的に定額での請求のイメージがありますが、従量課金のような請求額が変動するような形式もあります。AWSやAzureの従量課金がよい例です。しかし、このような従量課金は利用者が自由度の高い利用と無駄のない費用を実現する一方、いくら請求されるかわからない欠点もあります。加えて、提供側にとってもデメリットがあります。請求金額が利用後にならないとわからないため売上が読みづらいことと、場合によっては売上の回収ができないというリスクも存在します。

これを完全には解決しないものの、その代替となるような手法がクレジット制です。クレジット制とは回数券のようなもので、サブスクリプションの費用に含まれていたり、別途前払いで購入したりします。顧客は、手に入れたクレジットの範囲で使用したい機能を使用したい時間使用します。使用する機能や仕組みによって消費するクレジットが異なり、どの機能や仕組みをどれくらい使用したかによって最終的に消費されるクレジットが決定されます。顧客にとっては従量課金のように使用することができ、かつ前払いで売上が立っているので提供側も安心して提供することができます（図7-6）。

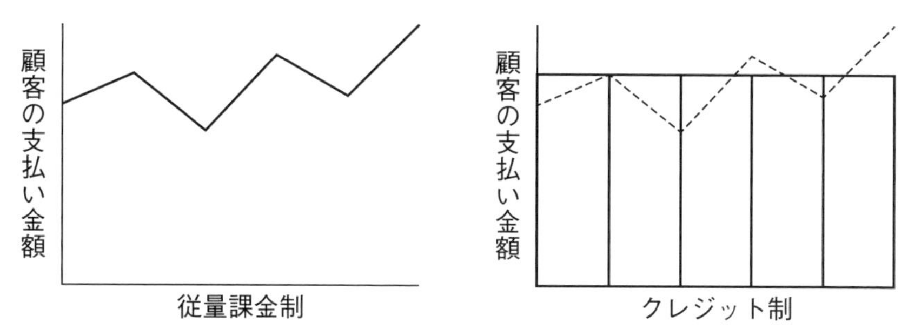

図7-6　従量課金制とクレジット制の違い

クレジット制の運用方法も、クレジットの粒度、提供方法、不足した場合、余った場合の対応があり、対象となる製品やサービスの特性によって異なります。それぞれのパターンを説明していきたいと思います。

まず、意外と重要なのがクレジットの粒度です。クレジットの粒度とは、1クレジットあたりの単価です。1クレジットあたりの単価は売上の観点ではなく、消費の観点で判断する必要があります。

例えば、AWSやAzureのようなクラウドプラットフォームのようなコンピューティングリソースという細かい単位に対して課金する場合、1クレジットは数円から数十円という単位になることもあります。これは無駄をできるだけ少なく使いたい場合などに有効なクレジットの粒度です。1方、1クレジットの粒度が大きいサービスもあります。それは研修サービスやサポートサービスのようなある程度まとまったサービスを利用するような場合です。研修やサポートの場合、作業時間単位だったり、研修コース単位だったり、または参加人数といった単位で課金されます。

続いて、クレジットの提供方法です。クレジットの提供方法は大きく分けて、サブスクリプションの費用に含まれるパターンと、別途購入するパターンがあります。サブスクリプションの費用に含まれる場合の多くは、標準機能の使い方に多様性があり、どの機能を使うかによって価値やコストが大きく変わる場合です。それぞれの顧客が柔軟に使用するために、従量課金をする代わりにクレジットを提供し、その範囲で機能を使用してもらう方法です。逆に、別途購入の場合は、サブスクリプションの契約で基本機能を提供しつつ、追加で特別な機能を使いたい場合に別途クレジットを購入するような例です。簡単にいえば、オプション契約だけがクレジット制になっているという形です。

また、クレジットを提供する観点だけではなく、消費の観点で事前に考えておく必要がある項目があります。それはクレジットが不足したときと余ったときです。クレジットをサブスクリプション契約の一部で提供される場合、サブスクリプションの契約期間とクレジットの有効期限を一致させるのが一般的なため、契約期間の期末の時点でクレジットが足りなくなったり余ったりすることがよくあります。これらの対応を事前に決め、明文化しておく必要があります。逆にクレジットが余った場合は、一般的には有効期限が過ぎたものから無効となっていきます。ただし、このようなケースでは顧客にとって損をすることになるため、救済策として一定期間繰越しが可能となるような場合もあります。

加えて、クレジットの過不足は顧客にとって不満の要因となることがあります。そのため、クレジットの提供は段階をつけて、顧客が自社の使用量に応じて、適切なプランを選択してもらう方法を選びます。不足することが多ければアップグレードしてもらったり、余ることが多ければダウングレードを勧めたりといった運用にしておくことで、顧客にあった適切なプランの契約をしてもらえるようになります。

クレジット制は管理を容易にする方法ですが、従量課金制の方が容易になる場合もあります。どちらも、リソースの利用に応じた管理が必要になるので、クレジット管理をして契約をシンプルにするか、従量課金にしてクレジット管理をしないかの選択となります。この辺りは顧客のニーズを読み取って検討する必要があります。場合によっては、両方を提供して、顧客に選択してもらうという方法を取ることもできます。

事例 4 無償でそんなに使わせて大丈夫？

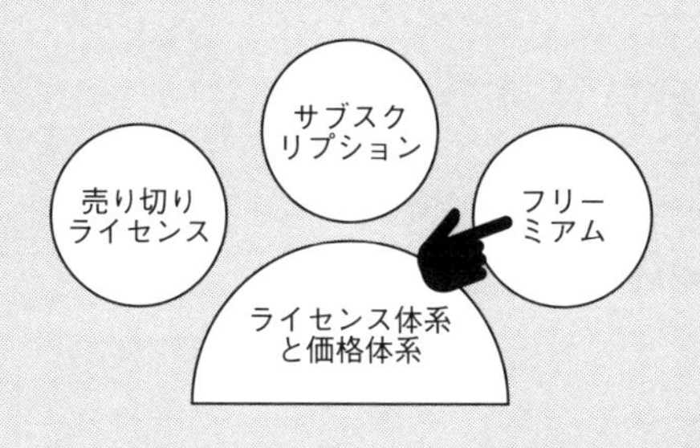

営業チームとエンジニアチームの納得を得るために、役員に説明に行った大崎くんと品川先輩。大崎くんがしっかりと価格のシミュレーションをしたおかげで、役員全員の納得を得ることができました。一安心しているところに、営業担当役員の目黒さんからこんな宿題が出されました。「サブスクリプションモデルの効果は分かったけど、もっと爆発的にシェアを取る方法がないか検討してくれないか？　一気にゲームチェンジする方法を検討してほしい」

何か方法がないかと品川先輩と考えてみることにしました。品川先輩曰く、かなり難しいけれど可能性はあるとのこと。

「これは、開発費の回収に相当な時間がかかるけど、シェアを取るには有効な方法なんだ。フリーミアムって聞いたことある？　それなら新規顧客の獲得がサブスクリプションよりも容易になるんだけど」

フリーミアムという言葉は聞いたことがあるけど、はっきりとして定義を理解していなかった大崎くんは、品川先輩に聞いてみることにしました。

「フリーミアムは基本機能を無償で使ってもらって、追加機能や追加容量を使いたくなったときに課金してもらう仕組みなんだよ。先日うちの会社もZoomの有料プランを使うようになったという連絡があったよね？その結果、４５分以上の会議ができるようになったでしょ？」

これを聞いた大崎くんは、本当に無償で使わせるなんて大盤振る舞いしちゃっても大丈夫なのだろうか、うちのような会社でもできるのだろうか？と不安になってしまいました。

7-4 フリーミアムを活用してユーザーを増やす

◎ フリーミアムのメリットとデメリット

最後にフリーミアムという製品やサービスの提供方法について紹介したいと思います。フリーミアムという言葉は聞いたことがあるでしょうか？もし聞いたことがなかったとしても、多くの方はフリーミアムで運用されている製品やサービスを使っているはずです。

フリーミアムは無料を表すフリー（free）と割増しを意味するプレミアム（premium）を掛け合わせた造語で、基本的な機能は無料で提供し、さらに高度な機能を使用したい場合は追加料金を支払って利用してもらうというビジネスモデルです。2006年にフレッド・ウィルソンという投資家がこのビジネスモデルを明示し、それに対して公募で名前が付けられたものです。このモデルが一気に有名になったのは、『フリー〈無料〉からお金を生みだす新戦略』（NHK出版、2009年）が出版されたときでした。この書籍はWeb上で全てのページが無料で公開され、紙の書籍が有料で販売されるというフリーミアムの実践例として出版されました。当初は「無料でWeb上に公開されているものを買う人はいないだろう」といった意見も多かったのですが、実際には紙の書籍の方もベストセラーとなり、見事フリーミアムのビジネスモデルを実証してみせました。現在では、YouTube、Zoom、Slackなどがフリーミアムとして無料プランを設定しています。また、多くのスマートフォンアプリで、アプリ自体は無償であっても、アプリ内課金で追加の機能やアイテムを提供するアプリがありますが、それらもフリーミアムの戦略です。

フリーミアムは課金方法と制限の種類で分類することができます。課金方法は、先ほども出てきた売り切りライセンスとサブスクリプションに加えて都度課金という考え方が加わります。一方制限に関しては機能制限、容量制限、特典という切り口が主なものになります。

課金の方から説明していきたいと思います。売り切りライセンスとサブスクリプションに関しては先述した通りですが、新たに都度課金という概念が登場します。これは、一度購入したらそれがずっと使えるのではなく、何度も何度も同じものを購入することができるという消費財と同じ概念です。簡単に思い浮かべることができるのがゲームのアイテムで、ガチャを回すために何度もアイテムを購入する方もいるかと思います。B2Bにおいてもこのような仕組みが使われることがあります。先日、私が利用したoViceというバーチャルオフィスツールで、継続的に利用するバーチャルオフィスとしてではなく、オンラインイベントの会場として利用した例があります。普段は無料で使用できるスペースにイベント用の単発ライセンスを発行してもらい使用しました。もちろん、また単発ライセンスを購入すればイベント用に利用することができます。このように必要になった都度課金するという仕組みも作ることができます。

続いて制限について説明します。機能制限は、顧客が使いたいであろう機能を制限して、そこに課金してもらう方法です。PDFの編集機能を制限しているAdobe Readerなどがそれにあたります。また、クラウドストレージの容量や参加人数、利用時間などの量的制限をするのが容量制限です。無料では会議時間が45分に制限されるZoomも同様です。逆に制限することなくメリットを与えるような特典を提供することもあります。例えば、YouTube Premiumなどで、広告の表示がされなくなったりするのがこのパターンです。

これらの課金の仕方と制限を掛け合わせて、どのようにフリーミアムとしてのマネタイズを行うのかを検討する必要があります（図7-7）。

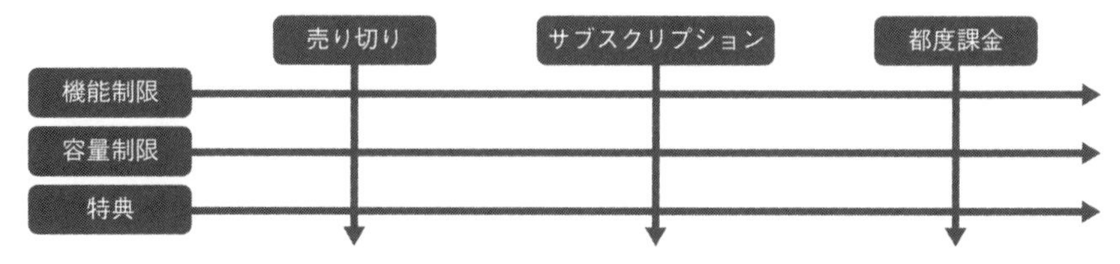

図7-7　様々な条件で検討する

フリーミアムでビジネスを行う場合のメリットとデメリットはしっかりと理解しておく必要があります。フリーミアムは成功するには企業としてかなり体力が必要なので、メリット、デメリットをしっかりと吟味してフリーミアムを検討しましょう。

まず、メリットは何より新規顧客を獲得しやすいという点です。やはり、無料であれば使ってみようかと思う人は有料に比べて圧倒的に多くなります。加えて、無料であれば人にも勧めやすいため、口コミが広がりやすいという点があります。この2つのメリットで一気に顧客を増やしていくことができます。さらに、顧客が増えれば顧客の声も増えるためフィードバックを収集しやすくなり、製品やサービスの改善速度を高めてよりよい製品やサービスを届けやすくなります。

一方デメリットは、無料である故にどんなに多くの顧客が使ってくれても有料プランに移行してもらわない限り売上になりません。特にクラウドサービスなどの場合は、無料プランの顧客であってもクラウドの運用費用がかかってしまうため、注意が必要です。さらに追加で課金するための価格づけは、あくまでその制限が解除されることに対する価値に支払われる価格になります。そのため、全ての製品やサービスを有償で提供した場合よりも安い価格で提供せざるを得ません。結果、運用コストや開発コストの回収にはかなり長い時間がかかります。それだけの期間を耐えられるだけの体力がフリーミアムには求められます。

また、見落としがちな問題として、フリーミアムは顧客に浸透しやすい一方、シャドーIT、つまりIT部門が管理できていないツールとして、IT部門から使用禁止にされる場合もあります。当初SlackなどもIT部門が勝手に使わないようにというお達しを出した企業も少なくないようです。

◎ 課金してもらうための仕組みが超重要

フリーミアムにおいて最も重要なのは、無料プランから有料プランにいかに移行してもらうかという点です。この移行は「有料の壁」といわれ、この壁をどのように乗り越えるかは非常に難易度の高い課題です。

有料プランへと移行してもらうためには、少なくとも無料プランで製品やサービスに満足してもらわなければならず、その上で付加価値を得たいと思ってもらわなければなりません。その付加価値を求める顧客に適切にアプローチをして有料プランに移行してもらう必要があります。

また、無料プランで使用している顧客全てが有料プランへ移行してもらいたいターゲットの顧客ではありません。実際、みなさんも個人としてYouTubeを見たり、Googleドライブを使ったりしても、課金してまで使っている人はそれほど多くないかと思います。それはB2Bでも同じで、大企業ならともかく、中小企業では無料プランで使い続けている企業も少なくありません。また、B2B向けの製品やサービスであっても、個人で使用しているユーザーもかなりの数がいます。そういったユーザーの中から、課金してくれそうな顧客を見つけ出し、アプローチをする必要があります。

有料プランに移行してくれそうな顧客は、無料プランで使っているユーザーの登録情報や行動データを活用して見つけ出します。とはいえ、ユーザーの行動データを一人ずつ見ていくわけにもいかないので、MA（Marketing Automation）同様に、特定の行動パターンを取るユーザーを対象とするといった条件を作成します。この条件は有料ユーザーに移行するかどうかの境界線となります。もちろん、この境界線の正解を見つけるのは容易なことではなく、何度もテストと修正を繰り返しながら正解を見つけていきます。この条件の例としては、「管理者権限を持つユーザーで、制限されている機能のメニューを開いた」とか、「利用制限の容量オーバーの警告が表示されているユーザー」などが挙げられます。

この境界線となる条件ができたら、その条件を満たす人に向けて有料プランへの移行を促すメッセージを画面に表示します。もちろん、あまりに大々的にアピールをしてしまうと、その製品やサービスに対する満足度自体が落ちてしまうので、ある程度目に止まるけど、操作の邪魔にならない箇所に表示するようにしましょう。条件を満たす人に向けてのみ表示する理由としては、たとえ控えめであったとしても有料プランへの移行を考える対象者でなければ、製品やサービスの満足度を下げてしまう可能性があるからです。逆に、条件を満たすユーザーであれば、多少うっとうしがられてもメッセージを表示した方がよいです。なぜなら、課金をすることで得られる価値について、ユーザーが知る機会は少なく、気になったタイミングで情報を提供することで、有料プランへの移行を後押しすることができるからです。ただし、やりすぎは禁物であるため、頻度や表示場所については十分注意する必要があります。

この有料の壁を乗り越えるためには、一般的なマーケティングと同じカスタマージャーニーを描くのがよいです。いかに、製品やサービスの画面上の動きの中で、有料プランへの動機付けができるかを設計し、ソフトウェアとして必要なメッセージを伝える方法を洗い出すことができます。ただし、B2Bの場合、カスタマージャーニーでは、製品やサービスの画面上でのタッチポイントから、実世界へのタッチポイントに移行していく必要があります。というのもすでに説明した通りB2Bの世界では、購買プロセスにおいて、複数の役割の人が関わり、一人で判断をして購買することがほとんどないからです。

第 8 章

ウォーターフォールにしない
マーケティング運用術

事例1 売上必達！ マーケティングと営業の押し付け合い

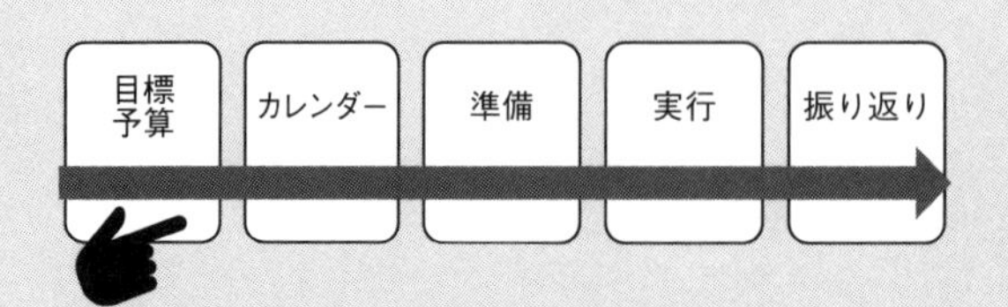

山手ソフトウェアの会議室では来年度に向けた売上目標の設定と来年度の予算編成に向けたマーケティングと営業の最初のすり合わせが行われようとしています。大崎くんは品川先輩に「会議は聞いているだけでいいから参加して。あとで、どんなふうに感じたか教えて」と言われて参加することにしました。来年度に向けた会議ということで、ワクワクすることがあるのかと思い、会議室に入ります。ところが、会議が始まるといつものように営業チームのリーダーの御徒町さんが語気を強めに話し始めました。

「今年も売上はプラス成長になったはいいけど、目標は未達になりそうなんだよ。もっとマーケティングがしっかりしてくれないと困るよ」

マーケティングチームのリーダーである上野さんも反論します。

「去年無理な目標を立てるのはやめましょうって言いましたよね。それを頑張ればもっといけるといってこの数字にしたのは御徒町さんですよ」

すかさず御徒町さんが「それはマーケティングチームからのリードが足りないからだろ」と言い出しました。会議は平行線のまま終了。大崎くんは当初のワクワク感は吹っ飛んで、頭を抱えてしまいました。

会議後に品川先輩から「どうだった？」と聞かれて、大崎くんは大いに悩んでしまいました。確かに、売上目標に対しては未達になりそうだし、去年よりも成長率が落ちています。それなのに、上野さんは無理な目標を立てたといっていた点は非常に気になります。上野さんが慎重になりすぎて低い目標に設定しようとしていたのでしょうか。それとも何か根拠があって無理な目標だといったのでしょうか？

大崎くんはさらに頭を抱え込んでしまいました。

8-1 年間計画でマイルストーンとゴールを立てる

◎ KGIとKPIで年間の計画を立てよう

マーケティング戦略を立てることは非常に重要です。しかし、マーケティング戦略を立てただけで実行できなければ意味がありません。そのために、作成されたカスタマージャーニーをもとに実際に顧客に価値を届けるまでのプロセスを実装する必要があります。第8章では具体的にマーケティングの施策を計画し、実行、振り返りを行い、改善をしていくところを説明していきたいと思います。

マーケティングの計画を立てる際に、まずしなければいけないことはゴールを決めることです。ゴールというと、どうしても売上が頭に浮かぶかと思います。もちろん、売上はマーケティングの観点から見ても最終的なゴールで、最も重要なゴールの1つなのは間違いありません。しかし、売上目標を達成したかどうかだけを判断基準にしていると、正確なマーケティングの状況を把握することができません。

マーケティングにはいくつかのステップがあります。第6章で紹介したAISCEASのように顧客にステップを踏んでもらいながら、購買へと導いていきます。そして、それぞれのステップで顧客とのタッチポイントがあり、そのタッチポイントを通じて顧客の購入意向を高めていくための仕組みを実装していくのが、マーケティングの年間計画です。

マーケティングの年間計画では、先ほど触れた売上目標が最終ゴールとして存在し、それに対して、カスタマージャーニーの各ステップでどんな数字を達成すればよいのかを最初に考えます。最終ゴールとしての売上目標と、カスタマージャーニーに各ステップにおける数字はそれぞれKGIとKPIと呼ばれます。KGIはKey Goal Indicatorの略で、日本語では「重要目標達成指標」と呼ばれています。一方KPIはKey Performance Indicatorの略で、「重要業績評価指標」と呼ばれています。KGIを達成するための過程でKPIを評価していくという関係になります。

具体的に、サブスクリプションで販売しているSaaS事業のケースを例に挙げて考えてみましょう。まず、年間売上目標を5000万円と設定するとします。そのうち新規契約で1000万円、Recurring Revenueで4000万円売り上げるとします。新規契約で1000万円を売上げるためには100件の新規契約を取らなければならず、そのためには400件のトライアルを獲得しなければなりません。400件のトライアルを獲得するためには……といった形で、年間売上目標5000万円をKGIとして、そのためのKPIをカスタマージャーニーに沿って作っていきます。

これらのKPIを設定していく際には、必ず論理的にデータにもとづいて数字を作っていかなければなりません。例えば、先ほどの新規契約で1000万円を売り上げるために、100件の新規契約が必要という前提には、新規契約の平均売上が10万円というデータがあって初めて成り立ちます。そのような裏付けなしに100件の契約としてしまうと、もし100件を達成できたとしても、結果的にKGIが達成できないという状態になってしまいます。そして、全てのKPIは論理的に連続性を持っていなければいけません。連続性がない場合、せっかくそのKPIを達成しても、次のステップでの成果に繋がらなくなってしまいます。つまり、KPIが改善したことによって、次のステップに対してより多くの見込み顧客かより多くの売上見込みを渡せるようにしなければなりません（図8-1）。

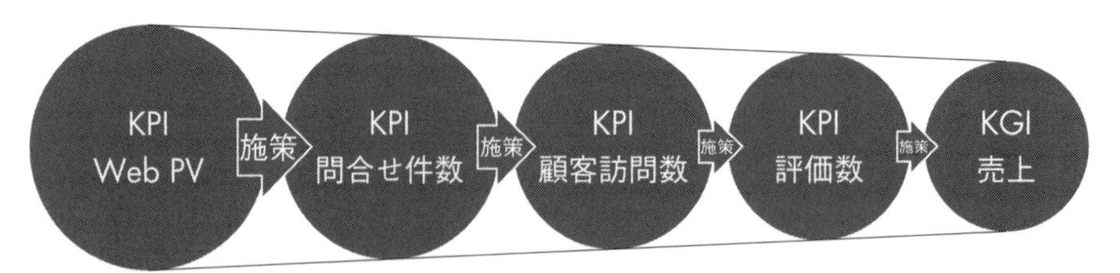

図8-1　各ステップでKPIを設定し評価しながら、KGIを達成できるようにする

では、なぜKGIだけではなく、KPIの設定が必要になるのでしょうか。現在のマーケティングは分業が進んだため、複数人の仕事の結果を合わせてKGIの実現につながることが多くなりました。このような状況でKGIが未達になると、いくらよい仕事をしても評価されない人が出てきてしまいますし、改善すべき箇所もわからない状態にもなります。これはマーケティングの中だけではなく、エンジニアや営業の業務も含めて、どこに問題があるのか、どこを改善しなければならないのかを把握する必要があります。そのためにも、各ステップで少なくとも1つはKPIを設定し、それぞれのステップでの状況を把握しなければなりません。

さらに、ビジネスには年間を通して波があり、売上が多い（顧客が購入しやすい）月もあれば、少ない（顧客が購入しにくい）月もあります。そして、B2Bの購買プロセスはスタートしてから購買に至るまで長い期間がかかるため、顧客が購入しやすいタイミングから逆算してマーケティング施策を実施するタイミングを考えなければなりません。その結果、ステップごとのタイミングはある程度ずれてきます。ステップごとにKPIを分解し、どのタイミングでどのKPIに変化が起こるかを考えるようにしましょう。

また、KPIの数字は毎年変わりますが、項目については頻繁に変更しない方が望ましいといえます。KPIの項目が変わってしまうと、過去のデータが使えなくなってしまうからです。もちろん再計算可能なデータもありますが、再計算で取得ができないようなKPIの場合は、過去の実績がわからない状態からのスタートになってしまいます。そのため、頻繁にKPIの項目を変えることは避けた方がよいでしょう。ただし、ビジネスモデルが変わったり、さらに有効な計測方法が見つかったりした場合は無理に従来のKPIにこだわらず変更していきましょう。

◎ 売上予測の立て方と売上目標

マーケティング計画を立てるための第一歩として、売上目標を立てます。最終的な売上の伸び幅には曖昧な要素も含まれますが、そこに至るまでのロジックはデータに基づいたものでなければなりません。

では、どのようなロジックを作って売上目標を立てるべきかというと、最初にやらなければならないことは売上予測です。マーケティングの観点では売上予測と売上目標は似て非なるもので、その違いが重要になってきます。売上予測は新しいことを何もしなかった場合の売上がどのくらいになるのかを予測することで、売上目標はマーケティングや営業努力で売上予測に対して上乗せした結果の目標数値です。この上乗せをどう作っていくかがマーケティングの年間計画になります。

まず、売上予測について説明していきたいと思います。売上予測は基本的に、昨年からの成長率でどれくらい成長するかを予測して導き出します。とはいえ、売上全体の成長率を見ていては正しい予測が立てられないので、2つの軸で売上の構造を分解していきます。

1つ目の軸が売上構成です。大きく新規の売上と継続的な売上となるRecurring Revenueに分けて考えます。売上の構成は売り切りライセンス、年間サブスクリプション、月間サブスクリプションで分けられます（図8-2）。

	新規	継続
売り切りライセンス	新規ライセンス料 アップグレード	保守費用
年間サブスクリプション	新規売上	更新年額売上
月間サブスクリプション	初月売上	更新月額売上

図8-2　売上の構成

もう1つの軸が時間で、特に月ごとの成長率が重要です。月ごとの成長率を見るにはYoY（Year over Year）を使います。YoYは日本語では「前年同月比」と呼ばれ、前年度の同じ月と比較してどれくらい成長したかを月ごとに見ていく考え方です。ビジネスには波があり、月によって売上の規模が変わります。そのため、前月と比較しても成長率を正しく把握できないので、YoYで成長率を見ていきます。特にIT業界は変化の速い市場を相手にしているので、1年の中でも成長率に変化が出ることが少なくありません。そのため、YoYで成長率のトレンドを把握するようにしましょう。トレンドを把握するには、単にYoYでの成長率を見るだけではなく5ヶ月間程度の移動平均を使って推移を見ると比較的誤差の少ない数値を得られます。成長傾向にあるのであれば成長率もそれに準じて高めの予測を立て、鈍化傾向にあれば成長率も頭打ちになる成長率に設定して月ごとの成長率を出すようにしましょう。なお、このYoYでの成長率を見るのは新規の売上だけで大丈夫です。というのも、Recurring Revenueに関しては離脱率で予測を立てるため、成長率は関係ありません。

そして、これらの軸から売上データを分析して予測を立てていきます。売り切りライセンスと年間サブスクリプションの計算方法は基本的には同じ方法で計算でき、月ごとに予測を立てるようにします。

昨年同月新規売上×予測成長率＋請求予定の（保守費用or更新料）×（1- ネットレベニューチャーンレート）

一方、月額サブスクリプションの場合は次のように式が変わります。

前年同月売上×予測成長率＋（前月新規売上＋前月更新月額売上）×（1－ネットレベニューチャーンレート）

これで月ごとの売上予測を立てることができます。なお、ネットレベニューチャーンレートは月間のチャーンレートを使用しますが、実際には1年単位では誤差程度の数字になることがほとんどです。ここに関しては、トレンドを分析せず、直近数ヶ月の数字の平均値を計算して使用すればよいです。

上の式はロジックを理解するために抽象的に書いていますが、実際にはそれぞれの企業のビジネスの特徴を分析の式に埋め込んで精度を上げていきます。

予測がある程度できたら目標を設定します。単年度の売上増を目指すためには、マーケティングの努力で変えることができる新規の売上が大きな原動力となります。逆にいえば、Recurring Revenueでは大きな売上の変化は起こせません。例えば、年額サブスクリプションの場合、成熟した製品やサービスでは総売上に対してRecurring Revenueが占める割合が90%を超えることも珍しくありません。そうなると、例えば総売上を50%伸ばすといわれた途端に、単純計算で新規売上を5倍※1にしなければいけません。これはいくらなんでも非現実的です。

そのため、新規の売上をどの程度増やすかを焦点に売上目標の設定をします。単純化した構造で考えると、新規の売上のために使うマーケティング費用の増加割合が、新規の売上の増加につながるとするのが妥当です。

◎ 目標に応じたマーケティング予算の決め方

売上目標が定まったら、それをもとにどのくらいマーケティング予算をかけるべきか計算します。必要なマーケティング予算を計算するのは、予算を獲得するための根拠を作る意味でもあります。

マーケティング予算の計算方法には決まった計算方法はありませんが、いくつか指標や考え方となるものはあります。それらを総合的に判断して最終的にマーケティング予算を決定します。ここでは、いくつかマーケティング予算を算出するための参考となる考え方を紹介します。

最初に売上に対して使える予算を見定め、目処を立てます。一般的には売上の5%がマーケティング予算に使える金額といわれますが、業種や価

※1 前年度新規が10万円でRecurring Revenueが90万円、総売上100万円だった場合に、50%増で150万円にするためにはRecurring Revenueが100万円となるため、50万円の新規売上が必要となる

格戦略、企業の経営戦略によっても異なってきます。そのため、これまでの自社のマーケティング費用の割合を調べておいて、それを基準に考えるようにしましょう。

次に、新規の売上を獲得するのにいくらかけるべきかの判断を行います。売上目標を設定した時点で、新規売上の目標を設定したと思いますが、その新規売上を作るためにいくらマーケティング費用をかけるべきかを計算します。これは先ほどの述べた前年度に新規売上獲得のために使用したマーケティング費用に対して、前年度の前売上の増分を割増する考え方で、新規売上獲得のためのマーケティング予算を設定する方法です。

サブスクリプションの場合は、もう1つ考え方があります。B2Bのサブスクリプションの場合は、新規売上のほとんどが新規顧客からというケースも少なくありません。そのため、新規顧客を獲得するのにどの程度のコストをかけられるかという観点で、マーケティング予算を算出する方法があります。マーケティングでは1人の新規の顧客を獲得するためのコストをCAC（Customer Acquisition Cost）といいます。このCACの適切な金額は、一般的には顧客生涯価値（LTV）の3分の1以下といわれています。ただし、CACはマーケティング費用のみでなく、営業やマーケティングの人件費なども含んだコストです。そのため、それらの数字を引いたマーケティング費用が1件の新規顧客を獲得するための費用です。そのCACを新規売上の実現するために必要な新規顧客獲得数でかけたものをマーケティング費用の目安とすることができます。

加えて、マーケティング費用を使って獲得するのは新規の売上だけではありません。すでに述べたように既存顧客のロイヤルティの向上も現代のマーケティングにおいて重要な要素です。そのため、既存顧客のロイヤルティを高めるための施策にもマーケティング費用をかける必要があります。ただし、離脱率の改善はマーケティングだけの役割ではないので、どれほどかけるかは企業によって大きく異なりますが、基本は施策の積み上げでマーケティング予算を計算します。どんな施策を実施して、それに対していくらかかるのかというコストの積み上げになります。

事例 2

去年と同じ時期に同じことは起こらなかった

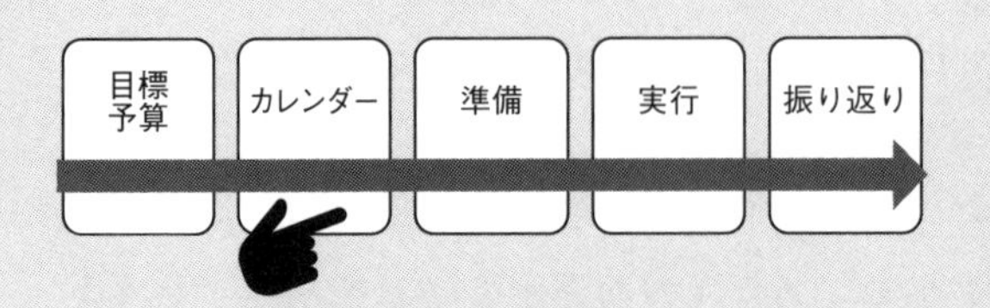

大崎くんは品川先輩から「来年度の売上予測を作ってみないか」と言われ、去年の売上データを分析してみることにしました。去年の売上を構造分解して成長率を確認し、去年の月ごとの売上データに適用するという話を聞いていたので、その通りにやってみました。何となくそれっぽい予測ができたので、品川先輩に見てもらうことにしました。

資料を見た品川先輩から「この9月の売上予測は大きすぎる、逆に11月はもっと売上予測を積んでおいた方がいい」というフィードバックをもらいました。データに基づいて予測したのに、なぜ品川先輩はそういう予測をしたのか、大崎くんは疑問を抱えたまま席に戻ってきてしまいました。「実は品川先輩も適当なんじゃないのだろうか」と疑いすら持ちそうになり、頭を整理するためにカフェコーナーにやってきた大崎くん。たまたまそこに、マーケティングチームのリーダーの上野さんがいたので、上野さんにも大崎くんが作った予測を見てもらうことにしました。すると上野さんも「確かに9月と11月はもう少し修正した方がいいね」とのこと。不思議そうな顔をしている大崎くんに上野さんが「去年の9月に何があったか、今年の11月に何が予定されているのか、整理してみるといいよ」というアドバイスをくれました。

そのことを品川先輩に伝えると、2枚の年表のようなカレンダーを見せてくれました。

8-2

カレンダーを作って1年間の活動に整合性を持たせよう

◎ 何が起こるかを書き出すビジネスカレンダー

ここまで説明してきた通り、ビジネスには波があり、様々な要因でその波が変化します。毎年同じリズムで起こるような波もあれば、その年特有の波もあります。まずはこの波が起こる要因を整理するところから説明していきます。

波が起こる原因はマーケティングにとってはほとんどが外部要因となりますこの外部要因を整理するためにカレンダーを作成します。これを私はビジネスカレンダーと呼んでいます。施策を考えるにあたってビジネスカレンダーを作成する意味は、顧客が購入しやすいタイミングを見つけ、そのタイミングに売上を最大化するようにマーケティング施策を組むためです。以前にも説明した通り、マーケティング施策を打ってから購買に至るまでには時間がかかります。そのため、顧客が購買しやすいタイミングに向けてカスターマージャーニーが進められるように、外部要因として何が起こるのかを把握するビジネスカレンダーを整理する必要があります。

ビジネスカレンダーを整理するには例年の売上推移を分析する必要があります。先述の通り、ビジネスには毎年同じリズムで起こる波とその年固有の波があります。数年分の売上推移を分析することで、毎年同じリズムで起こる波を把握することができます。一般的にB2BのIT製品・ITサービスの場合は、3月に大きな売上が発生します。これは、多くの日本企業が年度末を迎える3月までに予算を消費しなければならず、導入計画が遅れた場合でも3月までには発注をしなければならないという駆け込みが発生しているからです。9月にも同様の波はありますが、3月と比べるとかなり小さい数字です。逆に1月、5月、8月は売上が落ち込みやすい傾向にあります。これは連休で企業の活動が止まってしまうからです。もちろん、これは一般的な話であり、製品やサービスの特徴によってはこれとは異なる波になることもあります。また、サブスクリプションの場合は売上全体を見るのではなく、新規のみの契約の推移を見るようにしましょう。

ビジネスカレンダーで整理するのは売上の推移を把握するだけではありません。年間を通して売上の推移に影響を与えるようなイベントがいつ起こるかを把握するためにも使用しますします。ビジネスの波を把握するためには、休日の並びも考えなければなりません。年によって5月の連休が分散になったり、大型連休となったりします。また、最近では9月にシルバーウィークが連休になるかどうかも影響を与えます。これは、顧客の活動を把握するために重要です。

また、PEST分析で調べたような制度変更や政策変更なども考慮する必要があります。このようなイベントがあるときには、顧客の予算もつきやすくなり、場合によってはITの製品やサービスの対応が必須なケースもあります。そのようなタイミングがあればそれに向けた施策も打てるようにしなければなりません。

加えて、自社の製品やサービスの発売やバージョンアップも把握しておきましょう。自身の担当する製品やサービスだけではなく、自社の他の製品やサービスの大きなイベントを把握することで、共同マーケティングでクロスセルを狙うといったような、相乗効果を狙うこともできます（図8-3）。

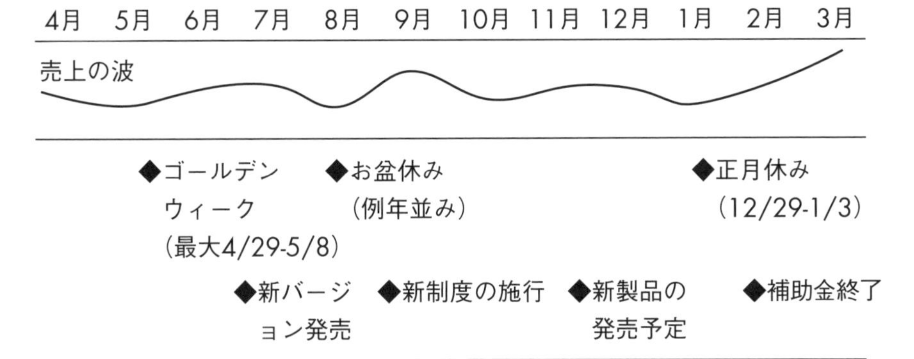

図8-3　ビジネスカレンダーで外部要因を把握する

◎ 何をするのかを書き出すマーケティングカレンダー

ビジネスカレンダーができたら、今度はそれに対してどこでどのようなマーケティング施策を実施するかのカレンダーを作っていきます。一般的にこのカレンダーはマーケティングカレンダーと呼ばれます。

マーケティングカレンダーでは施策の内容と打つタイミングをカレンダー上に配置していきます。一目見ればいつどんな施策をやっているのかが理解できるようにするカレンダーで、あらゆるマーケティング活動が記載されます。とはいえ、企業それぞれのマーケティングの責任範囲によってこのカレンダーに記載される内容は変わります。営業担当にリードを渡すところまでが責任範囲である場合もありますし、購買までが責任範囲の場合もあります。ここでは、基本的にはマーケティングの責任範囲での施策を一覧できるようにすれば問題ありません。

マーケティングカレンダーに記載するマーケティング施策には、カスタマージャーニーの実装になるキャンペーンと、フォローアップを伴わないような単発の施策があります（図8-4）。

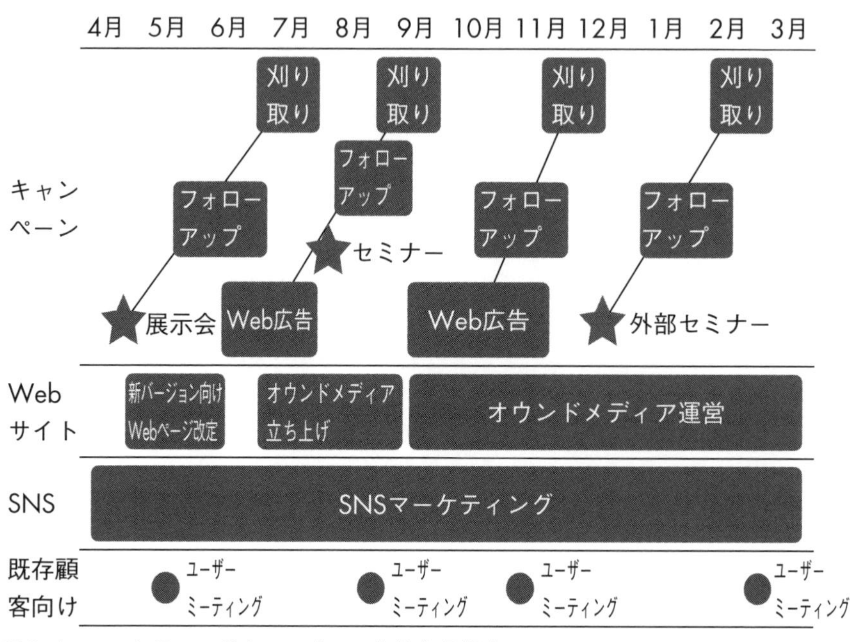

図8-4　マーケティングカレンダーで施策を把握する

キャンペーンと聞くと安売りやプレゼントを想像する人もいるかもしれませんが、マーケティングにおいては短期間に特定のメッセージを市場に届けることで購買意欲を高めようとする活動全般を指します。そのため、認知から購買意欲を高め、購買に至るまでのカスタマージャーニーをいくつかの施策をつなげて実装するものということになります。マーケティングカレンダーの初期の段階では、どのタイミングでどんな目的のキャンペーンをやるかといったざっくりとした記述で構いません。逆に細かい設計はこの段階ですべきではありません。その理由や細かいキャンペーンの設計方法に関しては後述します。

まず、ここではキャンペーンを実施するタイミングについて説明します。タイミングを決める方法としてはキャンペーンの始点から決める方法と終点から決める方法があります。キャンペーンの始点から決めるケースとしては、ビジネスカレンダーを作成した際に把握した自社の製品やサービスのアップデートや新製品の発売、外部の展示会やセミナーイベントなどがあります。これらの出来事はビジネスのリズムに合わせて都合よく発生するとは限りません。逆にキャンペーンの終点から決めるケースとしては、先ほどのビジネスカレンダーで売上を大きくしたいタイミングを終点として、逆算でキャンペーンの開始タイミングを決める場合があります。例えば、顧客の購入意向が強くなる3月までに営業担当が案件をクローズできるようにしたり、制度改革前までに導入が完了しているようにしたりする、などです。このような場合は、終点から逆算してキャンペーンのタイミングを決定します。

また、単発の施策の場合は考え方が異なります。単発の施策は主にマーケティングの基盤となる施策であることがほとんどです。定期的に実施することで長期的にKPIの改善を行っていくような施策になります。Webサイトの改善もそうですし、ブランディングの構築という意味での広告などもこの単発の施策に含まれます。

マーケティングカレンダーは期初の段階ではざっくりとした内容で構いません。この段階では、四半期ごとにどれくらいの施策を行うのかを把握することが大切だからです。

事例 3
急に必要になった マーケティング費用が捻出できない

マーケティングカレンダーを作成して、マーケティングの年間計画を立てることにした大崎くん。年間計画の作成を始めて1週間以上が経つのに、まだ何も出てこないことを疑問に思った品川先輩が大崎くんに声をかけにきました。

「もう1週間経つけど、何か悩んでる？　悩んでるんだったら早めに教えてくれると助かるな」

大崎くん的には1週間では到底終わると思っていなかった作業なので、品川先輩の言葉にギョッとしてしまいました。大崎くんは作業が遅いのを責められていると思って「すみません。一生懸命作っているのですが、全然終わらなくて……。もう1週間いただけますか」と言ってしまいました。

それを聞いた品川先輩が「そんなに時間がかかるものじゃないと思うけど、ちょっと見せて」と大崎くんのモニターを覗き込むと、そこにはビッシリと緻密に各キャンペーンの計画が作られていました。どのベンダーにいつ発注するか、各施策で使用する細かい費用も計画していました。

品川先輩は大崎くんの努力は認めつつ、ちょっと考え直してもらう必要性を感じ、「確かにこれだけ細かく計画すると時間かかるよね。ただ、ここまで細かく計画しちゃうと、ちょっと変更があったときに計画全体が崩れちゃわないかな？」とアドバイスをしました。

それを聞いた大崎くんは、子供の頃に修学旅行の自由行動でたくさんの観光地を回ろうと細かく計画立てたのに、ちょっと電車が遅れて計画が破綻してほとんど回れなかったという苦い経験を思い出しました。

さて、「計画ってどうすればいいんだっけ？」と悩む大崎くんです。

8-3 アジャイルにマーケティングをするための準備

◎ マーケティングカレンダーに応じた予算配分と売上目標の設定

マーケティングカレンダーはいつどんなマーケティング施策が実施されているかを一目で確認できると同時に、マーケティング予算の配分を考えるのにも有効です。一般的にマーケティング予算は四半期ごとで割り振られるため、マーケティングカレンダーを見ればどの四半期に大きな出費が必要かを予想することができるようになります。ここではマーケティング予算の分配方法について説明していきたいと思います。

まず、マーケティングカレンダーに書かれているキャンペーンや単発の施策に対して、それぞれどれくらいのコストがかかるのか、かけられるのかを調整していきます。ただし、キャンペーンや施策ごとに割り付けるといっても厳密な数字を作るわけではありません。ここでの目的は四半期ごとの予算の設定ですので、四半期ごとに割り振る予算の割合を決めることができれば大丈夫です。とはいえ、予測を誤ると必要なマーケティング活動ができなくなってしまう可能性もあるので、施策の積み上げによるシミュレーションが必要となります。

キャンペーンにかかる予算は過去のキャンペーンなどから実績値を持ってきて計算します。イベントを行う場合は、集客にかかった費用、イベント自体の実施費用、その後のフォローアップコールにかかった費用などを過去の実績から計算し、規模感などを調整してシミュレーションに反映します。また、Webサイトの管理費用や、SNSの運営代行などの費用はほぼ実績値のまま使えます。

ただし、キャンペーンに関しては実施内容によってその費用が大きく異なるため、この時点でどのようなキャンペーンを行うかを仮で決めておきましょう。メディア出稿やイベント主催、イベント協賛、Web広告など多様なキャンペーンの種類が存在しますが、それぞれ費用感や費用対効果はまちまちです。どのタイミングでどんなキャンペーンを打つか迷った場合は、売上を一番伸ばしたいタイミングで費用的にも効果的にも高いキャンペーンを投入しましょう。

また、自社の製品やサービスのバージョンアップや新規発表の場合は、別途予算を取りましょう。このような事象の場合、Webサイトの改訂やカタログの改訂など、直接売上を産まないマーケティング費用がかかります。この費用を前年の売上から導いたマーケティング予算に含めてしまうと、売上を増やす活動ができなくなってしまうため、それとは別に積み上げておかなければなりません。

ある程度積み上げが終わったら、事前に導き出したマーケティング予算の大枠に収まるかどうかを確認して、必要であれば調整をかけます。売上目標から導き出したマーケティング予算の大枠も、あくまで大枠であるため、これをオーバーしてはいけないわけではありません。先ほどのような自社の製品やサービスのバージョンアップや新規発表などは、マーケティング予算の大枠の外に置いておくべきです。最終的に、予算を取るためのマーケティング計画を経営陣に提示して、マーケティング予算が決定するまでは、あくまで大枠でしかありません。

さて、マーケティングキャンペーンの仮決めをして、予算感もある程度決まったら、今度は売上目標の調整です。キャンペーンの結果、どのタイミングでどれくらいの売上を上乗せできるかをここでシミュレーションします。売上予測に対して、マーケティングの努力でどれだけ上乗せできるかを宣言するものです。キャンペーンの内容は仮置きの状態ですが、売上目標はここで宣言した数字が最低ラインとなる場合がほとんどです。ここであまりに弱気な数字を出してしまうと、マーケティング予算が削られてしまう可能性もあるので、マーケティング施策ごとのコストと同様に過去の実績からシミュレーションし、現実的な目標を設定するようにしましょう（図8-5）。

	Q1	Q2	Q3	Q4
売上目標	15000万円	20000万円	16000万円	24000万円
マーケティング予算	1000万円	800万円	1200万円	900万円

図8-5　売上目標とマーケティング予算

この段階で重要なことは、マーケティング予算や売上目標の額は明示的に算出しても、キャンペーンや施策の具体的なことはあくまで仮置きにしておくことです。これはアジャイルにマーケティングを行うためには欠かせません。市場の状況は刻一刻と変化しているため、どんな施策を実施するのがよいかはその時々で異なります。また、競合の動きや、世の中の動向など様々な制約や機会、脅威、顧客のニーズが変化していきます。その変化に対する猶予をあらかじめ作っておくことがIT業界のマーケティングにおいては特に重要です。

◎ キャンペーンをシミュレーションして効果とコストを推測する

ここで、積み上げに必要なキャンペーンのシミュレーションについて少し見ておきましょう。キャンペーンのシミュレーションはカスタマージャーニーに基づいて顧客をどの程度獲得できるのかを試算する作業です。マーケティング予算を算出する際にも、獲得する新規顧客数を算出する際にも利用可能ですが、どちらかを算出するというよりは、バランスを見ながら調整を行う使い方になります。また、実際にキャンペーンを実行する際にもこのシミュレーションを行ってキャンペーンごとのKPIの設定をします。

さて、キャンペーンのシミュレーションついて説明する前に、もう一度キャンペーンについて振り返っておきたいと思います。キャンペーンとは、短期間に特定のメッセージを市場に届けることで購買意欲を高めようとする活動全般と説明しました。つまり、Web広告を打つ、セミナーを開催するという1つひとつの施策ではなく、その前後の一連の施策を含めてキャンペーンとするのが一般的です。

何をキャンペーンのゴールとするかは企業の販売方法やそのときの年間計画におけるKPIの状況によって異なります。販売方法の観点では、大きく分けて購買をゴールとする場合と、MQL（Marketing Qualified Lead）とする場合の2つに分かれます。

製品やサービスをWebサイト購入するようなセルフサーブ型のビジネスの場合は、マーケティングが購買までを担当します。そのため、キャンペーンも売上の増加までを最大のゴールとします。一方、見込み顧客を営業担当が引き付けて、案件のクローズをするような場合はMQLを営業に渡すまでをマーケティングが行います。MQLとは、マーケティングから営業に渡すリード、つまり見込み顧客の情報で、マーケティング側でターゲット顧客となりうる顧客として営業に引き渡される見込み顧客のリストです。

年間計画のKPIの状況に応じて変わるゴールの観点では、問題のあるKPI項目に対して底上げをするようキャンペーンを実施することもあります。例えば、製品やサービスの評価版の利用者からの購買率は高いけど、評価版の利用数が足りない場合、評価版の利用を促進するようなキャンペーンを実施することもあります。最終的には売上の増加にもつながるのですが、明確な問題点をゴールとした方が効果的なキャンペーンを実施できる確率が高くなります。

さて、ここからはシミュレーションの作り方について説明していきたいと思います。キャンペーンはカスタマージャーニーの実装で、つまり顧客にどんな感情を持ってもらい、どんな行動を取ってもらうかをマーケティング施策の連携で実現していくような形になります。

その連携をマーケティングファネルとして、どれだけの顧客にリーチすればいくらの新規の売上が立つのか、また逆に、必要な新規の売上を獲得するにはどれだけの顧客にリーチする必要があるのかといった数字を設定します。そしてそれを実現するためにはどれだけのコストが必要なのかを導き出すのがこのシミュレーションです。

ここで、セルフサーブ型のビジネスにおけるセミナーキャンペーンを例に、シミュレーションのやり方を見ていきたいと思います。セミナーは1つの施策ではなく、イベントの告知、イベント申し込みページ、イベント、お礼メール、詳細資料ダウンロード、製品評価、購買といった施策の連携によって実現されます。これらの各施策において、リーチできた人には少なからず離脱が発生します。例えば、イベントの告知が1万人の目に触れたとしても、イベント申し込みページに来てくれる人は300人程度だったりします。このような形で最初のリーチから施策のステップが進むにつれて人が少なくなっていきます。これをコンバージョン率といいます。コンバージョン率は施策ごとに取ることができ、それを掛け合わせていくことで最初にリーチした人から何人の人が買ってくれるのかを導き出していきます。これに平均購買単価を掛ければそのキャンペーンからどれくらいの売上を立てることができるかを予測できます（図8-6）。

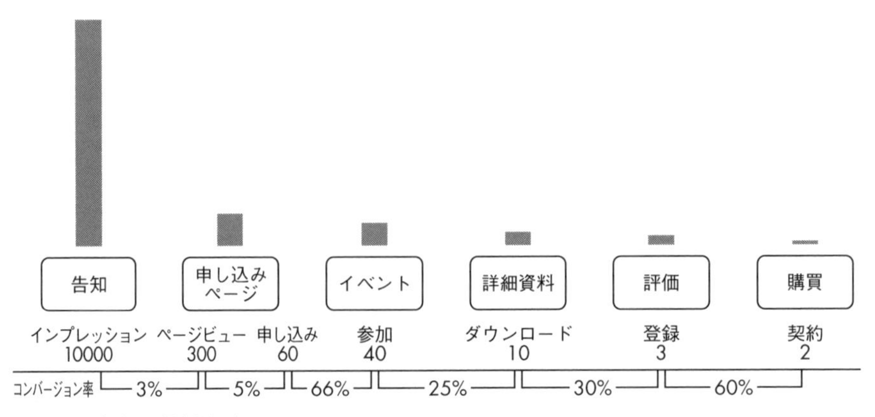

図8-6　売上の予測をする

また、それぞれの施策のコストも概算で出していきます。例えば、イベント告知で10000インプレッションを出すためのコストはいくらなのか、40人の参加者を収容できるセミナー会場の費用はいくらなのかといった形で施策ごとのコストを算出して、キャンペーン全体のコストを計算します。ここで注意すべきはコストを増やせばKPIとなる数字を改善できる部分と、コストを増やしても結果の数字が変わらないものがある点です。例えば、イベントの告知の部分は広告費用を増やしてインプレッション数を増やすことができますが、ダウンロードページの作成にコストを多くかけても、それに準じてコンバージョン率が上がることはありません。ただし、シミュレーションの段階では積み上げの予算を把握するためなので、さほど細かい金額は気にする必要はないでしょう。

これらのシミュレーションで使用するコンバージョン率や施策にかかる費用は、これまでの実績から知ることができます。逆にいえば、これらの実績を記録していないと、キャンペーンのシミュレーションを行うことができません。ベテランのマーケターが主導しているような場合だと、その人の経験で予測することができてしまいますが、その人がいなくなった場合を考えると、こういった実績の記録やシミュレーションの方法は情報として残しておく必要があります。

事例4 きっちり立てた計画の遵守が無駄なマーケティングを生んでしまう

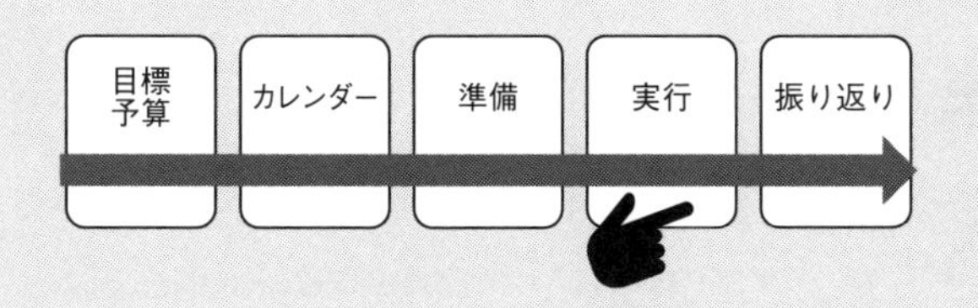

何とかマーケティングの年間計画を柔軟に作り直した大崎くん。自分の立てた年間計画でマーケティングを実行すると思うと、これからの1年間がとても楽しみです。

早速、最初のキャンペーンの詳細計画を立て始めました。一度、間違って詳細な計画を作ってしまっているので、キャンペーンを開始するにもそれほど時間が掛からないと思っています。そんなとき、品川先輩が声をかけてきました。

「明日、メディアの営業担当の人が来月開催のセミナーに協賛しないかって提案にきてくれるんだけど、大崎くんもできれば参加してね」

大崎くんは面白そうだと思いながらも、「セミナー協賛するほどの予算は余ってないけど、とりあえず聞いておくか」と、出席することにしました。

翌日、ミーティングに参加した大崎くんは「予算さえあれば協賛した方がよさそうだけど」と少し残念に思っていました。そんな大きさくんのところに品川先輩が「さっきの提案面白そうだから検討しようよ」と声をかけにきました。「でも予算がなぁ……」と心配している大崎くんに、品川先輩が「さっきの企画と最初のキャンペーンのシミュレーションを比較して、いい方を実行しようよ。まだ発注してないでしょ」と言い放ちました。大崎くん的にはすでに詳細計画も立て始めているし、せっかく立てた計画を実行したい思いがあります。一方、確かに品川先輩の言うことも理解できます。

8-4
キャンペーンは
アジャイルマーケティングで柔軟に

◎ 状況に応じて変更する勇気を出す

マーケティング予算や売上目標の策定段階ではキャンペーンに関しては仮置きにしておくと説明しました。目先の理由としては、このときに申請したマーケティング予算がそのまま承認されるかどうか分からないのもありますが、大きな理由としては実施のタイミングでそのキャンペーンが適切であるのかどうかの判断が難しいという点があります。

本章において、ここまでは数字の話をしてきましたが、それは年間計画という短期的なゴールを設定したようなものです。それと同時にマーケティングの本来の目的である、顧客に価値を届けることも実現しなければなりません。具体的なマーケティング施策を実行する際にはこの両方を実現しなければならず、そのための判断は短いサイクルでしか行うことができません。この判断の仕方と重要性をここから説明したいと思います。

時々、マーケティング計画を年間できっちり立てて、それに沿って着実に実行しようとする人を見かけます。このパターンでは、やったこと全てが無意味とは言いませんが、極めて非効率なマーケティングになります。

最近、IT業界のマーケティングを中心に、よく聞くようになった言葉がアジャイルマーケティングです。アジャイルマーケティングの定義は明確にはされていませんが2012年にサンフランシスコで開催されたSprintZeroというイベントをきっかけにアジャイルマーケティング宣言※2というものが作られ、現在もアップデートされています。

そこに記載されている5つの宣言（2021/9/9更新版）を紹介します。

※2 https://agilemarketingmanifesto.org/

1. 活動やその成果よりも、顧客の価値とビジネスに集中する
2. 完璧を目指すよりも、価値を素早く頻繁に提供する
3. 意見交換や対話よりも、実験やデータから学ぶ
4. 縦割り組織や階層よりも、組織の壁を超えた協業を
5. 決められた計画に従うよりも、変化に対応する

このアジャイルマーケティング宣言はアジャイルマーケティングを実行するための心構えのようなものです。もう一段踏み込んだ行動指針となるアジャイルマーケティング原則も同サイトに掲載されているので、読んでみると理解が深まるかもでしょう。

ここで述べたいことは、顧客に価値を届けるために変化に対応することの重要性です。そして、その変化への対応を見極めるための、実験やデータから学ぶことの必要性です。

「顧客に価値を届けるということ＝顧客にとっての価値が大事で、金儲けは卑しいからするべきではない」ではありません。顧客に正しく価値を届けて、その対価としてお金をもらうわけです。ですから、顧客に価値を届ければ届けるほど、売上も多く立つはずです。つまり、売上を立てるためにも、お客様に価値を届けなければならないということです。

そのために顧客に価値を届けるための様々な変化に対応しなければなりません。市場の変化、技術の変化に関しては、すでに第5章で紹介しました。それに加えて、マーケティング施策の実施における変化について、ここで紹介したいと思います。ネガティブな変化の例としては、「出展予定だった展示会が中止になった」「競合がプロモーションを強化して競合の認知が上がった」といったものがあり得ます。逆にポジティブな変化の例としては「著名人が自社の製品やサービスに関連する発言をして注目を集めるようになった」「あまり付き合いのないメディアが自社のメッセージに合う特集を組もうとしている」といったものがあり得ます。また、「顧客が興味を持つような新しい概念が話題になった」などもあり得ます。こういった変化は1年の間に何回か起こります。

このような変化がある中で最初に立てた計画に固執していたら、顧客に価値を届けることが困難になってしまいます。もちろん、変化が起こらない可能性もあります。そういった不透明な状況の中で、柔軟な対応が取ることができるように年間計画のキャンペーンは仮置きにしておく必要があるのです。もし重要な変化が起こったら、それに対応するプランに即座に切り替えて、マーケティング予算もそちらに使えるようにします。

ただ、変化に対応する際にいきなり全振りで切り替えてしまうのは危険な場合もあります。できるだけ小さく実験をしながら、そこで集めたデータをもとにその後の舵取りの判断をする方が安全でしょう。これは宣言の3の項目にあたります。そのデータを評価する指標が、シミュレーションで使用したコンバージョン率などのKPIです。シミュレーションで使用したKPIの数値と実験で収集したデータを比較するなどして、舵取りの判断をしていきます。

イベントやメディアの特集などの単発の事象の場合は、それ自体を実験と捉えて実施してみる度胸も必要です。ここで試しにやってみれば、また評価に使える実績が増えます。もしここで失敗して、あまりKPIの数字が良くなくても、そこで学んだと思って次に活かしましょう。

◎ キャンペーン設計は四半期ごとに行おう

変化への対応をするといっても、いつまでも具体的なマーケティング計画を立てないでおくわけにはいきません。計画から実行までのリードタイムは施策の種類によって異なりますが、ほとんどの場合は3ヶ月ほどの時間があれば実行できます。そのため、キャンペーンは四半期のサイクルで具体化させていくのがちょうどよいサイクルです。

ただし、四半期が始まってから何をすべきかを確定させては遅すぎます。一般的にマーケティング予算は四半期ごとに設定され、それを期間内に消費しなければなりません。会計上、マーケティング費用が計上されるタイミングは納品日となるため、マーケティング予算が割り当てられた四半期内で納品されるように施策を手配しなければなりません。そのため、四半期の始まる1ヶ月くらい前には次の四半期に実行するキャンペーンを決めておく必要があります（図8-7）。

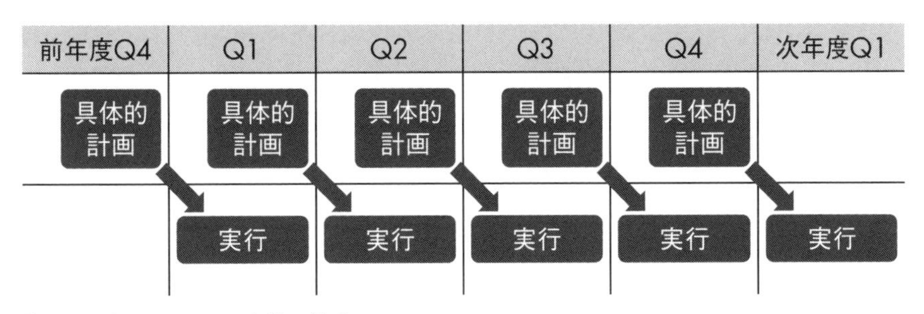

図8-7　キャンペーン実行の流れ

ところで、キャンペーンは四半期ごとに具体化させるといいましたが、このタイミングで確定させるのはキャンペーンの核となる施策で、それに付随するような施策はこの段階ではまだ詳細までを決める必要はありません。この段階ではこの四半期にどんなキャンペーンを実施して、それにどのくらいのマーケティング予算を投入するかを決定すれば十分です。

では、詳細をいつ決めるかというと、キャンペーンの開始タイミングからリードタイムを逆算して、少し余裕を持った時点です。キャンペーンのリードタイムはWeb広告のように短ければ1～2週間程度ですし、自社主催のイベントなどの場合は3ヶ月以上かかったりもします。また、外部主催の展示会やイベントなどは協賛申し込みの前には詳細な設計をスタートさせる必要があります。このように、ギリギリまで詳細の決定を先延ばしするのには、ギリギリまで変更が効くようにするためです。実際、私も直前になってメディアから企画を提案されて、マーケティング予算の投入先を急遽変えたことも何度かあります。マーケティング予算の投入先を急遽変えると、それまでやってきた計画作業が無駄になることもありますが、それ自体は微細なことで、あっさりと捨てて変更する勇気を持ちましょう。

そして、いざそのキャンペーンを実行するとなったら、キャンペーンのシミュレーションと同様にカスタマージャーニーの実装として、実際の施策をはめ込んでいき、一貫したメッセージを伝え、顧客に期待する行動をとってもらい、価値を顧客に届けるための仕組みをキャンペーンとして構築していきます。この際、最も重要なのがKGIとKPIの設定です。ここで注意すべきなのが、年間計画におけるKGI/KPIとキャンペーンにおけるKGI/KPIは必ずしも同じではないという点です。

以前にも述べたように、キャンペーンとしてのKGIは必ずしも売上とは限りません。もちろん最終的にはその売上を実現するために実行するのですが、キャンペーンの目的によっては年間計画で立てたKPIを改善することをKGIとするキャンペーンも存在します。

また、キャンペーンにおけるKPIは、施策ごとのコンバージョン率を設定することがほとんどです。コンバージョン率は単にいかに多くの人に購買に近づいてもらうかだけではなく、メッセージとして価値を正しく届けられているかの評価にもなります。場合によっては、コンバージョンの質を計測するようなKPIを追加で設定する場合もあります。

もし、余裕があるようであれば、途中の施策を2パターン用意して、実験的に実行してみるのもよいかもしれません。そこで実験を行い、実績としてのデータを収集することも、中長期的な視点では重要です。よいキャンペーンの基準は、企業によって違いますし、その時々の市場の状況によっても異なります。だからこそ、KGIとKPIを設定して、実験をしながらそのときの自社にとってよいキャンペーンを見つけていくことがアジャイルマーケティングなのです。

事例 5

失敗原因を研究しないことで繰り返される失敗

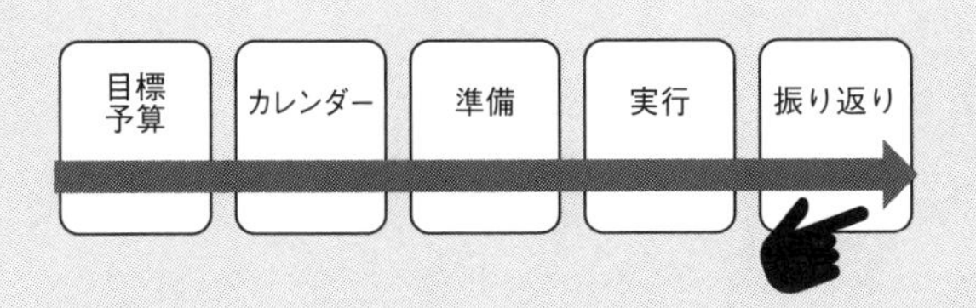

徐々にマーケティングのキャンペーンを回すことにも慣れてきた大崎くん。次のキャンペーンは以前にやったキャンペーンと似たキャンペーンを実施する予定です。以前にやったキャンペーンでは、営業からもらったリードの質が悪いというクレームが入ってしまいました。「今度こそはリードの質を上げるために頑張るぞ！」と意気込んでいる大崎くんの元に営業チームのリーダーの御徒町さんがやってきました。

「今度のキャンペーンは前回のキャンペーンみたいな質の悪いリードを寄越さないよな？」

怒っているわけではないですが、なぜか威圧感がある御徒町さんに押され気味に大崎くんが「大丈夫です。次は頑張ります」と答え、御徒町さんもまんざらでもなく「じゃ、よろしくな！」と帰っていきました。それを見ていた品川先輩が「大丈夫？」と声をかけます。大崎くんは「御徒町さんもちょっと怖いですけど、悪い人じゃないですしね」と返しましたが、品川先輩は怪訝そうな顔をしてちょっと考えて言いました。

「いや、心配しているのはキャンペーンの改善策のことだよ。何が原因でリードの質が悪くて、それをどう改善すべきだったかを、前のキャンペーンが終わった後にキャンペーン関係者の中でしなかったの？」

それを聞いた大崎くんは、「しまった！」と思いました。何かやった後は、レポートを作るだけじゃなくて、ちゃんと関係者で振り返りをするように品川先輩にいわれていたのを思い出したのです。ただ、うまくいかなかったキャンペーンで振り返りを行うと、誰が失敗した責任を負うのかの議論になるんじゃないかと心配でもあります。

8-5 節目でのレトロスペクティブで振り返りをする

◎ キャンペーンがうまくいっているかKPIでチェック

ここからはキャンペーンの実施から終了後の振り返り、そしてその後の改善までの説明をしていきたいと思います。実際にはキャンペーンに限らず、単発のマーケティング施策でも同様のことがいえますが、ここでは一連の流れの理解のためにキャンペーンを題材にしたいと思います。

キャンペーンは動き出したらそれでおしまいではありません。キャンペーンが動き出してからも、状況を見ながらこまめに調整を入れていきます。先ほど、キャンペーンにおける各施策におけるKPIを評価することでよいキャンペーンを見つけ出していくと述べました。このKPIの評価は一般的にはキャンペーンが終わってから振り返りで確認するというイメージを持っているかもしれませんが、KPIは施策実施の最中も可能な限りチェックを継続して行うべきです。もちろん、施策によっては施策実施が終わってからしか評価できないものもありますが、ある程度期間があるような施策の場合は施策の実行中にKPIをチェックしましょう。なぜなら、うまくいっていない場合は、うまくいかないものをそのままやり続ける意味がないからです。うまくいっていないことがわかれば、施策の実行中であってもどんどん改善を行っていきます。

いくつか例を見ていきたいと思います。一番わかりやすく一般的に行われているのが、Web広告の運用です。Web広告の運用では、そもそもKPIをチェックしながら変更を行っていく前提でプラットフォームが提供されています。そのため、ある程度Web広告の運用の経験があれば、このような柔軟な運用を行っている人もいるかと思います。例えば、1つのキャンペーンの広告に何種類かのクリエイティブコンテンツ（画像や動画）を用意して、運用しながらクリック率の高いものだけに絞っていくといった運用もできます。最近では広告運用のプラットフォームもAIを使って自動的に調整してくれたりもするので、あらかじめ画像や動画、キャッチコピーなどはAIによる調整が入る前提で複数の候補用意しておきます。それでもまだKPIの状況が思わしくないようであれば、パフォーマンスの悪いものを削除して、新しいものを加えるなどの運用をしていきます。Web広告の場合を外部のエージェントに任せている場合でもエージェントからのレポートと提案を待つのではなく、自分で常にKPIとなるデータをチェックし、逆にエージェントに対して変更を依頼するようなスピード感があるとよいでしょう。

また、先の例はコンバージョン率をKPIとして見た例でしたが、規模をKPIとしてチェックする例もあります。例えば、イベントの集客を行うのに、Web広告やメディア広告を出稿した場合に、思ったより申込者が伸びない場合があります。もちろん、コンバージョン率の問題でもありますが、コンバージョン率を改善したところで、絶対数として足りないというケースもあります。そのような場合は追加予算を投入して新しい集客チャネルを用いた施策を実施することもあります。小さな改善では収まらないケースもありますが、何もせずキャンペーンそのものを大きく失敗させるよりは、早めに小さな失敗に気づいて改善する方が、ダメージが少なくてすみます。

このように常にKPIをチェックして改善を行うことは、小さな失敗を早くして、大きな失敗を避けるということにつながります。「Fail Fast, Fail Often」はベンチャーでよくいわれることですが、マーケティングでも全く同じです。小さな失敗を繰り返すことで、実績データが溜まり、マーケティングキャンペーンの施策の精度を上げていくことができます。たまには大きな失敗もあるかもしれませんが、それもまた学びの1つです。そのような学びがキャンペーンの精度を上げて、ひいては売上につながっていきます。

ちなみに、上の例でもありましたが、時には追加のマーケティング予算が必要になることもあります。追加の施策を実施するほどでなくても、Web広告のクリエイティコンテンツを作成するのに追加の予算が必要になります。追加のマーケティング予算の投入に関しては企業によって即断できない場合もあります。もちろん、購買プロセスは正しく通すべきですが、予算がなくなってしまってから、どこからか調達しようとするのは簡単ではありません。そのため、自分の場合はバッファとなるような施策を期末に実行できるように計画しておくことで、バッファを作っていました。予算が余ったらその施策を実行するし、もし追加が必要ならその予算を使用するための施策です。これがあれば、かき集めるオペレーションはしなくてすみます。

そして、このキャンペーンのチェックと調整は、データに基づいた判断をすることが重要です。KPIやKPIに影響を与えるようなデータを常時チェックして、キャンペーンがうまくいっているかどうかの判断をします。この判断に定性的な情報での判断を加えてしまうと、間違った判断となってしまいます。製品やサービスに対するフィードバックでも説明したように、声が大きい人の意見が大多数の意見ではないからです。キャンペーンはあくまで製品やサービスの価値を必要とする人に届けるための仕組みです。キャンペーンにおける各タッチポイントには、ターゲットとしていない人も多く存在します。そのため、必要としていない人の意見がフィードバックに混じることも少なくありません。それを避けるために、定性的な意見に振り回されず、数字を見て判断するようにしましょう。ただし、最近ではいわゆる「炎上」事件も起きます。このような場合は倫理的に問題があったり、コンプライアンス的に問題がある場合なので、データがなくとも迅速かつ的確に、そして冷静に対処するようにしましょう。

◎ 振り返りは今後への重要な資産

キャンペーンや施策の実行中にチェックをして修正を行うのであれば、

キャンペーンが終わった、四半期が終わった、年度が終わった各タイミングで振り返りを行います。アジャイルマーケティングでは振り返りのことをレトロスペクティブと呼び重要視しています。

しかし、意外とキャンペーンのやりっぱなしとなっている企業も少なくありません。キャンペーンが終わった頃にはもう次のキャンペーンが始まっていたり、逆に終わってのんびりしてしまったりと、レトロスペクティブを行わずうやむやになってしまっていることがあります。しかし、これは非常にもったいない状況です。なぜなら、その経験には多くの資産があるからです。「愚者は経験に学び賢者は歴史に学ぶ」といわれますが、これは経験を経験のままにしてしまうと知識が属人化してしまい、自分の経験の範囲内からしか学ぶことができないということです。チームで経験を振り返り、共有し資産化することで、経験を歴史にしていく必要があります。失敗を例にとって考えてみましょう。

Fail Fast, Fail Oftenで活動をし続ければ、多くの失敗があったかと思います。それを個人の学びにしかしなければ、チームの他の人が同じ失敗をするかもしれません。しかし、それを共有することで失敗を極力繰り返さないようにすることもできます。もちろん、失敗を共有したからといって、他人が同じ失敗をしないわけではありません。自分自身でも同じ失敗をすることがあるのに、他人であればなおさらです。しかし、共有しなければ同じ失敗を複数人で複数回繰り返すことになりかねません。もちろん、共有するのは失敗ばかりではなく、うまくいったこと、困ったこと、もっとうまくやれたことなどを共有していきます。

レトロスペクティブを行う内容はキャンペーンの終了後、四半期末、年度末で異なります。それぞれについて説明していきたいと思います。

まず、キャンペーン終了後に関してレトロスペクティブの内容を説明します。キャンペーン終了後のレトロスペクティブは、キャンペーンの各施策のKPIの確認と、各施策やキャンペーン全体における振り返りになります。キャンペーン実行中のチェックではKPIやKPIに影響するデータのみを根拠として見ていましたが、レトロスペクティブにおいてはKPIに関連する意見や感想、そしてキャンペーン中における定性的な顧客の反応なども振り返っていきます。セミナーなどであればアンケート結果を共有して、顧客の反応がどんなものであったかを議論したりもします。このキャンペーンのレトロスペクティブには、マーケティングに限らずキャンペーンに関わった人全員が参加するようにしましょう。

続いて四半期末のレトロスペクティブです。企業によっては四半期末ではなく半期末に行っている場合もあります。四半期であるか、半期であるかの頻度の違いはさほど大きくないので、やりやすい方で選択してください。規範期末の振り返りでは、主に売上に注目します。単に、売上がここまで達成できているのかどうかではなく、なぜ達成できたのか、もしくはできなかったのかを振り返ります。ビジネスモデルにもよりますが、キャンペーンの結果が出るのは、キャンペーンを実施してからしばらく時間が経ってからです。そのため、キャンペーンのレトロスペクティブではKGIである売上の結果がわからない場合もあります。その四半期に上がった売上の成果から、以前の四半期のキャンペーンも含めて、何がその結果につながったのか、どんなキャンペーンが売上に効果的だったのかを振り返ります。売上のトラッキングデータからキャンペーンの効果がわかるようであれば、それをベースに議論をします。この四半期のレトロスペクティブには、営業担当やプリセールスエンジニアなど、直接顧客との接点を持った人の意見も非常に重要になるため、参加してもらうようにしましょう。

そして、年度末のレトロスペクティブです。年度末のふりかえりでは四半期末のレトロスペクティブの内容に加えて、マーケティング戦略の年間計画、市場の動向などの振り返りを行います。年間を通じて、顧客に届けてきたメッセージが正しかったのか、顧客は自社の製品やサービスの価値をどのように必要としていたのかなどを振り返ります。また、併せて通年で行ってきたマーケティング施策の振り返りも行います。その際、長期的な変動を見る必要のある顧客の離脱率や顧客生涯価値、NPS（ネットプロモータースコア）などの変動に関しての振り返りも行います。

レトロスペクティブは基本的にはどの振り返りの内容でも同じ手法で行うことができ、ブレーンストーミング的によかったこと、悪かったことなどを書き出していきます。そこでよく使われるのがKPTです。

KPTはKeep、Problem、Tryの頭文字をとったもので、Keepはよかったことで続けていくべきこと、Problemは問題となっていることで解決すべきこと、Tryはできていないけどやった方がよいと思っていることです。Keep、Problem、Tryで区分けされた模造紙に付箋をペタペタと張り出していくのが一般的です（図8-8）。

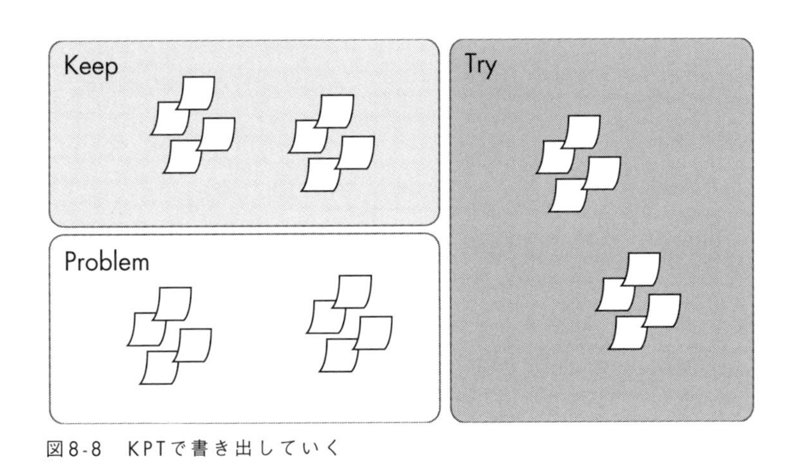

図8-8　KPTで書き出していく

ただし、慣れる前にいきなりKPTに書き出していくとうまく機能しないことがあります。というのも、KPTのKeepとTryはやるべき行動になっているので、そこまで言い切れない場合があったり、Problemは現象から一歩進んで問題になっているので、分析ができていなかったりという理由で躊躇してしまうことがあるようです。そのようなときは、よかった点、悪かった点といった抽象度で一旦事象を書き出してからKPTを作るとよいでしょう。

最終的にKPTは整理をして簡潔にまとめる必要があります。付箋で書き出したままにしてしまうと可読性が悪くなり、学びとして見返すことができなくなってしまいます。重要なのは、学びとして後に残すことです。

◎ マーケティング視点での製品やサービスへのフィードバックを忘れない

レトロスペクティブは主にビジネス側の組織を中心に行っていましたが、総括として開発チームにもフィードバックを伝えることを忘れてはいけません。これまで、第5章では技術トレンドを、第6章では顧客の声を開発チームに届け、製品やサービスの改善につなげるようにしてきました。しかし、開発チームにフィードバックをし、製品やサービスの改善をするという点においては、もう1つの視点があります。それがマーケティングの視点です。

全てのソフトウェアの機能が顧客のニーズを満たすためのものというわけではありません。ソフトウェアの機能の中には、マーケティングや営業といった提供側の視点で、追加される機能も存在しています。

例えば、ほとんどのソフトウェアに存在するライセンス管理の仕組みがそれにあたります。サブスクリプションの場合、サブスクリプションの状態を表示したり、プランの変更、課金、利用停止などをソフトウェアの中で実行したりもできます。また、最近のソフトウェアでは提供側からのメッセージを表示するような機能が実装されているソフトウェアも少なくありません。特に、第7章で説明したようなフリーミアムから課金してもらうためのメッセージを適切なユーザーに表示するのはその最たる例です。

このような機能は顧客にとっては意味のない機能ですが、マーケティングの視点から見ると、顧客との接点を持ったり、また自社の権利を守ったりするための機能です。ライセンス管理の機能はともかく、顧客との接点を持つための機能は、まず開発チームが率先して実装することはありません。実装するためにはマーケティングからお願いする必要があります。

また、ビジネスモデルの観点でライセンス体系を変更したりすれば当然のごとく、ライセンス管理の仕組みが変わったり、場合によっては根本的に作り替えなければいけない場合もあります。

また、顧客の目に触れない機能でも、マーケティングの視点からは重要となる機能もあります。それがログです。ログはユーザーが行った操作やシステムの状態を記録するような仕組みです。従来のソフトウェアでは、何かトラブルが発生した際に、その解決のためのヒントとなる情報を収集するのがログの役割でしたが、最近ではユーザーの動向を把握するために使用することも増えてきています。特にクラウドサービスでは多くの顧客のログが集積されるため、マーケティングにとっては有益な情報の宝庫となり得ます。しかし、これらの情報もどんな情報が必要なのか、どういった観点でユーザーの動向を把握したいのかを正しく開発チームに伝えなければ、その情報を取得することができません。加えて、最近ではそのような情報をBI（Business Intelligence）システムで分析することも増えてきています。そのような場合にも、ログの情報をBIシステムに連携できるように、調整するのもエンジニアにお願いするしかありません。

このようなマーケティング視点での機能変更や機能追加を開発チームにお願いするためには、それ相応の根拠が必要になります。開発チームに「こう決まったからお願い」といったとしても、正式な決定であればそのような変更を加えてもらうことができるとは思います。しかし、裏付けのない変更は開発チームにとって納得感を持ってもらえないだけではなく、間違った理解に基づいて正しくない実装がされてしまう可能性があります。

そういった事態を避けるためには、相互の状況を理解し合い、なにがしたいのかをお互い認識するということが欠かせません。そのためには、お互いのレトロスペクティブの結果を持って、お互いに状況の認識をそろえるといったことをする必要があります。マーケターとしても、ソフトウェアの機能的助けが必要な場合もありますし、エンジニアとしてもマーケティング的解決手法が必要な場合もあります。もちろん、第1章で説明したように、日頃からの関係性が築けていることも重要ですが、四半期末や年度末といったタイミングで、様々なデータを共有しながらお互いにどんな助けが必要なのかをオフィシャルに話し合う機会も重要です。

エンジニアもマーケターも関心領域は違っていても、最終的には顧客に価値を届け、その対価をもらうというゴールは共通しています。オフィシャルにもアンオフィシャルにもお互いに協力し合う体制を構築し、継続していく必要があります（図8-7）。

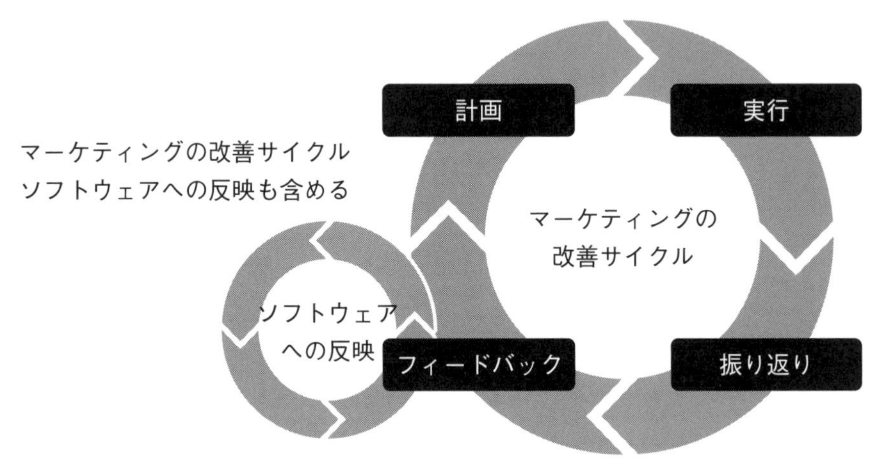

図8-7　マーケティングの改善サイクル

第9章

製品を売るために
学ぶべき技術の話

9-1

マーケティングとエンジニアの関わりを効率化する技術の情報

◎ エンジニアとのコミュニケーションに役立つモデル化

「マーケターだから技術のことについて全く知らなくてもいい」ということはありません。マーケターはエンジニアとコミュニケーションをとったり、顧客のフィードバックを取りまとめたりする必要があります。そのためにある程度技術やソフトウェアの設計に関して理解をしておきましょう。第9章では、マーケターとして学んでおくことが望ましい技術やそれに関連する手法について紹介していきます。

まずは、エンジニアとコミュニケーションを取るときに非常に有用なスキルであるモデル化を紹介します。図表化といってもいいかもしれません。エンジニアは議論をするとき、多くの場合モデルを書きながら議論をします。エンジニアが書くモデルというと難しそうな気がしますが、決してそんなことはありません。

普段の議論で使用するようなモデルは、本書の図表で使用しているような物事を抽象化したモデルです。モデルを使うのは、文字で書くよりもモデル化した方が圧倒的に理解しやすく、認識の相違が少ないからです。書籍のように何度も読み返せるような場合は文章でも理解できるかもしれませんが、議論の場でどんどん話が進んでいくような場合はモデルを描き、それを修正していく方が容易に理解できます。

このモデル化で最も重要な能力が、物事を構造化して捉える能力です。この能力はエンジニアとのコミュニケーションにおいてだけではなく、ビジネスのあらゆるシーンで有効に使える能力です。特に、議論と同様プレゼンテーションでは絶大な能力を発揮してくれます。

物事を構造化して捉えるとは、特定の視点で物事を見て、そこに登場する構成要素と構成要素同士の関係性を導き出すことです。それにより、それぞれの物事の意味づけを明確にし、それと同時に全体像を理解できるようになります。

実際にモデル化する能力を身につけていくために一番よいのは、自分の身の回りをモデル化してみることです。最もわかりやすいのは、会社の部署のモデル化です。自分の会社にはどんな部署があり、それぞれどんな役割を果たしていて、それぞれどういった関係にあるのかを把握するのはどうでしょうか（図9-1）。それにより、普段の仕事の見え方も変わってくるかもしれません。また、自分の関わっている仕事のプロセスをモデル化してみてもよいでしょう。マーケティングの仕事は以前にもいった通り、分業化され、多くの人が関わっています。その流れを把握するにもモデル化が役立ちます。

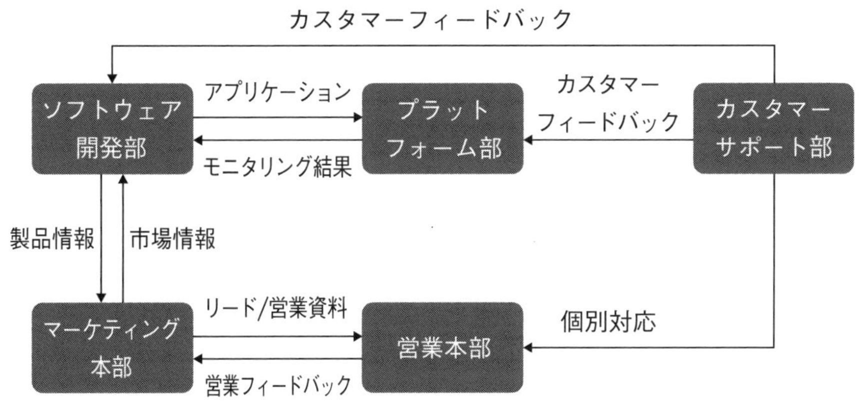

図9-1　自分の会社をモデル化してみる

また、身の回りをモデル化するだけでなく、モデル化するためのフレームワークの習得も役立ちます。そういったフレームワークは世の中にはたくさんあるので、それらを理解するのもモデル化の力をつけるのに有効です。特にソフトウェアのモデル化の中で有名なのが、UML（Unified

Modeling Language）です。厳密にはUMLフレームワークではなく記法とすべきですが、ここで紹介したいと思います。

UMLはシステムの振る舞いや構造を、図を用いることで視覚的に理解できるようにするための記法です。ここでは、記法ではなく、その視点について学んでもらえればと思います。UMLには複数の図が定義されていて、それぞれがシステムを様々な視点から構造化しています。全てに関して、その視点を理解する必要はないですが、マーケターの立場でも、下記の図はどのような図なのかを知っているとよいでしょう（図9-2）。

- **ユースケース図**
- **シーケンス図**
- **ステートマシン図**
- **アクティビティ図**

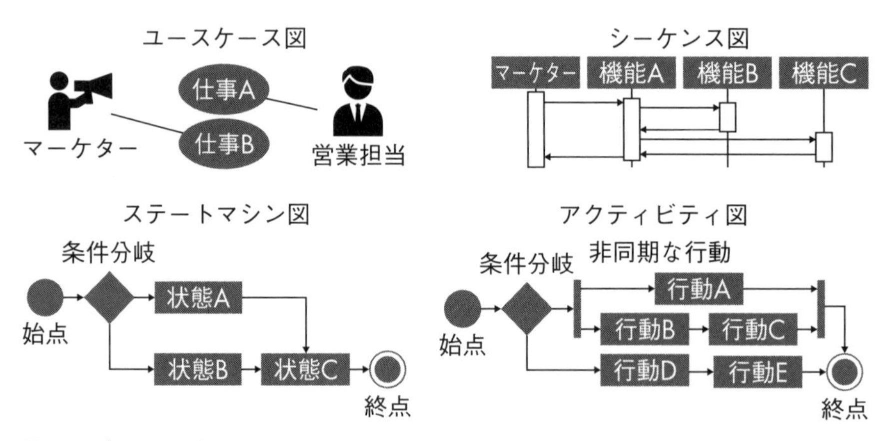

図9-2　知っておきたいUML

また、ソフトウェアのモデル化だけではなく、ビジネスに対するモデル化のフレームワークもたくさんあります。ビジネス全般でよく利用するフレームワークは「ビジネスフレームワーク」と呼ばれ、第2章でも紹介しましたし、関連する書籍も多く出てきています。ここでは個々のフレームワークを紹介しませんが、エンジニアとの会話以外でもマーケティング分析や計画立案の中で非常に役立つフレームワークが数多く世の中に存在します。モデル化のスキルを向上させるためにも、関連書籍を少なくとも1冊は読んでおくとよいでしょう。

◎ マーケティング遂行のために理解しておくべき技術

第2章でも述べたように、現代のマーケティングはIT技術を活用したマーケティング手段が多くなってきています。そのため、マーケター自身が技術を使いこなしてマーケティングを効率化する、もしくは精度を上げる必要があります。そこで、今マーケターにとって知らないでは済まされない、2つの技術について紹介したいと思います。

まず、1つ目がデータの取り扱いです。第8章でも説明しましたが、KPIを分析するにあたってデータの取り扱いは欠かせませんし、KPIを常に評価するためには、自分でデータを取得できるようにしなければなりません。さらには、データを取得するだけでなく、その分析も必要不可欠です。レトロスペクティブの段階でなぜそうなったかを分析する際には、データを使ってその原因を探るのもマーケターの役割の1つです。

そのようなデータを自分で分析するために、最低限の知識としてデータベースのしくみについて理解できる必要があります。データベースの仕組みなんて難しそうと思うかもしれませんが、データベースはエンジニアであれば、誰でも学ぶ初歩の技術です。データベースの入門書を1冊読むだけでも十分習得できます。あまり構えずに勉強してみましょう。

その上で、自分が調べたいデータのデータ構造を理解する必要があります。どこにどんなデータがあるのか、他のデータとどのように結びついているのかを理解すれば、自分でどのようなデータを取得できるかがわかります（図9-3）。

さて、データは閲覧することができても、分析することができなければ意味がありません。基本的には分析対象のデータは膨大なデータになるので、手作業で分析することは不可能です。そのための方法が大きく分けて2つあります。1つがSQLというプログラミング言語を使う方法です。SQLはデータベースにアクセスして、データを操作する言語で、大量のデータから必要なデータを抽出して集計したり、複数のデータを関連づけて処理したりもできます。プログラミング言語と聞くと難しそうに思う人もいるかもしれませんが、一度覚えてしまえば複雑な分析も可能となるので、覚えておいた方がよい技術です。

また、データの分析をグラフ化して画面上で行うようなBIツールといった製品やサービスも最近では使用できます。最近ではBIツールもノーコードという形でSQLを知らなくても分析できる仕組みを持っていますが、複雑な分析をしようとするとSQLの知識が必要となります。そのため、データ分析をしっかりやるのであればSQLぐらいはできるようにしておいた方がよいでしょう。

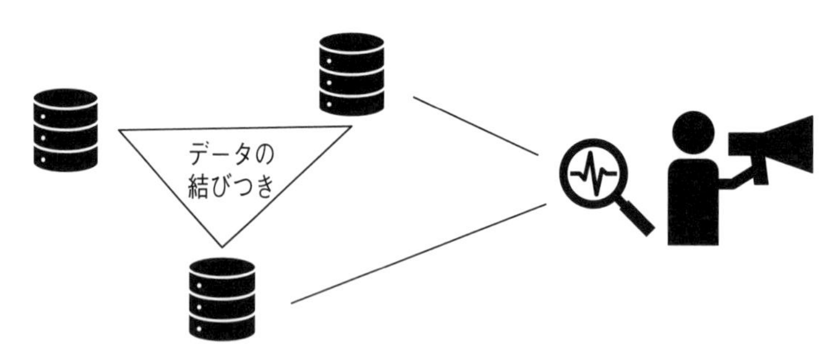

図9-3　自分が欲しいデータを取得する

そして、次に知っておくべき技術がWebの技術です。第2章でデジタルマーケティングに特化すべきではないと述べましたが、それでも現在のマーケティングにおいてはWebの存在は外すことができません。

Web広告に限らず、様々なマーケティングツールがWeb上に存在しています。Webに関しては技術的に使いこなすまで学ぶ必要はありませんが、ある程度どんな仕組みで動いているのかは理解しておきましょう。

Webにおけるマーケティングに関してはまだまだ変遷が激しく、そのルールも日々変わっています。特にセキュリティや個人情報保護の観点でのルール変更は当面続きそうです。そんな中で、Webの仕組みを理解していないと、場合によっては訴えられてしまう可能性もあります。例えば、近年サイトを訪問すると「Cookieの利用に同意してください」といったメッセージが表示されるようになったと思いませんか。これはEUのGDPR（EU一般データ保護規則）やCCPA（カリフォルニア州消費者プライバシー法）への対策として、設定されたメッセージです。これに対して「Cookieってなんですか？」といっているようでは、対応策など取れません。

また、GoogleアナリティクスなどのWeb解析ツールに関してもWebの知識がないと正しい判断ができません。よくある例がPVとセッションとユニークユーザーを理解しないでコンバージョン率を計算してしまうケースです。今ここで、PVとセッションとユニークユーザーの違いがわからなくても問題ありません。これから勉強しましょう（図9-4）。

図9-4　知っておくべきWeb技術

ここではデータの取り扱いとWebの技術を紹介しました。あくまで現時点でマーケターが必須で学ぶべき技術ですが、今後は機械学習や、自然言語解析などの新しい技術がマーケターにとって必須の技術になるかもしれません。

常にアンテナを高く張って、マーケティングを効率的かつ高精度で行うための技術を身につけるようにしましょう。

9-2 技術トレンドを読むための技術の話

◎ トレンドワードの定義と背景を知る

IT業界でマーケティングを行っていく上で、技術トレンドを理解することは欠かせません。第3章で技術トレンドを読み取ろうという形で、トレンドに乗った技術がどう変遷し、どのタイミングでそれらの技術を取り入れるべきかという話をしました。ここからはもう少しマーケティングとしてのプロセスではなく、それ以前にIT業界としてのトレンドを常に掴んでおくにはどうすべきか、またそれらを理解するためにどんな知識が必要かを説明していきたいと思います。

まず今IT業界においては常に小さな話題から大きな話題まで様々なトレンドワードが飛び交っています。もちろん、全てのトレンドワードをキャッチする必要はないですが、少なくとも大きな話題と、自社の製品やサービスに関連するような技術トレンドは押さえておく必要があります。大きな話題、小さい話題に対して定義はないですが、少なくとも一般紙の新聞でも話題に上がるようなトレンドワードに関しては理解しておかなければなりません。

ここで問題は「理解しておく」とはどういうことかという点です。色々な記事を読み漁って、色々な意見を収集することも大事ですが、バズワード化してしまって好き勝手な解釈を加えた記事が多く出回ってしまっていると、本当の意味がわからなくなってしまいます。また、自分に都合のよい解釈を見つけるとそれを正として、それに近い意見の記事ばかり読んでしまうということにもなりかねません。そうならないように本来の意味をしっかりと把握し、その登場背景も含めて把握することが「理解しておく」という意味です。このトレンドワードを理解しておく方法について紹介していきます。

まず、どうやってトレンドワードをキャッチするかです。IT業界におけるトレンドワードは必ずしも技術の名前というわけではありません。例えば、「働き方改革」や「DX」などは技術の名前ではなく、考え方です。そのため、第3章で紹介したようなハイプサイクルには登場してこないこともあります。では、どこで探してくるのかといえば、主にはIT系メディアの記事や、大手ITベンダーのニュースリリースやブログあたりが主な情報源となります。

何をもってトレンドワードとするかは難しいところですが、私の基準としては1ヶ月程度の間に複数のメディアや複数のITベンダーが取り上げるようなキーワードに関してはトレンドワードとして考えるようにしています。働き方改革やDXのレベルで大きな話題になるトレンドワードはそう多くないですが、自社の製品やサービスに関連するトレンドワードは意外と多く登場してきます。それらのトレンドワードをキャッチするために、先ほどの情報リソースを毎日チェックしましょう。

そして、トレンドワードを見つけたらやるべきことは、そのトレンドワードの定義を正しく知ることです。トレンドワードが海外でトレンドになって日本に入ってきたようなケースだと、日本に入ってきた時点ですでに意味が変わってきている可能性もあります。そのため、トレンドワードをキャッチしたら、まずそのキーワードが誕生した背景を探りましょう。誰が最初にいったキーワードなのか、または、そのキーワードの最初に重要な意味づけをしたのが誰なのか、それらを見つける必要があります。重要なのは、最初にいったときや意味づけを行ったときの文脈です。どういった文脈でその言葉が使用されて、トレンドになったのかを知る必要があります。もちろん、言葉の意味は変化するものなので、長くトレンドとして存在していると、周りの環境の変化に伴ってトレンドワードの意味が変わることもあります。ただし、その変化も最初の定義を知った上で、なぜそういう定義に変わったのかを吟味しなければなりません。

そのトレンドワードが技術の名前である場合は、どのような技術であるかも把握しましょう。さすがに技術そのものの仕組みをしっかりと理解することは難しいですが、概要ぐらいは知っておく必要があります。ここでいう概要とは、何をするための技術なのか、類似するような技術はどんな技術なのか、その類似する技術とは何が違うのかという点です。特に自社の製品やサービスに関わるような技術の場合は、その概要をしっかりと理解する必要があります。自社の製品やサービスとの関係はどうなっているのか、今後採用を検討するべきものなのか、それとも競合となるものなのかといった観点でその製品を評価する程度の知識は獲得するようにしましょう（図9-5）。

図9-5　概要をしっかりと理解する

これらのトレンドワードを理解しておくのは、第3章で触れた技術トレンドを読むという意味もありますが、エンジニアや顧客とのコミュニケーションにおいて正しい意味で理解し、適切な対応ができるようにする意味もあります。特にマーケティングメッセージで間違った意味や自社に都合よい解釈をしていると、信頼を失うことになりかねません。逆に、エンジニアとコミュニケーションなどで正しい理解をしていると、「この人はちゃんとわかっているな」と信頼を得られることもあります。トレンドワードの理解にはある程度時間をかけて、そのトレンドワードが出てきた背景や、出典となる文脈を理解し、正しい定義でコミュニケーションができるようにしておきましょう。

◎ 技術の関連性を知るための基礎知識

トレンドワードはそれ単体で理解していてもあまり意味はありません。正確に意味を理解してコミュニケーションの中で信頼を得ることもできますが、技術に関する基礎的な知識がないと逆に上辺だけの人物に見られてしまう可能性もあります。マーケティングでも流行りのキーワードばかりを集めて話している人がいたらどうでしょうか。きっと「あ、この人意識高い系ぶっているだけで、薄い人だな」と思うかもしれません。それと同様に、技術においてもトレンドワードだけを知っていればよいわけではなく、基本的な部分も理解した上でトレンドワードを使っていないと、「マーケティングの割にはわかっているけど、やっぱり技術的な話は通じないな」と思われてしまうかもしれません。実際、技術に関する基礎知識がないとトレンドワードとして上がってきた概念や技術がどこで使われるのか、どういった効果を発揮できるのかを理解することができません。

技術の基礎知識を得るための方法としては、2つの方法をおすすめします。まず1つはIT業界における技術の変遷の歴史を学ぶこと、もう1つが今使われているITの技術を水平的に学ぶことです。

まずはIT業界における技術の変遷の歴史を学ぶ方法について紹介したいと思います。第3章で述べた通り、イノベーティブな技術は突然登場するわけではありません。様々な紆余曲折を経て、試行錯誤の結果にイノベーティブな技術が登場してきます。イノベーションは非連続性の産物といわれることもありますが、ITの技術に関していえばなんらかの連続性がそこにあります。その連続性を見出していくことで、技術の関連性を読み解くことができるようになります。

昔の話を知って意味があるのかという意見もあるかもしれませんが、結構これが役立ちます。顧客の中には古い技術の知識のままアップデートされていない人も意外といます。特に中小企業の場合、システムの更新のサイクルがかなり長くなり、しばらく最新の技術に触れていないという場合も少なくありません。そういった顧客に新しい技術を紹介する場合は、どうしても過去の技術の変遷に言及せざるを得ません。そのためにも、歴史を知っているということは役に立ちます。

また、IT業界にとって技術の歴史は業界の歴史そのものです。IT業界に身を置いている以上、その業界に関する知識は欠かすことができません。業界そのものの変化を理解できなければ、正しいマーケティング戦略など立てることはできませんし、マーケティング戦略の観点だけではなく、自身のキャリアの方向性を考える際にもIT業界について知っていることは非常に役立ちます。

さて、そんなITにおける技術の歴史の学び方ですが、意外と難しかったりします。IT業界の歴史に関して記述されている書籍もありますが、ハードウェアの歴史、Webの歴史がほとんどで、技術全体やIT業界全体の歴史を紹介しているような書籍はほとんどありません。そのため、断片的な歴史を読み漁っていくのが妥当な学習方法です。書籍の場合も、Web記事の場合もありますが、それらの情報をまとめることで、技術の流れがどのような方向に向かっているのかを理解することができます。同時に、複数の歴史を糊付けしてつなぎ合わせる作業をしたことで、1つの歴史からでは見えなかった事実も推測できるようになります。

もう1つの基礎知識の取得方法である、今使われているITの技術を水平的に学ぶについても紹介していきたいと思います。残念ながら、歴史を追っていくだけでは今使われているITの技術を網羅的に知ることはできません。なぜなら、歴史と今では解像度が違うからです。歴史はあくまで過去の事象の中から特筆すべき点を記録として残しているため、今使っているITの技術の源泉となるような動きが残されていないことが多くあります。また、技術はどんどん多様化してきているので、過去の技術を源泉とするのではなく、現在の技術を源泉として生み出されているITの技術も数多くあります。そのため、今というスナップショットでITの技術を水平的に理解する必要があります。

ところで、今使用されているITの技術をどこまで理解すればよいかというと、広く浅く知っている方がよいです。もちろん、1つひとつの技術について十分理解ができればよいですが、マーケターとしてはそこまで必要はないでしょう。とはいえ、新人のSEが現場に出るまでに知っておくべき技術ぐらいは覚えておいた方がよいです。プログラマでも、インフラエンジニアでもなく、SEとしたのは範囲を絞らなかったためです。SEの仕事は設計が主な仕事なので、各種のエンジニアほど深く技術について学ぶ必要はないですが、どの技術を使うべきかの選択を行ったりもします。そのために必要な新人が覚えるような技術の基礎知識がマーケターにはちょうどよいでしょう。その観点で技術の基礎知識を学ぶ際には、新人SE向けの書籍などもおすすめです。ただし、内容が設計の話のみに偏っているような書籍は避け、新人SEにとって必要な技術も掲載されている書籍を選ぶようにしましょう。

また、さらに広く浅くという意味ではITによくあるアルファベット3～5文字で略語表記された技術に関しても、理解までいかなくても概要は知っていた方がよいです。そういった略語を掲載したIT用語の辞典的な書籍が世の中には結構ありますので、その辺は一通り目を通しておきましょう。そうすることで、日々IT系のメディアなどで目にする略語系の技術に関しては、何度か目にするうちに頭に残るようになります。ほとんど目にしないような技術に関しては気にする必要がない技術だと割り切ってしまってもかまいません。

IT業界における技術の歴史と今使われているITの技術をここに理解したら、それを先ほどのモデル化のスキルを使って関連性を描いてみるとよいでしょう。そうやって各技術の関連性が理解できるようになると、技術トレンドの予測の精度は格段に上がりますし、エンジニアや顧客とのコミュニケーションの質も格段に上がります。

9-3 顧客にソリューションの価値を伝えるための技術の話

◎ 最低限知るべきプラットフォームの知識

ここまでエンジニアとのコミュニケーション、技術トレンドの予測といった観点で、どんな技術やスキルを学ぶべきかという話をしてきました。ここからは顧客とコミュニケーションを取ったり、メッセージを作成したりするために必要な技術の知識について紹介したいと思います。

基本的にソフトウェアはなんらかのプラットフォーム上で動作しています。20年ほど前は、アプリケーションが動作するプラットフォームといえばクライアントOS、サーバーOSくらいしか意識されていませんでした。せいぜい、ミドルウェアという形でOSとアプリケーションをつないで、制御を容易にするための仕組みが存在した程度です。

しかし、昨今のプラットフォームの多様化は凄まじく、単純に分けても、クラウドかオンプレミスか、モバイルかPCか、はたまたWebかといったような様々な切り口やプラットフォームが存在します。このプラットフォームに関しては、ここまで述べてきた技術への理解とは少し違った形で、もう一歩進んだ理解が必要になります。

プラットフォームに対する理解が他の技術よりも必要な理由は、自社の製品やサービスがそのプラットフォームなしでは動かないからです。プラットフォームが動かなくなれば自社の製品やサービスも動かなくなります。プラットフォームに関してする技術的な知識に関しては、それほど深く持っている必要はありません。ただし、マーケティング的観点から、プラットフォームについて理解して対応すべきポイントがあります。主に脆弱性、サポートライフサイクル、SLAの3つの観点です。それぞれ説明していきたいと思います。

まずは脆弱性です。脆弱性とはソフトウェアにおけるセキュリティ上の欠陥のことです。プラットフォームは非常に複雑な仕組みで作られているため、発見されずにひっそりと潜んでいるバグが数多くあり、その中にセキュリティに影響のあるバグがあってもおかしくありません。ただでさえ個人情報などの規制が強化されているような昨今で、脆弱性をつかれて製品やサービスに攻撃でもされたら大事になります。

もし万が一にも攻撃を受けてしまった場合はマーケティングも顧客に情報を提供するためにWebページやメールなどの対応をする必要がある場合もあります。その際、プラットフォームに関してどのような情報を顧客に伝えなければならないかの知識は最低限必要です。例えば、Windows 11だった場合に、ProなのかHomeなのか、どういったWindows Updateが適用されていればよいのか、などです。ここで知っておくべきは細かい条件ではなく、「条件としての項目にどのようなものがあるか」という点です。普段からプラットフォームの脆弱性情報に目を通しておくと、どのような項目があるのかがわかるようになります。脆弱性情報の内容はエンジニア向けなのでやや難しいですが、斜め読みでも大丈夫なので、目を通しておきましょう。

次がサポートライフサイクルです。サポートライフサイクルはニュースでもWindows 7のサポート終了やInternet Explorerのサポート終了が取り上げられたので知っている人も多いかと思います。サポートライフサイクルは各プラットフォームベンダーに情報が掲載されていて、完全にサポートが終了すると、先ほどの脆弱性を含む不具合への修正が提供されなくなります。そのため、自社の製品やサービスもプラットフォームがサポート終了となれば、そのプラットフォームの使用を止めるなり、そのプラットフォームに対するサポート終了をすることになります。

マーケティングの立場では、プラットフォームのサポートライフサイクルを理解し、自社の製品やサービスのプロダクトライフサイクルやリリース戦略などに反映しなければなりません。自社の製品やサービスがサポートしているプラットフォームが1年後にサポート終了を迎えるのであれば、そのプラットフォームに対する自社の製品やサービスのサポート終了を早めに顧客に伝えます。サポート規約に記載をしていても、顧客のロイヤルティを高めるためにも早めの告知を行うのが得策です。そのため、自社の製品やサービスが使用したり、サポートしたりするプラットフォームに関してはサポートライフサイクルを把握しておく必要があります。

最後はSLAです。これはクラウドに特化した話ですが、クラウドプラットフォームにはSLAが存在します。SLAはService Level Agreementの略で、サービスの品質に対する約束という意味です。クラウドプラットフォームのSLAは一般的に稼働率で提示され、「ある一定期間でプラットフォームが停止する時間はこの時間以下になるようにします」ということを示してます。逆にいうと、その時間までは止まる可能性があるということです。当然、プラットフォームが止まれば自社のサービスも停止します。

この際、慌てて謝罪やサポートへの問い合わせに誘導してはいけません。間違っても、SNSで「当社サービスで不具合が発生しており、申し訳ございません。不具合についてはサポートにお問い合わせください」などと言わないようにしましょう。迷惑や不便をかけたことを真摯にお詫びするのは大事ですが、自社のサービスの不具合なのかどうかわからない時点でサポートに誘導されても、サポートとしても対応しようがありません。

ここでは、SLAにどんな数字が設定されているかは全く重要ではありません。自社のサービスが止まるのは、自社に責任がある場合だけではない、ということを理解しておくことが最も重要です。

◎ 製品で使われている技術の知識

最後に、一番知っていなければいけない技術の話をします。マーケティングの観点で最も重要で知っているべき、自社の製品やサービスで使っている技術です。自社の製品やサービスで使用している技術は、マーケティングメッセージでも、顧客とのコミュニケーションでも、エンジニアとのコミュニケーションでも頻出する技術です。そのため、正しく理解し、ある程度説明できるようにしておけなければなりません。

先ほどのプラットフォームの話は製品やサービスの土台となる部分の話で、どう影響を受けるかといった観点が主に知るべき内容でした。しかし、自社の製品やサービスで使用している技術、特にその製品やサービスの機能面や性能面で価値を発揮するために使用している技術に関しては、なぜそれが価値を発揮するのかを説明できる必要があります。

では、どんな技術について知識をつける必要があるのかというと、機能面でいえば自社の製品やサービスのコアとなるような技術です。AIやブロックチェーン、メタバースなどをコア技術としている製品やサービスが最近では増えてきています。また、パフォーマンスやセキュリティといった面で、優位性を築くためや顧客の満足度を高めるために採用されている技術がほとんどです。GPGPUやエッジコンピューティング、FIDOなどの技術が採用されたりしています。なぜマーケティングの立場でこれらの技術に関する知識を持たなければならないのか考えてみましょう。

第6章で、ビジネスに興味がある人と、ITに興味がある人がいる話をしました。そこで、ITに興味がある人に対する資料はエンジニアに協力してもらって作成すると説明しました。エンジニアに作ってもらうのは技術的な資料であり、技術の価値を最初に説明するための資料はマーケターが作らなければなりません。Webページの原稿やカタログ、営業資料などに掲載する技術の価値はマーケターが作るマーケティングのメッセージの一部です。それらのメッセージを作るためには、ある程度技術について知っている必要があります。

基本的に、エンジニアの仕事は技術を使って製品やサービスに価値を作り込んでいくことで、それに付随した作業としてメンテナンス用の資料や顧客向けの技術資料の作成を行います。エンジニアにとって資料を作成する際に重要視するのは、誰に向けた資料であっても、正確であり、その製品やサービスを取り扱うにあたってわかりやすい資料を作成することです。製品やサービスがどのような価値を顧客にもたらすことができるかに関しては、エンジニアの仕事の範疇外となります。

そのため、マーケターは製品やサービスを使って実現できる価値を顧客に伝えることはもちろん、そこで使われている技術がどうして顧客にとって価値をもたらすかも説明できるようになる必要があります。例えば、「このECサイト構築ツールはAIを使ってお客様に最適な商品をレコメンドします」というメッセージを出しているECサイト向けの製品があるとします。このメッセージをECサイトの顧客目線では素晴らしいECサイトが構築できるのだなと思うかもしれません。しかし、ECサイトの運営者の目線では、どのような情報に基づいて、どのような仕組みで顧客に商品をレコメンドするのかがわからなければ、その価値を理解できません。この仕組みを説明するためには、AIがどのように動いているのか、そもそもAIとはどんな技術であるのかを理解していなければECサイトの運営者に価値を理解してもらえるメッセージを作ることができません。

さらには、そのメッセージを営業担当が顧客に訪問して説明するときの支援も必要です。その説明と簡単な質疑応答ができるぐらいのレクチャーをあらかじめ営業担当に対して行っておく必要があります。実際に、エンジニアに支援してもらった資料を活用する前段階で、ある程度顧客のITに興味がある人に理解して興味を持ってもらうためには、それぐらいのインプットが営業担当に対しても必要です。そのインプットを行うのもマーケターの役割です。

技術に関する知識を学ぶには、今までのようにちょっと調べて概要を理解する程度では足りません。そのため、いくつかのステップでしっかりと理解していくとよいと思います。

まず、最初のステップはこれまでの技術と同じように概要を知るところから始めます。この段階ではなんとなくの理解で問題ありません。その技術に関連して出てくる主要な用語について、なんのことを表しているのかが理解できる程度で十分です。

その上で、次のステップとしてエンジニアからレクチャーを受けるようにしましょう。ある程度の知識があれば、全く何をいっているのかわからない状態にはなりません。そのため、レクチャーを聞きながら、本章の一番初めに紹介したモデル化のスキルを使ってエンジニアがいっている内容をまとめ、そのモデルを使って自分の理解が正しいかをエンジニアに確認をするとよいでしょう。それにより、モデル化の練習にもなりますし、モデルを使ったコミュニケーションの練習にもなります。このコミュニケーションの中で、徐々にその技術の仕組みがはっきりしてくるはずです。

最後のステップとして、その技術を営業担当や顧客に説明できるような技術概要のスライドを作成して、実際にエンジニア向けにプレゼンテーションの練習をしてみましょう。そうすることによって、自分の言葉でその技術を説明する練習ができると同時に、エンジニアにその正しさをチェックしてもらうことができます（図9-6）。

図9-6　技術を学ぶステップ

ここまで来れば、その技術に対してマーケターとして十分な知識がついたといえます。その知識を持って、その技術が自社の製品やサービスを通じてどのような価値を提供するのかを考えるのは、まさにマーケターの仕事です。IT業界でマーケティングをしている以上、技術がわからないで押し通せることはありません。また、技術を使って実装するレベルでない限りは、全く理解できないような技術はほとんどありません。ぜひ、技術に関しても知識を持つようにしましょう。

おわりに

ちょうどマイクロソフトに入社したかどうかの頃、人生計画として、何歳までに何をするのかという表を作りました。幸運にも、そのほとんどのことは実現できたのですが、45歳を迎えた時に達成できていないものが2つありました。その1つがマーケティングの書籍の出版です。はじめにでも書いた通り、マーケティングに片足を踏み入れたぐらいの時期で、書籍を出せるくらいにマーケティングを頑張るという意味合いもあったのだと思います。それから15年以上が過ぎ、やっと未達だった目標の1つが達成できました。

目標を立ててからこれまで、実はマーケティングの仕事一本に集中できていたわけではなく、技術方面の仕事や経営管理など様々な仕事に手を広げながら、ジェネラリストとして経験を積んできました。マーケティング一本でやってこなかった自分が、IT業界の素晴らしいマーケターのみなさんと肩を並べて書籍を出版するというのは不安な面もありましたが、今回の書籍を執筆するにあたっては、逆にその経験を活かすことができたと思っています。

また、ダブルワークでお世話になっている日本仮想化技術の社長、宮原徹さんにも、執筆にあたって応援していただけましたことを感謝いたします。

本書を書くにあたっての一番大きい課題意識としては、ITとビジネスの間のギャップの存在でした。この課題は、簡単には解決できるとは思っていません。

今回はIT業界のマーケティングというテーマで本書を執筆しましたが、この課題を解決するためには、マーケターだけではなく、顧客もエンジニアもその課題に対して向き合い、意識改革をする必要があると思っています。

マイカスピリットでは、その課題の解決に向けてこれからも様々なお手伝いをしていこうと思っています。それは必ずしもマーケティングの視点からだけではなく、ITに関わる様々な立場の視点からお手伝いしていくつもりです。ITの価値をビジネスの価値に変換することは、ITに関わる全ての人を幸せにすることだと信じています。その価値観が世の中に広がることを心より祈っています。

本書を執筆するにあたって背中を押してくれ、そして自分がこうやっていろんな人との接点を持つそもそものキッカケを作ってくれた岩切晃子さん、今野睦さんに、心よりの感謝を申し上げます。

岩切さんには書籍を執筆したいと相談をした際に、親身に相談に乗っていただき、翔泳社のビジネス書籍の編集部にご紹介いただきました。そして、古くはマイクロソフトへの転職をするきっかけになったVisual Studio User Groupの立ち上げにお声がけいただいたのも岩切さんでした。岩切さんは私にとって、素晴らしいステージを用意してくれるステージママのような存在です。

そして、絶対に「僕は何もしていない」というのですが、今野さんは、節目節目に登場して、今回も「書籍なんて書けばいいだけじゃん」といって背中を押してくれた方です。そして、何より岩切さんを私に紹介してくれて、業界の表舞台に連れ出してくれた方です。

このお二方に出会わなければ、今の自分は絶対にないと思います。

加えて、編集担当の翔泳社の多田さんには、何度も企画の練り直しに対して長い間諦めずにお付き合いいただきました。おかげで、挫折することなく、最後まで書き切ることができました。

そして何より、ひたすら部屋にこもって執筆をしていても、嫌な顔をせず、気持ちの面で、生活の面でサポートしてくれた家族に最大限の感謝をしたいと思います。

2022年9月　新村剛史

索引

さ行

た・な行

は行

ま・や行

ら行

参考文献

『リーンスタートアップ　ムダのない起業プロセスでイノベーションを生みだす』エリック・リース 著、井口 耕二 訳、伊藤 穰一（MITメディアラボ所長） 解説、2012年（日経BP）

『イノベーションのジレンマ』クレイトン・クリステンセン 著、伊豆原 弓 翻訳、2000年（翔泳社）

『フリー　＜無料＞からお金を生みだす新戦略』クリス・アンダーソン 著、小林弘人 監修・解説、高橋則明 訳、2009年（NHK出版）

『［改訂4版］グロービスMBAマーケティング』グロービス経営大学院 著・編集、2019年（ダイヤモンド社）

『改訂3版 グロービスMBAクリティカル・シンキング』グロービス経営大学院 著、2012年（ダイヤモンド社）

『コトラーのマーケティング入門〔原書14版〕』 フィリップ コトラー 著、ゲイリー アームストロング 著、マーク・オリバー オプレスニク 著 、恩藏 直人 監訳、アーヴィン 香苗 訳、小林 朋子 訳 、パリジェン 聖絵 訳、宮崎 江美 訳、2022年（丸善出版）

『コトラーの「マーケティング」実践ワークブック』宮崎 哲也 著、2009年（秀和システム）

『図解 実戦マーケティング戦略』佐藤 義典 著、2005年（日本能率協会マネジメントセンター ）

『Webマーケティングの正解 ほんの少しのコストで成功をつかむルールとテクニック』西俊明 著、2020年（技術評論社）

『バリュー・プロポジション・デザイン 顧客が欲しがる製品やサービスを創る』アレックス・オスターワルダー 著、イヴ・ピニュール 著、グレッグ・ベルナーダ 著、アラン・スミス 著、関 美和 翻訳

『THE MODEL（MarkeZine BOOKS） マーケティング・インサイドセールス・営業・カスタマーサクセスの共業プロセス』福田 康隆 著、2019年（翔泳社）

『確率思考の戦略論 USJでも実証された数学マーケティングの力』森岡 毅 著、今西 聖貴 著、2016年（KADOKAWA/角川書店）

『ノヤン先生のマーケティング学』庭山 一郎 著、2014年（翔泳社）

『CFOのためのサブスクリプション・ビジネスの実務』吉村壮司 著、畑中孝介 著、2021年（中央経済社）

『データ・ドリブン・マーケティング 最低限知っておくべき15の指標』マーク・ジェフリー 著、佐藤 純 翻訳、矢倉 純之介 翻訳、内田 彩香 翻訳、2017年 ダイヤモンド社

『キャズム』ジェフリー・ムーア 著、川又 政治 翻訳、2002年（翔泳社）

『This is Service Design Doing サービスデザインの実践』マーク・スティックドーン 著、アダム・ローレンス 著、マーカス・ホーメス 著、ヤコブ・シュナイダー 著、長谷川敦士 監修、安藤貴子 翻訳、白川部君江 翻訳、2020年（ビー・エヌ・エヌ新社）

『ソフトウェアシステムアーキテクチャ構築の原理 第2版 ITアーキテクトの決断を支えるアーキテクチャ思考法』ニック・ロザンスキ 著、オウェン・ウッズ 著、榊原 彰 監修、牧野 祐子 翻訳、2014年（SBクリエイティブ）

『ハーバード・ビジネス・レビュー テクノロジー経営論文ベスト11 テクノロジー経営の教科書』ハーバード・ビジネス・レビュー編集部 編集、DIAMONDハーバード・ビジネス・レビュー編集部 翻訳、2019年（ダイヤモンド社）

本書内容に関するお問い合わせについて

このたびは翔泳社の書籍をお買い上げいただき、誠にありがとうございます。弊社では、読者の皆様からのお問い合わせに適切に対応させていただくため、以下のガイドラインへのご協力をお願い致しております。下記項目をお読みいただき、手順に従ってお問い合わせください。

●ご質問される前に

弊社Webサイトの「正誤表」をご参照ください。これまでに判明した正誤や追加情報を掲載しています。

正誤表　https://www.shoeisha.co.jp/book/errata/

●ご質問方法

弊社Webサイトの「刊行物Q&A」をご利用ください。

刊行物Q&A　https://www.shoeisha.co.jp/book/qa/

インターネットをご利用でない場合は、FAXまたは郵便にて、下記“翔泳社 愛読者サービスセンター”までお問い合わせください。
電話でのご質問は、お受けしておりません。

●回答について

回答は、ご質問いただいた手段によってご返事申し上げます。ご質問の内容によっては、回答に数日ないしはそれ以上の期間を要する場合があります。

●ご質問に際してのご注意

本書の対象を越えるもの、記述個所を特定されないもの、また読者固有の環境に起因するご質問等にはお答えできませんので、予めご了承ください。

●郵便物送付先およびFAX番号

送付先住所　〒160-0006　東京都新宿区舟町5
FAX番号　03-5362-3818
宛先　（株）翔泳社 愛読者サービスセンター

※本書に記載されたURL等は予告なく変更される場合があります。
※本書の出版にあたっては正確な記述につとめましたが、著者や出版社などのいずれも、本書の内容に対してなんらかの保証をするものではなく、内容やサンプルに基づくいかなる運用結果に関してもいっさいの責任を負いません。

新村剛史（しんむら・たけし）

技術力から商品力への翻訳家/技術マーケティング コーチ
（株）マイカスピリット代表取締役
1975年静岡県浜松市生まれ、神奈川県川崎市在住。技術力が自慢のIT企業様向け、技術力を商品力に進化させることお手伝いするテックマーケティングコーチ。外資系IT企業での技術マーケティング経験をベースに、コーチとしてマーケティング戦略立案、新規ビジネス立ち上げ、プレゼンテーション作成などの支援を行っている。日本マイクロソフトにて、開発ツールのプロダクトマーケティングやエバンジェリストを担当。最新の技術をわかりやすく伝えるということに苦労しながらも、技術がビジネスへと昇華していくことに感銘を受ける。その後、何社かで技術マーケティングを担当。2020年4月、コロナ禍の真っ只中に（株）マイカスピリットを起業。エンジニアとマーケティングの経験を生かして、技術マーケティング コーチとして奮闘中。出身地である浜松の方言でやってみようを意味する「やらまいか」の精神で、技術力のあるIT企業の挑戦をお手伝い!

ブックデザイン　喜來詩織（エントツ）
DTP　株式会社 明昌堂

現場の事例で学ぶ!
IT（アイティー）企業のための
B to B（ビー トゥー ビー）マーケティング
技術・製品・サービスの魅力を確実に伝える方法

2022年10月19日　初版第1刷発行

著　者　新村剛史
発行人　佐々木幹夫
発行所　株式会社翔泳社（ https://www.shoeisha.co.jp ）
印刷・製本　中央精版印刷株式会社

本書へのお問い合わせについては、303ページに記載の内容をお読みください。
落丁・乱丁はお取り替えいたします。03-5362-3705までご連絡ください。

ISBN978-4-7981-7760-1　Printed in Japan